La conspiración
de los Illuminati

Santiago Camacho

La conspiración de los Illuminati

Todo sobre la sociedad secreta
más poderosa del mundo
y su fuerza en España

CÍRCULO de LECTORES

A mi amigo Fernando,
por los buenos tiempos.

Luces y sombras

Resulta especialmente sorprendente comprobar cómo precisamente en esta época, en la que la información fluye libremente por doquier como un torrente imparable de datos de la más variopinta naturaleza, la gente se encuentra más que nunca predispuesta a creer en teorías de conspiración más o menos pintorescas. El innegable éxito del autor de best sellers Dan Brown radica, al margen de su discutible calidad literaria, en que obsequia a sus lectores con argumentos que recogen espectaculares conspiraciones.

Es la revancha de la teoría de la conspiración. Mientras el mundo académico despreciaba con olímpico desdén estos planteamientos, el pueblo ignoraba con igual contumacia la doctrina de historiadores y politicólogos. La idea de una élite que desde la sombra pretende hacerse con el control del mundo comenzó a hacerse parroquiana habitual de tascas y cafés, a frecuentar las sedes de grupos políticos radicales, a acudir devotamente a las iglesias y, ya a finales del siglo XX, se hizo adicta a Internet, una adicción que, lejos de perjudicarla, le ha otorgado la mayor grandeza y extensión de su historia.

El ser humano tiende a la perfección. Sin embargo, en muchos casos, las explicaciones que nos ofrecen la historia, la prensa o los gobiernos distan mucho de ser perfectas. Grandes acontecimientos cuya trascendencia ha modificado de una forma más o menos radical el curso de millones de vidas están lejos de haber sido explicados de manera cien por cien satisfactoria. Por poner dos de los ejemplos más sonoros, el asesinato de Kennedy y los atentados del 11 de septiembre de 2001 presentan en sus explicaciones oficiales profundas grietas que nadie ha sabido rellenar.

A un nivel mucho más cotidiano, el enraizamiento de la cultura de la desconfianza en nuestra sociedad tiene una justificación completamente lógica. En un día normal, desde que ponemos el pie fuera de la cama hasta que nos acostamos de nuevo, todos podemos percibir a nuestro alrededor que el mundo se ha conjurado para engañarnos... La publicidad y los vendedores nos asaltan con el mayor descaro para intentar colocarnos en nuestro carro de la compra cosas que ni queremos ni necesitamos. La televisión apela a nuestros más bajos instintos para robarnos un tiempo precioso de nuestras vidas. Los políticos nos mienten y ante los periodistas practican a diario la estrategia del calamar, dando respuestas prefabricadas por sus gabinetes de prensa aunque no tengan relación alguna con la pregunta que se les ha planteado. Nuestros conocidos, compañeros, amigos y hasta parejas nos intentan manipular en función de sus intereses personales. No es pues de extrañar que prolifere una imagen del mundo en la que no se puede ni se debe confiar en nada ni nadie.

La historia oculta cuenta con una mitología propia poblada de siniestras organizaciones que controlan el mundo desde la sombra. La CIA, el Vaticano, la Mafia, la masonería o los extraterrestres protagonizan multitud de historias –ciertas y documentadas unas, completamente apócrifas otras– que nos hablan de una realidad paralela a la que se nos presenta a través de los medios de comunicación, una realidad en la que grupos ocultos y nada democráticos se disputan el poder mundial en eternas guerras secretas de las que nada sabemos.

Sin embargo, si en el reparto de la comedia de las conspiraciones tuviéramos que señalar un protagonista indiscutible, éste sería sin lugar a dudas la sociedad secreta conocida como los Illuminati. Como veremos más adelante, los Illuminati o Iluminados de Baviera nacen y mueren oficialmente en el siglo XVIII y la historia no les otorga más importancia que la meramente anecdótica o, como mucho, los presenta como un síntoma claro de los aires de libertad, opuestos al clero y la corona, que corrían por la Europa de la época. A pesar de ello, desde entonces no han cesado de correr historias que no sólo afirman que el grupo ha sobrevivido hasta nuestros días, sino que lo señalan como una fuerza determinante en acontecimientos históricos de la mayor relevancia.

¿Cuánto hay de leyenda en estas historias? Posiblemente mucho más de lo que suponen la mayoría de los conspiranoicos y mucho menos de lo que se pontifica desde el mundo académico ortodoxo. El paso a la clandestinidad de los Illuminati no es algo ni mucho menos descabellado si tenemos en cuenta que la orden fue disuelta, pero sus dirigentes siguieron en libertad, bien en la propia Baviera, bien en el exilio. De hecho, su disolución oficial pudo ofrecerles una magnífica cortina de humo para continuar con sus maquinaciones de forma mucho más cómoda.

En cuanto al objetivo de esas maquinaciones, este modesto autor no puede menos que confesar su más profunda simpatía hacia él: la abolición de todas las formas de tiranía, de la división entre naciones y de la influencia de la religión fuera del ámbito estrictamente espiritual. En el fondo se trataría del imperio de la Diosa Razón con el que soñaban los revolucionarios franceses. Un mundo sin injusticias en el que no hubiera lugar para el fanatismo de quienes siguen ciegamente a banderas o dioses, en el que los dos valores fundamentales fueran el individuo y la sociedad. No obstante, un objetivo tan ambicioso requeriría siglos para ser completado. Quienes creen en la influencia actual de los Illuminati afirman que la orden lleva más de doscientos años actuando en la sombra para alcanzar sus objetivos, infiltrándose en todos los estratos de poder, acumulando riqueza e influencia y llevando al mundo, poco a poco y con pasos apenas perceptibles, hacia el modelo que desean.

Lo cierto es que el mundo actual se parece más al que deseaban los Illuminati originales que a aquel en el que nacieron. Ya no hay monarquías absolutas e incluso las constitucionales están en tela de juicio. Existe una Organización de Naciones Unidas y las fronteras en Europa hace ya tiempo que son cosa del pasado. Posiblemente, la prueba más palpable de hasta qué punto nos hemos aproximado a los planteamientos Illuminati la tengamos en el conflicto de Oriente Medio, o lo que se ha denominado el «choque de civilizaciones». A día de hoy resultaría absurdo hablar de un enfrentamiento entre el islam y el cristianismo; de hecho nadie lo hace, sino que se habla de un enfrentamiento entre el islam y Occidente, entre una religión y el conjunto de valores civiles y laicos que rigen una sociedad occidental que ya no está definida por lo religioso.

Más que a los creyentes, recomiendo especialmente la lectura de este libro a quienes piensan que es ridícula la idea de un grupo secreto que desde la sombra dirige en gran medida los destinos del mundo. A lo largo de sus páginas veremos cómo una sombra sospechosamente similar a la de los presuntamente extinguidos Illuminati se proyecta sobre algunos de los acontecimientos más relevantes de los últimos dos siglos. Se trata de una sombra que dirige y manipula, que miente, oculta y distorsiona. No podemos verla más que fugazmente, presentirla, pero no ponerle rostro. Me gustaría pensar que son los Illuminati, a quienes tras meses de duro trabajo e investigación he llegado a conocer y admirar.

Sin embargo, a veces me asalta una duda: si realmente tienen razón quienes afirman que los Illuminati desaparecieron unas pocas décadas después de ver la luz –nunca mejor dicho–, ¿a quién pertenece la sombra?

SANTIAGO CAMACHO
Castelo de Palmela, Portugal

Capítulo I

Los antepasados de los Illuminati

Antes de abordar el tema de los Illuminati, sería más que conveniente tratar de conocer, siquiera de una manera superficial, algunos de sus más notables precedentes históricos.

Dado que la palabra *illuminati* quiere decir literalmente «iluminados», no nos sorprende demasiado comprobar cómo a lo largo de la historia han sido diversos los grupos que han reclamado para sí esta «distinción». No obstante, creemos abusivo relacionar con nuestros Illuminati a cuanto iluminado ha visto la luz desde san Pablo a nuestros días, algo que no tienen el menor reparo en hacer diversos autores que sin el menor sonrojo han remontado los orígenes de esta sociedad secreta hasta los esenios que, los pobres, nada tenían que ver con oscuras conspiraciones para hacerse con el control del mundo ni abolir el cristianismo.

Mucho menos errados nos parecen quienes ven como precedente de los Illuminati a los *hashishins*, una terrible secta de asesinos que floreció en Oriente Medio durante la Edad Media y cuyos métodos y organización han influido en todas las sociedades secretas posteriores. La secta sigue existiendo hoy en día como escisión del islam y, si bien ya no constituye ningún peligro, arrastra consigo el peso de una leyenda milenaria que marca indeleblemente al grupo. Y es que la historia del fundador de la orden, Hassan bin Sabbah, es un apasionante relato en el que se mezclan sexo, drogas, veneración y asesinato. Históricamente, Hassan bin Sabbah podría ser considerado como el inventor oficial del terrorismo. Su figura constituye un antecedente perfecto de Osama bin Laden, quien comparte con él muchas características. Hombre de negocios, erudito, hereje, místico, asesino, asceta y revolucionario, tan polifacético personaje nació en Persia (la actual Irán) alrededor del año 1034 en el seno de una familia acomodada de origen yemení.

Tras una juventud en la que viajó por todo Oriente Medio y adquirió una sólida formación, se embarcó en lo que sería el proyecto de su vida: la creación de una orden de guerreros que defendieran el islam (o al menos el concepto de islam que tenía Bin Sabbah) con las armas, a la manera de los cruzados cristianos. Para ello, necesitaba un lugar apartado y seguro donde poder llevar a cabo sus planes sin ser molestado. Terminó por encontrar una fortaleza aislada en lo más alto de las montañas de Qazvin llamada Alamut («El nido del águila»). Era la plaza fuerte ideal para la nueva secta que Hassan estaba a punto de fundar: los ismailíes nizaríes (que más tarde serían conocidos como los *hashishins*, palabra de la que deriva la actual «asesinos»)[1]. Además, Alamut se encontraba en un emplazamiento geográfico estratégicamente privilegiado que permitiría a Hassan hacer proselitismo de su secta ismailí por toda Persia.

El jardín de las delicias

Los ismailíes son una escisión de la ortodoxia musulmana, algo así como los protestantes dentro del cristianismo. Hassan empleó una considerable cantidad de recursos en la construcción del denominado «jardín legendario de los placeres terrenales», un lugar que desempeñaría un papel muy importante en los ritos iniciáticos de los *hashishins*. El iniciado que era llevado al jardín de las delicias se encontraba en estado de inconsciencia tras haber quedado fuera de combate por una potente poción,

1. Edgard Burman, *Los asesinos*, Barcelona, Martínez Roca, 1988.

BIN SABBAH-BIN LADEN

Se podría escribir un interesante capítulo de vidas paralelas con las biografías de Hassan bin Sabbah y Osama bin Laden. Uno en las montañas de Persia del siglo XI y otro en las de Afganistán del siglo XXI:

- Ambos abrazaron la religión a edad relativamente tardía.
- Fueron activistas políticos internacionales.
- Provenían de familias ricas.
- Recibieron una educación esmerada.
- Aplicaron las enseñanzas del Corán con celo fanático, por lo que adquirieron fama de terroristas.
- Consiguieron rodearse de un ejército de seguidores dispuestos a todo.
- Lucharon contra las grandes potencias de su tiempo.
- Y establecieron sus cuarteles generales en las inaccesibles montañas de Afganistán.

Con seguridad, Osama bin Laden ha estudiado y aprendido mucho de la historia de los *hashishins*, tomando a Hassan bin Sabbah como uno de sus modelos. Como su antecesor, Bin Laden adiestra a sus guerreros desde la adolescencia para que acepten sin vacilación la muerte como parte de un programa en el que consignas religiosas y políticas adquieren igual peso. En una entrevista publicada en *La Vanguardia*, el 10 de octubre de 2001, Luis Racionero toca este tema:

Racionero: Hassan Sabbah se instaló en el castillo de Alamut en el año 1090, y desde allí enviaba a sus kamikazes a morir matando. Bin Laden encarna hoy ese arquetipo. Un arquetipo del mundo islámico.

La Vanguardia: ¿Alguna otra semejanza?

Racionero: Muchas. Con sus barbas y su temible leyenda, los cruzados se encontraron con los asesinos del «viejo de la montaña» actuando por Jerusalén. «¡Con sólo dos hombres completamente leales, yo derrocaría al sultán!», declaraba Sabbah, en alusión al dominador otomano. Como Bin Laden: Sabbah sabía que no podía tener un ejército, pero que podría ser poderoso con unos adictos fieles dispuestos a todo.

cuyo principal ingrediente era el hachís (de ahí el nombre por el que era popularmente conocida la secta), en forma de aceite de cannabis, y que además contenía diversos ingredientes psicotrópicos, como hongos alucinógenos. Éste era el prólogo de una corta pero inolvidable estancia en el jardín, acompañado de bellas huríes que satisfacían todos sus caprichos. Hassan les convencía de que, en caso de morir, regresarían al jardín para disfrutar de sus placeres por toda la eternidad[1].

La estancia en el paraíso terrenal creado por Hassan era solamente el comienzo de la carrera del adepto en la secta, cuyo escalafón se dividía en siete grados. Los *hashishins* combinaban las doctrinas exotéricas y esotéricas del islam. Sabbah era practicante de la alquimia y estudioso del sufismo, de modo que parte del plan de estudios iniciáticos para los futuros *hashishins* implicaba el dominio de métodos ocultos para alcanzar planos más altos de conciencia, algo que en el extremo opuesto del planeta ya se practicaba en otra mítica sociedad de asesinos profesionales, los ninja japoneses.

Para comprender mejor el éxito de los *hashishins* hay que asumir que el asesinato político era una práctica muy extendida en el islam ya antes de la llegada de Hassan bin Sabbah. Lo que ellos hicieron fue sistematizar y organizar esta práctica como nunca se había hecho con anterioridad. La Orden Hashishin se basaba en una estructura administrativa que, a juzgar por los resultados obtenidos, fue tremendamente eficaz y copiada en siglos posteriores por sociedades secretas, servicios de inteligencia y, por supuesto, los Illuminati. Las figuras claves en esta organización eran los *dai*, cuya tarea principal era impresionar a las gentes con las que se encontraban, excitar su curiosidad e imbuirles el deseo de saber más sobre ellos y sus creencias. Una vez enganchado un buen número de acólitos potenciales, revelaban los misterios de la orden sólo a aquellos más prometedores,

---

1. Arkon Daraul, *A History of Secret Societies*, Nueva York, Citadel Press, 1989.

siempre y cuando accediesen a prestar juramento de fidelidad al imán, el representante de Dios sobre la Tierra que, en este caso, no era otro que Sabbah.

A medida que sus hazañas se multiplicaban y eran cantadas y contadas por todo el mundo árabe, Hassan bin Sabbah fue convirtiéndose en un personaje cada vez más misterioso y reservado, que vivió el resto de su vida confinado por propia voluntad entre los muros de la fortaleza.

El fin de los asesinos

Hassan bin Sabbah falleció en 1124, a la edad de noventa años. Los *hashishins* le sobrevivieron durante más de cien años hasta que Alamut fue conquistada en 1256 por los invasores mongoles al mando de Halaku Kan. Halaku era un gran admirador de la figura de Hassan y encargó a su principal consejero que recopilara una historia completa de los «asesinos» basándose en los registros de la biblioteca de Alamut. Tras la caída de la fortaleza, la mayoría de los supervivientes del grupo se vieron forzados a vivir en la clandestinidad, manteniendo sus creencias y tradiciones en estado latente. En la actualidad, los ismailíes nizaríes todavía existen, y su líder es el Aga Khan. La Aga Khan Development Network[1] es una organización creada según las condiciones de vida de las sociedades en donde los musulmanes tienen una presencia significativa, si bien se esfuerza en dejar muy claro que no es una organización de carácter religioso.

La sociedad secreta que creó Hassan bin Sabbah marcó un antes y un después en el desarrollo de este tipo de organizaciones e influyó decisivamente en las que fueron creadas con posterioridad. Ricardo Corazón de León fue acusado en su momento de haber solicitado la ayuda del Señor de las Montañas (Sheik al Yebel, que no era Sabbah, como vulgarmente se cree, sino el jefe

1. *www.akdn.org.*

17

de la rama siria de la secta) para cometer el asesinato de Conrado de Monferrato.

Algo aprovechable debieron ver los cruzados en los métodos de los «asesinos» cuando los importaron a Europa y terminaron sirviendo de patrón y modelo de numerosas sociedades secretas occidentales. Los templarios, la Compañía de Jesús, el Priorato de Sión, la francmasonería, los rosacruces... todos deben buena parte de su eficacia organizativa al trabajo originario de Hassan. De hecho, son muchos los expertos que afirman que los Illuminati tuvieron su origen en el aspecto místico de la Orden Hashishin. También los servicios de inteligencia... En un manual de entrenamiento de la CIA titulado sin eufemismos *Un estudio del asesinato*, pueden encontrarse rastros de la influencia de los antiguos habitantes de Alamut por todas partes, y Hassan bin Sabbah es mencionado expresamente en el documento.

Como vemos, Hassan bin Sabbah es una de esas figuras que rompe la barrera del tiempo y se mantiene vigente porque las sucesivas generaciones la enriquecen con nuevas lecturas que no son sino un fiel reflejo de la situación de cada época. Osama bin Laden y su ejército de guerreros fanáticos son una versión contemporánea, casi un calco, de Hassan bin Sabbah y su orden de asesinos. Existen demasiadas semejanzas como para no pensar que Bin Laden no haya tomado elementos de la secta de los *hashishins* como modelo para levantar su propio reino de terror.

Sin embargo, a pesar de ser una de las referencias más claras disponibles, los *hashishins* no son ni mucho menos los únicos antepasados célebres de los Illuminati. Aquéllos les habían aportado organización y metodología, pero los ideales hay que buscarlos en otros lugares. Durante los siglos XV y XVI algunos parientes lejanos de los Illuminati compartieron con ellos el cuestionamiento más o menos radical de la autoridad de la Iglesia. Para estos grupos, los intermediarios en forma de sacerdotes entre el hombre y Dios eran innecesarios, y el ser humano podía acceder directamente a la divinidad y ser iluminado por ella.

Los *alumbrados*

Esto es lo que creían al menos los alumbrados españoles. Se trata de una secta de carácter laico nacida en Castilla a principios del siglo XVI, si bien el historiador Marcelino Menéndez Pelayo encontró referencias al grupo ya en 1492 bajo el apelativo de «aluminados». Según este mismo autor, estas ideas de carácter gnóstico habían llegado a España a través de Italia. Como tantos otros grupos de carácter esotérico, los alumbrados tienen también un origen mítico de difícil certificación histórica. En este caso habrían sido los templarios supervivientes a la persecución del siglo XIV los que habrían difundido a través de los alumbrados algunas de sus doctrinas secretas.

Este movimiento estaba formado fundamentalmente por mujeres. Estuvo activo en Castilla a partir de 1519, se hizo fuerte en Andalucía en 1575 y en Extremadura desde 1570. No es de extrañar que los alumbrados encontraran un buen caldo de cultivo precisamente en estas regiones, donde se notaba con especial fuerza el sincretismo que habían producido los siglos de contacto entre distintas tradiciones religiosas y culturales (cristiana, musulmana y judía), que había operado sobre la sociedad tradicional campesina, sin que en muchos lugares y durante amplios períodos de tiempo se viera interferido por autoridad religiosa alguna. Concretamente fue el prolongado contacto con el islam el que marcó indeleblemente a estas comunidades, introduciendo en su vida espiritual elementos inéditos hasta entonces y que permanecerían durante siglos, incluso hasta nuestros días, en el acerbo popular de estas zonas. Los dos más importantes eran la predisposición a una relación con lo religioso más abierta, sin necesidad de intermediarios eclesiásticos, y una sutil relación entre religión y sexualidad completamente contrapuesta a la rigidez del dogma cristiano. De esta mezcla habría surgido una visión que entrelazaba la búsqueda de una relación personal y mística con Dios, con una concepción donde el amor divino y el amor humano se confundían y terminaban por identificarse.

Los alumbrados estaban inscritos dentro de una corriente de reforma e insumisión que recorría Europa durante aquellos días: «El imaginario simbólico de la mística, con sus imágenes o símbolos de la unión, la solidaridad, el amor, la vinculación, etc., constituyó un camino distinto a la religión estatal de Europa que valoró por su parte las imágenes de la obediencia, la sumisión y la dominación»[1]. En la España del siglo XVI, la misma España que estaba viviendo hondas transformaciones más o menos convulsas a costa de la conquista de América y de la Contrarreforma, la idea promovida desde el poder de una Iglesia imperial ligada al desarrollo del Estado entró en confrontación con otras tendencias religiosas hondamente arraigadas en el pueblo español y que se convirtieron en herejías sobre las que cayó todo el peso del aparato represor de la Inquisición.

La Beata de Piedrahíta (?-1511) fue el primer personaje importante adscrito a esta tendencia. Fue una mística cuyo particular carácter visionario la liga a los antiguos cátaros del sur de Francia, lo que demuestra la continuidad de las creencias heréticas del catarismo en las sociedades campesinas del sur de Europa. Aunque parece ser que nació en Salamanca, vivió en Piedrahíta, Ávila, el mismo lugar al que el inquisidor general Torquemada se había retirado en un monasterio dominico. Hija de un campesino local, se hizo hermana terciaria de la Orden Dominica, tomando el nombre de María de Santo Domingo. Desde muy joven, María tenía visiones en las cuales conversaba de tú a tú con la Virgen María y hasta con Jesucristo[2].

No tenía ningún reparo en informar a sus contemporáneos de que no sólo Cristo estaba con ella, sino que ella era novia del

1. VV.AA., *Historia general de la Iglesia en América Latina*, vol. IX, CEHILA, Salamanca, 1994.
2. Merry E. Wiesner, William Beik y T. C. W. Blanning, *Women and Gender in Early Modern Europe (New Approaches to European History)*, Nueva York, Cambridge University Press, 2000.

Salvador, un concepto que ofrece un cierto paralelismo con la también abulense santa Teresa de Jesús. Durante horas, María permanecía en un trance extático, inmóvil, con los brazos y las piernas completamente rígidos, mientras en su mente experimentaba el goce de disolverse en los brazos de la deidad. A pesar de ser completamente analfabeta, no tardó en obtener una reputación igual que la de los teólogos más conocidos, ya que su fervor y sus experiencias sobrenaturales compensaban sobradamente sus carencias en materia de instrucción.

Es posible que los celos llevaran a algunos de estos teólogos a sospechar que, en vez de Dios, era más bien el diablo quien la inspiraba. A estas acusaciones pronto hubo que sumar otras que ponían en duda su ortodoxia cuando no la señalaban directamente como herética. No obstante, María disponía de otra protección aparte de la divina. Entre sus admiradores se encontraba el mismísimo rey Fernando el Católico y buena parte de la jerarquía episcopal, que estaban convencidos de que ella gozaba de una inspiración especial al alcance sólo de una reducida élite de privilegiados. Este apoyo llevó a los críticos de María a fracasar en sus reiterados intentos de que fuera declarada hereje.

Los alumbrados son criticados muy duramente en la *Enciclopedia católica*, que los califica de «falsos místicos españoles del siglo XVI que afirmaban que la Beata de Piedrahíta tenía una conexión directa con Dios. Sostenían que el alma humana puede alcanzar tal grado de perfección que puede, incluso en la vida terrenal, contemplar la esencia de Dios y comprender el misterio de la Trinidad. Toda la adoración externa, afirmaban, es superflua, la recepción de los sacramentos inútiles y el pecado imposible en este estado de unión completa con Él que es la perfección en sí mismo. Los deseos carnales pueden ser complacidos y otras acciones pecaminosas ser llevadas a cabo libremente sin manchar el alma».

En estos preceptos resultan plenamente reconocibles los principios centrales del catarismo, que presuntamente habían sido exterminados siglos antes en el baño de sangre inocente que supuso la cruzada albigense. La perfección más alta alcanzable por un cristiano, según los alumbrados, consiste en la eliminación de toda la actividad, la pérdida de la individualidad y la absorción completa en Dios, todo ello influencias de una tendencia espiritual denominada quietismo. En 1523 la palabra designaba a un grupo de laicos dedicados a actividades piadosas, pero luego adquirió un sentido herético. Se relacionaban con las reformas introducidas por el cardenal Francisco Jiménez de Cisneros. El 23 de noviembre de 1525 la Inquisición declaraba heréticos a los alumbrados[1], con edictos posteriores en 1568, 1574 y 1623[2].

Compañeros en la iluminación

En cualquier caso, la Beata no estaba sola. En Toledo, que era uno de los centros principales de estos Illuminati españoles, Isabel de la Cruz ganaba prosélitos a marchas forzadas; y en Córdoba, Magdalena de la Cruz era aún más famosa. La Inquisición, que podía ser muy convincente cuando realmente se lo proponía, la terminó persuadiendo de que abjurara de sus errores heréticos en 1546. Mientras, en la impunidad del palacio del marqués de Villena, en Escalona, impartía doctrina iluminista Pedro Ruiz de Alcalá.

Sin embargo, tales ideas encontraron una amplia respuesta entre los católicos españoles, si bien la Inquisición procedió con energía implacable contra todos los sospechosos, incluso citando ante su tribunal a san Juan de Ávila y a san Ignacio de Lo-

---

1. Álvaro Huerga, *Historia de los alumbrados (1570-1630)*, Fundación Universitaria Española, Seminario Cisneros, 1978-1994.
2. Jim Marrs, *Rule by Secrecy: The Hidden History that Connects the Trilateral Commission, the Freemasons and the Great Pyramids*, Nueva York, Perennial, 2001.

yola, cuyos escritos fueron examinados con lupa por una comisión cuando estudiaba en Salamanca, aunque éste escapó del trance con una simple admonición. Las presuntas simpatías de san Ignacio de Loyola son utilizadas por quienes afirman que elementos del pensamiento alumbrado quedaron impresos indeleblemente en el carácter de la Compañía de Jesús.

Otros no tuvieron tanta suerte y en 1529 un grupo de alumbrados de Toledo sufrió diversas penas de prisión y azotes. En Córdoba, los alumbrados corrieron suertes aún peores. No eran sus trances erótico-místicos lo que más preocupaba a los inquisidores. Además de estos encuentros directos con la debilidad, los místicos españoles, en especial los de Toledo, propugnaban la lectura de la Biblia por parte de los fieles sin intermediación ni interpretación sacerdotal. Algo que les acercaba peligrosamente a los planteamientos protestantes. A pesar de esta acción resuelta, la herejía se mantuvo viva hasta mediados del siglo XVII.

La persecución contra los alumbrados fue utilizada por la Inquisición para, aprovechando que la situación era favorable, quitarse de en medio a cierto número de intelectuales, librepensadores y otros oponentes de la Iglesia que nada tenían que ver con el espíritu de los alumbrados y sí mucho con el de los Illuminati posteriores[1]. La Inquisición además estaba muy preocupada por el importante número de judíos conversos que habían engrosado las filas de los herejes, impregnando sus creencias con elementos sacados de la cábala.

La doctrina de los alumbrados también se extendió por la América colonial, como queda patente en las actas de la Inquisición de Lima respecto a la causa entablada contra una comunidad de alumbrados de Santiago de Chile y, en concreto, contra Joseph de Solís, un minero y mercader que nació y vivió toda su vida en Santiago hasta ser acusado de hereje por el Santo Ofi-

---

1. Alastair Hamilton, *Heresy and Mysticism in Sixteenth-Century Spain: The Alumbrados*, Toronto, University of Toronto Press, 1992.

cio en 1719[1]. Este documento es sumamente interesante, ya que incluye una serie de declaraciones, proposiciones escritas (obtenidas por un cura que trabajaba en secreto para el Santo Oficio a modo de infiltrado) y cartas enviadas entre los miembros de la comunidad (obtenidas de manera similar).

En 1623 el movimiento pasa a Flandes y Francia, concretamente a la región de la Picardie, donde el cura Pierce Guerin se convierte en líder al frente de sus Guerinets. En 1635 fueron eliminados por la fuerza de las armas[2]. Un siglo más tarde, entre 1722 y 1798, se dio un rebrote similar en el sur de Francia.

Los *iluminados* de Afganistán

«Casualmente», por aquellas mismas fechas florecía en las montañas de Afganistán, las mismas montañas que en su día albergaran a Hassan bin Sabbah y sus seguidores, una secta secreta que se hacían llamar *roshaniya*, literalmente «los iluminados».

Oficialmente la secta fue fundada por el afgano Bayezid Ansari, quien, tras un período de preparación para el sacerdocio, fue atraído a esta extraña doctrina por un misionero de los ismailíes que aseguraba ser el portador de secretos esotéricos procedentes de la propia familia del Profeta. Este personaje le aseguró que esta doctrina secreta mantenía logias clandestinas en todo el mundo islámico y que tras las cruzadas sus ideas habían encontrado eco en España, Alemania y Gran Bretaña. Bayezid aprendió de este curioso misionero y pronto tuvo sus propios discípulos a los que condujo por el camino de la iluminación, que debía emanar del ser supremo. Ansari deseaba formar una clase especial de hombres y mujeres perfectos que asumieran la organización y la dirección del mundo.

1. José Toribio Medina, «Causa de Solís», en Manuscritos V, 285 y 286, Sala Medina, Biblioteca Nacional de Chile.
2. Jean Hermant, *Histoire des heresies*, Rouen, 1727.

Existe poca información sobre este grupo, pero se conservan tres cartas, presuntamente escritas por diversas ramas de la secta, que contienen esbozos que nos dan a entender la existencia de un plan para rehacer el sistema social del mundo tomando el control de los diferentes países uno por uno. También han llegado hasta nosotros los grados en que estaba dividida la orden. El primero era Salik (buscador), seguido por Murid (discípulo), Fakir (devoto humilde), Arif (iluminado), Ar Khwaja (maestro), Emir (comandante), Imán (sacerdote) y Malik (rey). Esta sucesión no sigue el patrón típico de las sociedades secretas esotéricas musulmanas, las tarikas, y parece haber sido creada especialmente para esta organización.

Los grados de Maestro, Emir, Imán y Malik estaban reservados a personas de gran cultura que eran iniciadas en los más profundos secretos de la orden. A partir del quinto grado, no existía separación por sexos en los rituales. Cualquiera que ostentara el grado de Imán podía iniciar su propia logia y reclutar y formar a sus propios discípulos. Al igual que Bin Sabbah, o Bin Laden, Bayezid decidió instalar su cuartel general en las montañas más inaccesibles de Afganistán, donde levantó un castillo grande y lujoso desde el que dirigía sus ejércitos. Sus misioneros fueron enviados a diferentes países donde obtuvieron importantes éxitos, en especial entre mercaderes y soldados.

La orden predicaba que no existía ninguna vida después de la muerte, al menos tal y como la presentan las diferentes religiones. No había recompensas ni castigos, solamente una existencia espiritual completamente diferente de la vida terrenal. Los espíritus de quienes pertenecieran a la orden podían continuar teniendo poderes terrenales, actuando a través de miembros vivos. Bayezid fundó una ciudad en Hashtnagar, que sería el centro desde el que el iluminismo se iba a difundir por todo el mundo. Cada miembro recibía un nuevo nombre al entrar en la orden; y este nombre dependía del gremio al que pertenecía. La historiografía oficial musulmana sostiene que los *roshaniya* eran realmente una organización dedicada a luchar contra la tiranía de los mongoles, y que las doctrinas extrañas que se les atribuían formaban parte de las difamaciones lanzadas contra ellos por sus enemigos.

Al final, el imperio mongol decidió que algo debía hacerse respecto a aquel grupo de fanáticos místicos que estaba afianzando su poder en las montañas del Hindu Kush. El gobernador de Kabul arrestó a Bayezid, lo cargó de grilletes y lo hizo desfilar por las calles en penitencia para demostrar al pueblo que no estaba investido de ningún poder místico ni sobrenatural. Pero entre los consejeros del gobernador Mohsin Khan destacaba un guía religioso, un tal Sheikh Attari, que posiblemente fuera un seguidor de los iluminados en secreto. El consejero sugirió al supersticioso gobernador que dejara en libertad al líder iluminado, dado que su desprestigio era un éxito y si se perpetraban sobre él mayores crueldades se corría el riesgo de convertirle en un mártir y provocar una rebelión que posiblemente no podrían sofocar.

A Bayezid le fue permitido escapar. Sin embargo, las humillaciones debieron imbuirle de nuevas fuerzas, ya que pronto anunció a sus seguidores que la India y Persia caerían por la fuerza de las armas. Muchos fueron los nuevos miembros que se alistaron en las huestes de la sociedad secreta al reclamo de estas futuras conquistas. Afganistán fue escenario de desfiles coloristas con bandas de música y bailes guerreros desenfrenados. Cuando estuvo listo, Bayezid, al mando de su *haiha* (estado mayor) de derviches, condujo a sus ejércitos en pos de las riquezas de la India. Sin embargo, en su camino se interpuso de nuevo Mohsin Khan, que no estaba dispuesto a cometer por segunda vez el mismo error, plantó cara a los ejércitos iluminados y mató a su líder en el campo de batalla.

Existen coincidencias en las fechas y creencias que conectan a los Illuminati occidentales con estos otros afganos. Por ejemplo, están los grados de la iniciación –ocho tanto en uno como en otro caso– e importantes paralelismos en su contenido[1].

---

1. Jim Marrs, *op. cit.*

26

GRADOS DE INICIACIÓN

Roshaniya	*Illuminati*
Buscador	Aprendiz
Discípulo	Compañero
Devoto	Maestro
Iluminado	Illuminatus Major
Maestro	Illuminatus Dirigens
Comandante	Príncipe
Sacerdote	Sacerdote
Rey	Rey

Las etapas tempranas de la iniciación se diseñaron para admitir en la hermandad a aquellos que mostraran interés, probar su fiabilidad y capacitarlos para las tareas que se les asignarían más tarde. Incluso en los grados más altos parece ser que también había pruebas. Por ejemplo, a los que aspiraban al grado de sacerdote se les llevaba a un lugar secreto, donde había un trono ante el que había desplegadas vestiduras sacerdotales y reales, entre las que debía elegir el aspirante. Aquellos que optaban por los símbolos del poder mundano eran rechazados; pero los candidatos que preferían las vestiduras sagradas eran saludados con la frase: «¡Salve, oh sagrado!». Los miembros de este grado eran considerados profesores, los responsables de entrenar a los discípulos. Los sacerdotes se reconocían entre ellos mediante una señal confidencial: ambas manos, cruzadas, eran colocadas sobre la cabeza.

Las letras secretas

Los emires tenían la capacidad de influir a un nivel muy alto en los ambientes académico o político. La habitación en la que se celebraba la iniciación de este grado se engalanaba de rojo: el mismo color, junto con el blanco, del que debían ser las prendas de vestir del iniciado. Éstos también son los colores de los ismailíes y formaban parte del uniforme de los *hashashins*. La señal de reconocimiento de este grado era extender ambos brazos, que debían ser tomados por los codos por el otro príncipe.

Los miembros de los grados más bajos de la orden se comunicaban por escrito entre ellos mediante una cifra numérica:

A	B	C	D	E	F	G	H	I y J	K	L	M
12	11	10	9	8	7	6	5	4	3	2	1

N	O	P	Q	R	S	T	U y V	W	X	Y	Z
13	14	15	16	17	18	19	20	21	22	23	24

En cambio, los iniciados de mayor nivel empleaban una clave jeroglífica que se basaba en el siguiente alfabeto:

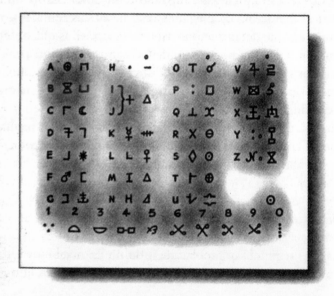

Los rosacruces han sido otros de los antecedentes más conocidos de los Illuminati. La fecha de origen y la identidad de los fundadores de la Orden de la Rosa Cruz varían enormemente según la fuente consultada. Así, las diferentes fechas aportadas abarcan desde el Antiguo Egipto hasta épocas mucho más recientes como 1313, 1490 o 1616. En cuanto a los fundadores, se ha citado a los sacerdotes egipcios o a personajes de relevancia histórica como Giordano Bruno o Martín Lutero, quien, curiosamente, tenía una rosa y una cruz en su escudo de armas. Sea cual fuere la verdad, lo cierto es que los rosacruces ejercieron una importante influencia sobre la masonería, que incluyó el título de Soberano Príncipe de la Rosa Cruz como grado 18 del Rito Escocés antiguo y aceptado, y como grado 7 del Rito Francés. Incluso se dice que el símbolo del ojo en el interior del triángulo no es propiamente un símbolo masónico o Illuminati, sino que procede de los rosacruces.

La impronta rosacruz en la masonería no se limita a estos elementos. En su momento aparecieron por toda Europa multitud de logias rosacruces, consideradas cismáticas por el resto de los masones. Su organización era muy peculiar. Cada fraternidad estaba dividida en círculos liderados por un Presidente desconocido para los miembros del círculo. Los presidentes, en cambio, sí estaban en contacto entre ellos y eran liderados por un General.

Independientemente de su existencia anterior, la primera aparición pública de los rosacruces tiene lugar alrededor de 1615 con la aparición en las principales universidades europeas de tres libros de autor o autores desconocidos, titulados: *Fama Fraternitatis, Confessio Fraternitatis Rosae Cruicis* y *Las Bodas Químicas de Christian Rosenkreutz*. En estas obras se anuncia la existencia de la orden, a la que se atribuyen avanzados conocimientos científicos y esotéricos, y se invita a unirse a ella a todo el que se crea digno, siempre y cuando sepa encontrarla.

Fama Fraternitatis es una obra profundamente antivaticana en la que se denuncian toda suerte de abusos del papado y se repasa la vida del mítico Christian Rosenkreutz. *Confessio Fraternitatis* tiene un carácter marcadamente más humanista y proclama a los rosacruces como portadores de los conocimientos que podrán conducir en un futuro a la regeneración del hombre. *Las Bodas Químicas de Christian Rosenkreutz*[1] es el más esotérico de los tres volúmenes; en parte es un tratado de alquimia, pero se cree que también aporta pistas sobre cómo los candidatos podrían dar con la orden. Dado que nadie declaró haberla encontrado, los historiadores están aún desconcertados ante el hecho y hay quienes lo archivan directamente en el cajón de lo inexplicable y quienes, de forma más pragmática, ventilan el asunto calificándolo de vulgar fraude.

Según la versión más extendida, la Orden Rosacruz fue fundada en 1407 por el alemán Christian Rosenkreutz, que tenía una profunda formación esotérica y ocultista, adquirida de varios maestros con los que había estudiado en Tierra Santa. En vida del fundador, la orden habría tenido unas dimensiones excepcionalmente reducidas, con no más de ocho miembros. La muerte de Rosenkreutz en 1484 habría marcado el fin de la misma, que, no obstante, resucitaría en el siglo XVII.

Como hemos comentado, esta versión es la más extendida sobre el origen de la orden y es aceptada más o menos unánimemente por la práctica totalidad de los rosacruces actuales. Unos toman esta historia al pie de la letra, otros la consideran una parábola, e incluso algunos piensan que Christian Rosenkreutz no es más que un seudónimo bajo el que se oculta un personaje histórico –Francis Bacon suele ser uno de los preferidos por quienes sustentan esta teoría–. Otros personajes famosos a los que se ha atribuido la pertenencia a los rosacruces son Raimundo Lulio, Isaac Newton, Miguel Servet, Leibniz, Leonardo da Vinci, Paracelso, René Descartes o Ludwig van Beethoven.

1. Barcelona, Obelisco, 2004.

En la literatura masónica existe una versión mucho menos conocida del origen de los rosacruces que afirma que se remonta al año 46 de nuestra era, cuando el apóstol san Marcos convirtió al cristianismo a un sacerdote egipcio llamado Ormus junto a seis de sus seguidores. Merced a esta conversión habría nacido la Rosa Cruz como una fusión del cristianismo con los misterios egipcios. Rosenkreutz habría sido iniciado en los misterios de la orden, convirtiéndose más tarde en su gran maestre, pero no habría sido su fundador.

Una particularidad de los rosacruces del siglo XVII es que, más que un grupo organizado, parecían un colectivo de individuos aislados que compartían los mismos ideales, inquietudes espirituales y puntos de vista. No había logias, ni reuniones... Sin embargo, existían muchos escritos, documentos en los que los rosacruces hablaban de todo lo divino y lo humano y disertaban sobre uno de sus temas favoritos: la alquimia. A los libros antes citados –según muchos autores creación del teólogo y abad de Heidelberg, Johan Valentin Andreae (1586-1664)–, habría que añadir cientos de opúsculos, panfletos y pequeñas obritas que surgieron por doquier durante aquella época. La mayor parte de las veces estos escritos estaban redactados utilizando claves simbólicas, de forma que sólo podían ser comprendidos por los otros adeptos. Muchos tenían un fuerte componente, si no anticristiano, sí profundamente antipapista.

De todos estos panfletos y publicaciones tal vez el más popular sea el cartel que en pleno siglo XVIII y en 1922 apareció pegado por todo París:

Nosotros, diputados del Colegio principal de la Rosa+Cruz, declaramos estancia visible e invisible en esta Villa por la gracia del Altísimo, hacia quien se torna el corazón de los justos. Sin libros ni señales enseñamos a hablar todas las lenguas de los países donde estamos, para sacar a nuestros semejantes del error de la muerte. Si se le ocurre a alguien vernos por simple curiosidad, jamás comunicará con nosotros, pero si es la voluntad lo que le lleva a inscribirse en los registros de nuestra Confraternidad, nosotros, que juzga-

LA CLAVE ESTÁ EN LA CÁBALA

Mucho antes de que la cantante Madonna los pusiera de moda, los cabalistas han sido una influencia que se ha proyectado, no sólo sobre los Illuminati, sino sobre la práctica totalidad de las escuelas esotéricas surgidas en Occidente desde la Edad Media hasta nuestros días. A semejanza de los alumbrados, esta secta mística judía, que surgió en España a mediados del siglo XII, ha sido tradicionalmente rechazada, cuando no condenada, por los rabinos más ortodoxos, que ven un atrevimiento en el énfasis que hacen de la revelación y el éxtasis y en su pretensión de ser los guardianes de un conocimiento oculto (cábala significa «tradición revelada»).

Los cabalistas creían poder retornar a la fuente de luz del universo –Dios– mediante un proceso de meditación sistemática sobre las veintidós letras del alfabeto hebreo. La influencia de la cábala se puede apreciar en los hermetistas, las obras de Christian Rosenkreutz, los rosacruces, el colegio invisible, la Orden Hermética del Amanecer Dorado y, por supuesto, los Illuminati, que incorporaron la cábala a sus enseñanzas. Recientemente, la cábala se ha convertido en la última moda entre la gente guapa de Hollywood, atrayendo a judíos y gentiles por igual.

mos los corazones, le haremos ver la verdad de nuestras promesas, de modo que no indicamos el lugar de nuestra estancia en esta ciudad, ya que los pensamientos unidos a la voluntad real del lector, harán que nos demos a conocer a él y él a nosotros.

Gracias a los rosacruces legítimos y a aquellos que se apuntaron a la moda, el hermetismo experimentó un auge espectacular. Aparte de lo meramente esotérico, los escritos rosacruces se solían poner de parte del recién nacido protestantismo frente a la Iglesia católica.

En la actualidad, la herencia rosacruz es reclamada, con más o menos pretensiones de legitimidad, por un buen número de grupos.

El último eslabón de la cadena que nos llevará hasta los Illuminati lo constituye la tendencia paramasónica conocida como martinismo. La Escuela Martinista de los Filósofos Desconocidos fue fundada por Martínez de Pasqually y continuada por Louis Claude de San Martín. Ambos habían sido rosacruces en el siglo XVIII, pero por diversas razones decidieron organizar su propia orden basada en logias. Las enseñanzas del martinismo se basan en un sistema de pensamiento filosófico, esencialmente una gnosis cristiana, basado en los principios doctrinales recogidos en el *Tratado de la Reintegración de los seres a sus originales virtudes, poderes y cualidades*, escrito por Martínez de Pasqually[1].

La obra de Pasqually entronca con el pensamiento de muchos ilustrados y presenta al ser humano como una criatura que nace en un estado de gracia que pierde con el tiempo y que debe realizar un trabajo consciente para recuperarlo. Martínez de Pasqually retoma el mito del paraíso perdido y considera que el hombre está en el exilio en esta existencia terrenal privado de todos sus verdaderos poderes. Pero no todo se ha perdido... La restauración a la condición original puede ser alcanzada, si se sabe cómo, siguiendo ciertas técnicas. Por su parte, Louis Claude de San Martín le dio un carácter mucho más contemplativo a la doctrina martinista. Abandonó lo más operativo de la doctrina de su maestro y propuso medios más espirituales para lograr el mismo resultado a través de lo que es conocido en terminología martinista como el Camino Interno.

La similitud de los nombres de ambos maestros ha planteado en ocasiones a los estudiosos la duda de quién es el fundador principal de la corriente, de cuál de los dos recibe su nombre y quién fue el más influyente entre sus seguidores posteriores. La respuesta es bastante simple, ya que ambos tuvie-

1. Barcelona, Rosacruces, 2002.

33

ron un peso específico similar en la orden. Evidentemente, cada uno de ellos tuvo sus propios seguidores cuya cadena se ha ido extendiendo hasta nuestros días, pero las diferencias en sus planteamientos son sólo formales y apreciables para quien profundice mucho en el tema o esté muy versado en cuestiones esotéricas. Sólo sus métodos varían, unos más partidarios de manifestaciones rituales y otros de la meditación interna e iluminación.

La Orden Martinista –que a día de hoy sigue funcionando con un número apreciable de miembros–, a diferencia de otras tradiciones masónicas, tiene miembros de ambos sexos que se organizan en grupos llamados logias o heptadas, sin diferencia acerca de su raza, nacionalidad, fe religiosa, ideología política, clase o condición social. La orden no impone ninguna restricción doctrinal dogmática a sus miembros, sino que imparte sus enseñanzas y deja a los miembros la aplicación del conocimiento adquirido según su propia experiencia y asimilación[1].

Los iniciados se dividen en tres grados:

– Asociado.
– Iniciado.
– Superior Desconocido.

Los candidatos a entrar en la orden deben tener al menos veintiún años, ser libres, honrados, de buena moral y cumplir con las leyes del país en que vivan. Además, deberán cumplir las siguientes exigencias:

– No pueden ser ateos.
– Deben mostrar gran tolerancia hacia todas las religiones.
– Deben considerar a todos los que componen la humanidad como sus Hermanos.

1. Lynn Picknett y Clive Prince, *La revelación de los templarios*, Barcelona, Martínez Roca, 1998; Barcelona, Círculo de Lectores, 2004.

– Deben estar siempre dispuestos a perdonar y eliminar, en lo posible, todos los impulsos de rencor o venganza.

– Deben practicar la bondad y ayudar, tanto como sus posibilidades lo permitan, al débil y necesitado.

Capítulo 2

Los Iluminados de Baviera

Sobre los Illuminati se han dicho tantas cosas, se ha mezclado tan íntimamente historia con histeria, que resulta difícil elaborar un trabajo riguroso sin caer en las múltiples trampas que nos han tendido quienes, con más entusiasmo que rigor, han contribuido a crear la leyenda de esta sociedad secreta. Para ponernos en un contexto de trabajo que se mantenga en los estrictos límites de la racionalidad, en este capítulo intentaremos ceñirnos a lo conocido y admitido dejando las especulaciones más o menos truculentas para más adelante.

Los Illuminati propiamente dichos nacieron como grupo el 1 de mayo de 1776, en Ingolstadt, Baviera (de ahí que esta sociedad secreta sea conocida también como «los iluminados de Baviera»), aunque, como en el caso de muchas otras sociedades secretas, se han reclamado para los Illuminati diversos orígenes más o menos míticos. Los grupos que hacen esto cometen un error fundamental, ya que si algo caracteriza a los Illuminati es que, al contrario que masones, rosacruces y otros habitantes del universo de las sociedades secretas, ellos cuentan con un origen perfectamente definido en el tiempo y con un fundador con nombres y apellidos, algo que les aporta una solvencia y una pátina de modernidad de la que carecen los otros grupos.

La aparición de los Illuminati en la escena mundial fue una de las muchas manifestaciones del espíritu que se extendía por la Europa del siglo XVIII, que tenía como máxima aspiración erradicar la dominación monárquica/feudal que durante siglos había atrapado a la humanidad en la oscuridad y la opresión. Los Illuminati eran en este sentido hijos de su tiempo. Su fundador fue un alumno de los jesuitas reconvertido en masón llamado Adam Weishaupt[1]. Su padre era catedrático de instituciones imperiales y de Derecho Penal de la Universidad de Ingolstadt y sus antepasados tenían orígenes judíos. Weishaupt terminó siendo profesor de Derecho como su padre, y en la misma universidad. Era un joven exaltado y tremendamente inteligente; hablaba diversos idiomas, entre ellos el hebreo, y hacía gala de una cultura y erudición poco comunes en aquella época. En 1774, cuando apenas tenía veintiséis años, entró a formar parte de la masonería. A partir de ese momento, el joven Weishaupt dedicó buena parte de su tiempo a la elaboración de planes utópicos para dar un vuelco a la civilización humana y crear un estado universal que no estuviera constreñido por restricciones autoritarias.

La forja de un rebelde

De su vida conocemos poco. Apenas una serie de anécdotas distorsionadas por el mito en el que quedó envuelto el personaje. Tanto es así, que incluso ha habido autores que han llegado a dudar de la propia existencia de Adam Weishaupt. Su mismo nombre hace ya pensar en algún tipo de impostura, de sutil falsificación. Adam, Adán, el primer hombre; Weishaupt, que traducido viene a significar «cabeza de sabio». Bonito apodo para el presunto instigador de una revolución a escala mundial. Weishaupt podría haber sido como el mítico Christian Rosenkreutz,

1. Diversos autores, algunos de ellos tan reputados como Robert Anton Wilson, han llegado a afirmar que Weishaupt era jesuita. Se equivocan... Jamás llegó a ser ordenado. Sin embargo es muy probable que perteneciera a alguna de las muchas organizaciones seglares que dependían de la Compañía de Jesús, aunque sobre este particular no existe información fiable disponible.

alguien a quien se le atribuyó una historia, un nacimiento, una vida y una muerte, aunque eso resultó ser sólo literatura para engañar a los profanos; una mera alegoría.

Sin embargo, las pruebas y los documentos parecen indicarnos que, lejos de ser un personaje legendario, Adam Weishaupt era un hombre de carne y hueso, con sus grandezas y sus debilidades, como su reconocida tendencia a enredarse en líos de faldas que le trajo más de un disgusto (dejó encinta a una de sus amantes, quien le amenazó con formar un escándalo; algo que, dado que esta información ha llegado hasta nosotros, debió ocurrir en mayor o menor medida).

Sin embargo, estas minucias no le restan un ápice de mérito ni empañan su leyenda como uno de los conspiradores más eficaces de todos los tiempos. En su época junto a los jesuitas había desarrollado un indudable gusto por el secretismo y la conspiración, y asimiló con aplicación las enseñanzas en cuanto al funcionamiento interno, secreto y manifiesto, de la Compañía. De ahí sacó una idea que pronto aplicaría al doctrinario de su orden, la restricción mental: «La franqueza sólo es virtud cuando es manifestada hacia los superiores jerárquicos».

Su carrera resultó meteórica y con tan sólo veinte años cumplidos ya era profesor de Derecho Canónico en la Universidad de Ingolstadt. Llama poderosamente la atención el hecho de que fuera precisamente Baviera, el bastión de la Alemania católica de la época, el lugar donde nacieron los Illuminati. Pero la osadía del joven profesor no tenía límite. En su cátedra, Weishaupt enseñaba una filosofía anticlerical y humanista con la que intentaba persuadir a sus alumnos del absurdo inherente a ideas como patria, rey o religión: «Weishaupt, cuyas visiones eran cosmopolitas, y que conocía y condenó el fanatismo y las supersticiones de los sacerdotes, estableció un verdadero partido de oposición en la universidad...»[1]. Recomendaba a sus alumnos

1. Albert G. Mackey, *Encyclopedia of Freemasonry*, Richmond, Virginia, Macoy Publishing, 1966.

LOS JESUITAS

El papel de la Compañía de Jesús en la historia de los Illuminati está lejos de haber sido aclarado por completo. Esta orden católica dedicada primordialmente a trabajos misioneros y educacionales fue creada en 1540 por Ignacio de Loyola. Los jesuitas se convirtieron rápidamente en la principal fuerza del Vaticano para oponerse a la reforma protestante, una verdadera fuerza de choque que se vio envuelta en todo tipo de intrigas e incidentes. Durante siglos, los generales de la orden, conocidos como «Papas Negros», fueron los depositarios de todo el trabajo sucio de la Santa Sede, maquinando planes para derrocar a los reyes y reinas no católicos de Europa y siendo acusados, entre otras muchas cosas, de conspirar para el asesinato de varios de estos monarcas.

Los jesuitas se convirtieron en confesores de las casas reales católicas y se infiltraron en los países protestantes con diversos fines. San Ignacio y muchos de sus seguidores pertenecieron a los alumbrados y llama la atención que Weishaupt también perteneciera a la orden. Incluso hay quienes sostienen que la mano de los jesuitas se encuentra en otros hechos históricos posteriores, como el asesinato de Lincoln o la publicación del *Manifiesto comunista*.

leer a Bayle o a Rosseau como fuentes de un nuevo pensamiento. Él mismo había conocido a esos autores en la biblioteca del barón de Ickstatt.

A pesar de no estar en absoluto carente de ambición, al igual que otras figuras similares como Ignacio de Loyola o Josemaría Escrivá de Balaguer, Weishaupt también poseía el suficiente realismo como para comprender que sus pretensiones exigían contar con un equipo dedicado de cómplices que le ayudara a hacer realidad sus sueños. Los primeros los encontró entre un grupo selecto de sus propios alumnos, a los que instituyó como apóstoles de sus doctrinas con el título de areopagitas, reservándose para él el grado de Illuminatus rex, jefe supremo de la orden.

Paralelo a su rechazo hacia los sistemas normativos y las creencias religiosas tradicionales –y en especial todo lo que tuviera que ver con los jesuitas, hacia los que albergaba un odio intenso de cuyas razones nada sabemos–, el joven Adam desarrolló una pasión inusitada hacia las religiones de los misterios griegos. Aunque nadie sabía al cien por cien qué ocurría dentro de estos cultos –a fin de cuentas por algo se llamaban «misterios»–, Weishaupt entendió lo suficiente como para organizar su propia sociedad secreta basándose en su estructura. Después, consiguió reclutar a cinco de los miembros más prominentes de una prestigiosa logia masónica sobre la que había adquirido cierto grado de control, y el 1 de mayo de 1776 (son muchos los que consideran que el que hoy día esa fecha sea considerada festiva –la fiesta del trabajo– es prueba inequívoca del poder de los Illuminati), Weishaupt fundó la Orden de los Perfectibilistas, más conocidos como los Illuminati de Baviera. Adam Weishaupt tenía en aquel momento solamente veintiocho años.

Según sus propias palabras, pretendía, «con vistas a un alto interés y con un lazo duradero, reunir a hombres instruidos de todas partes del globo, de todas las clases sociales y de todas las religiones pese a su diversidad de opiniones y pasiones. Hacer que amen ese interés y ese vínculo hasta que, reunidos o separados, actúen todos de común acuerdo, como un solo hombre. Que pese a sus diferentes posiciones sociales, se traten recíprocamente como iguales y que espontáneamente y por convicción hagan lo que no se puede conseguir por ninguna coacción pública desde que el mundo y los hombres existen».

La osadía y la ambición de Weishaupt no tenían límites, y llega incluso a intentar infiltrarse en las filas de sus archienemigos los jesuitas:

> Fue en 1777. Weishaupt llevaba mucho tiempo planeando fundar una asociación u orden que, a su tiempo, llegara a gobernar el

mundo. En su momento de primer fervor y más altas esperanzas, llegó a tentar a varios ex jesuitas con la posibilidad de que, bajo una nueva identidad, pudieran recuperar la influencia que antaño poseían, siendo de nuevo útiles para la sociedad, dirigiendo la educación de jóvenes de buena familia, pero con independencia de cualquier prejuicio civil y religioso. Consiguió convencer a algunos de que se le unieran, pero todos ellos se terminaron por echar atrás salvo dos[1].

Como sucede en muchas sociedades iniciáticas, a los miembros de los Illuminati se les daba un nombre simbólico al entrar a formar parte del grupo. Además, en su correspondencia designaban a Baviera como «Grecia», a Múnich como «Atenas», etc. La costumbre de dotarse de un nombre simbólico entronca con el hecho de que la inmensa mayoría de los rituales de iniciación no son sino la representación de una muerte y la posterior resurrección a una vida nueva, la que el nuevo adepto vivirá junto a la orden. En las ceremonias masónicas el neófito tiene que redactar un testamento y su muerte suele representarse introduciéndolo en un ataúd.

Lógicamente, el renacido necesitará un nuevo nombre que le acompañe en su nueva vida, y si este nombre simboliza sus cualidades o ideales, mejor que mejor. El nombre que Weishaupt se reservó para él no podía ser más descriptivo de su carácter y sus ideales: Spartacus –Espartaco–, el esclavo que estuvo a punto de poner de rodillas al mismísimo Imperio romano y que soñaba con una sociedad igualitaria sin amos ni esclavos. Weishaupt se ve a sí mismo no como un filósofo o un reformador, sino como un revolucionario, alguien que no repara en medios para alcanzar sus objetivos, que no son otros que los de derribar el orden social establecido y sustituirlo por otro que él considera más justo.

1. John Robinson, *Proofs of a Conspiracy*, Boston, Western Islands Press, 1967.

Iluminación y revolución

Weishaupt, de hecho, puede ser considerado como el primer gran socialista revolucionario[1] y precursor de la Conspiración de los Iguales, de Blanqui, del comunismo de Marx y Engels y del anarquismo de Bakunin o Kropotkin, algo que ha sido reconocido por historiadores de la talla de Max Nettlau. Desde el principio quedó claro que los Illuminati no son un grupo esotérico al uso, sino que sus fines y métodos tienen más bien poco que ver con la mística y el ocultismo y mucho con la conspiración y la revolución. Las metas de los Illuminati son:

– Acabar para siempre con las monarquías y promover la república como forma de gobierno.
– Eliminar la desigualdad social.
– Borrar las fronteras y el concepto de nación con el fin de que la humanidad sea una única patria.
– Abolir las religiones y, muy especialmente, acabar con la presencia del cristianismo en la sociedad, apostando por un laicismo radical.

El corpus ideológico iluminista, idéntico en lo superficial al de la masonería especulativa, tiene sus propias señas de identidad y hace del culto al racionalismo una de sus piedras angulares, lo que no es obstáculo para que, simultáneamente y sin mayor pudor, recurra a un variopinto galimatías de conceptos más o menos esotéricos extraídos arbitrariamente de fuentes tan heterogéneas como la Biblia o el confucionismo, a los que se añaden otros elementos tomados de la cultura clásica encarnada en la obra de filósofos como Epicteto, Séneca o Marco Aurelio. Es un ejercicio de sincretismo doctrinal destinado en gran medida a envolver los verdaderos intereses y objetivos de la orden, los

1. VV.AA., *Die Illuminaten. Quellen und Texte zur Aufklaerungsideologie des Illuminatenordens*, Berlín, Jan Reichold, 1984.

cuales son expuestos por Weishaupt de modo extraordinariamente elocuente:

> He propuesto una explicación de la francmasonería, ventajosa desde todos los puntos de vista, por cuanto se dirige a los cristianos de todas las confesiones, los libra gradualmente de todos los prejuicios religiosos, cultiva y reanima las virtudes de sociedad por una perspectiva de felicidad universal, completa y rápidamente realizable, en un Estado donde florecerán la libertad y la igualdad, un Estado libre de los obstáculos que la jerarquía, la clase, la riqueza arrojan continuamente a nuestro paso... No tardará en llegar el momento en que los hombres serán dichosos y libres.

Jugadas maestras

No se trataba en absoluto de metas utópicas o ideales hacia los que tender pero sin esperanza alguna de verlos cumplidos algún día, sino que los Illuminati se pusieron rápidamente manos a la obra para alcanzar sus objetivos. A partir de ese momento, y al modo que durante siglos lo habían hecho los jesuitas en el seno de la Iglesia católica, fueron maniobrando para ganar influencia en las logias masónicas más influyentes de Europa, donde difundieron una serie de ideas presididas por un ferviente sentimiento antimonárquico que terminó por decantar a buena parte de los masones de Europa hacia la causa republicana. Sus tácticas han constituido el modelo para todos los grupos conspiratorios posteriores, reales o imaginados. El propio Weishaupt explica sus tácticas de infiltración:

> Cada uno de los hermanos debe poner en conocimiento de su jerarquía los empleos, servicios, beneficios y demás dignidades de las que podamos disponer o conseguir por nuestra influencia, a fin de que nuestros superiores tengan la ocasión de proponer para esos empleos a los dignos miembros de nuestra orden... De lo que se trata es de infiltrar a los iniciados en la administración del Estado, bajo la cobertura del secreto, al objeto de que llegue el día

en que, aunque las apariencias sean las mismas, las cosas sean diferentes... En una palabra: es preciso establecer un régimen de dominación universal, una forma de gobierno que se extienda por todo el planeta. Es preciso conjuntar una legión de hombres infatigables en torno a las potencias de la Tierra, para que extiendan por todas partes su labor siguiendo el plan de la orden.

No obstante, del dicho al hecho mediaba en este caso un trecho especialmente largo. Weishaupt no era, a pesar de todo, un personaje de excesiva relevancia por aquel entonces en el escenario de la política masónica. Una vez más, él y sus seguidores mostraron una especial perspicacia a la hora de compensar sus propias limitaciones. Weishaupt llevó a cabo un importante golpe de efecto reclutando a través del marqués de Constanzo a Adolf Francis, el barón Knigge, uno de los personajes más respetados del panorama masónico de la época. Prolífico autor sobre temas masónicos[1], investido como Caballero Bienhechor de la Ciudad Santa, grado más alto del Rito Escocés rectificado, este magnate había intentado sin éxito durante años reunir a todas las logias europeas para formar una entidad gigante y todopoderosa por lo que no es de extrañar que mostrara entusiasmo hacia algunas de las ideas de Weishaupt que se movían en este sentido.

No le costó mucho trabajo al barón mover los hilos necesarios para que en 1777 Weishaupt fuera recibido en la logia muniquesa *Theodor zum guten Rath*[2], una de las más importantes de Alemania. Con el respaldo de Knigge hacia la organización, los adeptos de los Illuminati crecieron rápidamente hasta ser más de tres mil –una cifra que incluía a la flor y nata de la masonería de la época–, lo que les convirtió en una fuerza a tener en cuenta dentro de la masonería a nivel europeo: «La Or-

---

1. Entre sus obras destacan *Sobre jesuitas, francmasones y rosacruces* (1781), *Ensayo sobre la masonería* (1784), *Contribución a la reciente historia de los francmasones* (1788) y *Conversaciones con hombres* (1788).
2. Teodoro del Buen Consejo.

den Illuminati se convirtió en un accesorio de la masonería. Era en las logias masónicas donde se reclutaba a los Minervales y donde éstos eran preparados para la iluminación. Para ello primero debían haber obtenido los tres grados ingleses»[1].

Reclutando a su ejército

Por otra parte, Adam Weishaupt consiguió que ingresaran en la sociedad numerosos masones que estaban en desacuerdo con la regla que prohibía las discusiones religiosas o políticas en las logias. Había una razón más por la que reclutar masones: Weishaupt era un vehemente anticlerical y se había fijado como objetivo acabar con la Iglesia.

En sus tiempos, la masonería aún no había sido censurada por las autoridades eclesiásticas, y un gran número de clérigos, incluidos altos dignatarios, formaban parte de las logias. Ellos eran objetivos muy apetecibles para Weishaupt, que soñaba con formar su propio grupo de infiltrados en el mismo seno del catolicismo, algo que consiguió y que le sirvió entre otras cosas para obtener pingües beneficios, como escribió en su día el barón Von Zwack: «Por recomendación de los hermanos Pylade, se ha convertido en tesorero del Consejo Eclesiástico, por medio del cual la orden tiene acceso a las rentas de la Iglesia». Pero esta infiltración no tenía sólo como objetivo inmediato la obtención de bienes sustrayéndoselos al enemigo, sino que además existe constancia documental de que Weishaupt se aprovechó de estos contactos para ir minando la posición de su bestia negra particular, la Compañía de Jesús.

Otra de las innovadoras tácticas que Weishaupt comenzó a aplicar en su guerra secreta fue el empleo de mujeres especialmente entrenadas para utilizar el sexo como medio de recabar información o someter la voluntad de aquéllos sobre los que se

1. Robinson, *op. cit.*

quería influir, bien por la persuasión de la seductora o recurriendo al chantaje cuando fracasaban los métodos más sutiles, algo que a partir de entonces sería extensamente utilizado por otras asociaciones secretas, servicios de inteligencia e incluso sectas destructivas como los «niños de Dios».

El reclutamiento de los efectivos Illuminati se llevaba a cabo por cooptación, esto es, eran los propios Illuminati quienes seleccionaban a sus futuros miembros en función de sus cualidades o influencia atendiendo a las propuestas de algún miembro de la secta e iniciando seguidamente una discreta maniobra de aproximación al candidato considerado idóneo. Esto les evitaba que en su organización penetraran intrusos o espías y, además, les permitía seleccionar a los miembros en función de sus intereses. El propio Weishaupt nos da una idea del tipo de personas a las que quería en la orden:

Cualquiera que no cierre los oídos a los lamentos del desgraciado, ni su corazón a la dulce compasión; cualquiera que es amigo y hermano del desafortunado; cualquiera que tenga un corazón dispuesto al amor y la amistad; cualquiera que sea firme en la adversidad, dispuesto a realizar aquello a lo que se ha comprometido, indómito en la superación de dificultades; cualquiera que no desdeñe ni se burle del débil; cuya alma es capaz de concebir grandes proyectos, deseoso de sublimar todos las motivaciones más bajas, y de distinguirse por sus hechos de benevolencia; cualquiera que evite la ociosidad; cualquiera que no considere superfluo ningún conocimiento que pueda tener la oportunidad de adquirir, en especial con respecto al conocimiento de la humanidad; cualquiera que, cuando la verdad y la virtud estén en duda, desdeñando la aprobación de la sociedad, sea lo suficientemente valeroso para seguir los dictados de su propio corazón, ése es un candidato apropiado[1].

1. Adam Weishaupt, *Un sistema mejorado de los Illuminati*, Gotha, 1787.

47

Lo avanzado de sus ideas hizo que importantes figuras intelectuales de la época se interesaran por su causa: Goethe o Herder, así como médicos, abogados, jueces, profesores de bachillerato y de universidad, rectores, gobernadores de provincias, miembros de la Cámara Imperial, altos funcionarios de todas las clases, y una larga lista de personajes de la nobleza, como el duque Luis Eduardo de Saxe-Gotha, el duque de Saxe-Weimar, el príncipe Ferdinand de Brunswick, el conde de Stolberg, el príncipe Karl de Hesse, el príncipe de Neuwied, el conde Von Pappenheim, el barón de Dalberg y un largo etcétera. La plana mayor de los Illuminati quedó como sigue:

Adam Weishaupt	Profesor
Adolph von Knigge	Barón
Xavier von Zwack	Letrado, juez y consejero electoral
Christoph Friedrich Nicolai	Librero
Westenrieder	Profesor
Hertel	Canónigo
Thomas Maria de Bassus	Barón
Johann Simon Mayr	Compositor
Dietrich	Alcalde de Estrasburgo
Johann J. C. Bode	Concejal de Privy
William von Busche	Barón
Saint Germain	Conde de
Constanzo	Marqués de
Ferdinand de Brunswick	Duque
Ernesto de Gotha	Duque
Johann W. Goethe	Escritor

Los grados

En todo el continente, la masonería era tradicionalmente un refugio para intelectuales radicales, políticos avanzados y aquellos que querían codearse con ellos. Los Illuminati seleccionaron a los más notorios, prometedores e influyentes de los masones y los filtraron a través de ritos de iniciación más extraños y esotéricos que los de la propia masonería. Estas prácticas estaban diseñadas para asegurar la lealtad a Weishaupt y a los otros dirigentes de la orden. Los Illuminati, por lo tanto, se convirtieron en una fuerza revolucionaria secreta cuya influencia superaba con mucho al número de sus afiliados. En 1782, intentaron federar bajo su autoridad a toda la masonería europea, pretensión que fue vana debido a la oposición visceral de la Gran Logia de Inglaterra, el Gran Oriente de Francia y los Iluminados Teósofos del místico sueco Swedenborg.

La orden estaba organizada en grados que formaban una jerarquía de tres series sucesivas[1]:

1. Semillero
   a. Candidato
   b. Novicio
   c. Minerval
   d. Illuminatus Minor

2. Masonería simbólica
   a. Aprendiz
   b. Compañero
   c. Maestro
   d. lluminatus Major
   e. Illuminatus Dirigens

3. Misterios menores
   a. Sacerdote
   b. Príncipe
   c. Mago
   d. Rey

1. Richard van Duelmen, *Der Geheimbund der Illuminaten*, Frommann-Holzboog, Stuttgart, 1975.

Los objetivos reales de la orden eran desvelados poco a poco, a medida que el adepto ascendía en la jerarquía. Esto es algo común en las sociedades iniciáticas, en las cuales cada grado que se asciende en el escalafón aporta al iniciado un grado superior del «secreto» que custodia la orden. Por curioso que pueda parecernos, el adepto se afilia a un grupo cuyos fines y motivaciones últimas le son desconocidos y que para cuando le son revelados ya es demasiado tarde para abandonar. En el caso de los Illuminati esto se desarrollaba más o menos de la siguiente manera:

1. El Illuminatus Minor debía prestar un juramento de obediencia absoluta a sus superiores. Se le enseñaba que el fin de la sociedad era hacer de toda la humanidad un solo cuerpo, una única nación gobernada por la sabiduría de los superiores.

2. El Illuminatus Dirigens juraba luchar contra la superstición –incluida, por supuesto, la religión en general, el cristianismo en particular y el catolicismo en especial–, la maledicencia y el despotismo, así como convertirse en el campeón de la virtud, la sabiduría y la libertad.

3. En el grado de Sacerdote se ponía al candidato aún más al corriente de los objetivos y propósitos de la orden. Se le decía que el mejor medio para verse libre de dirigentes y gobernantes indeseables para los intereses de la misma era proceder a la manera de una sociedad secreta que poco a poco se fuera infiltrando en los aparatos y órganos del poder hasta apoderarse de todos los poderes del Estado. Príncipes y sacerdotes debían ser exterminados. El patriotismo debería ser combatido y contrapuesto al cosmopolitismo.

4. En el grado de Mago, se iniciaba al adepto en los misterios del panteísmo materialista. Según escribía el propio Weishaupt: «Dios y el mundo no son más que uno. To-

das las religiones son igualmente sin fundamento, puros artificios inventados por los ambiciosos».

5. En el grado más elevado, Rey, se enseñaba al adepto que todos los individuos eran iguales en derechos, que el hombre debía ser su propio soberano. El fin supremo de la orden era que cada hombre y cada mujer llegasen a este estado. Para alcanzar este fin eran válidas todas las vías, por medios pacíficos, si ello era posible, y si no, por la fuerza, pues ningún mal podía ser mayor que el yugo de la tiranía.

El final del sueño

Sin embargo, el ascenso de los Illuminati se vio bruscamente interrumpido. Como ha sucedido con tantas otras organizaciones secretas, llegó un momento en que el propio secreto de la organización se hizo extremadamente difícil de guardar. Knigge, católico y aristócrata, acabó por hartarse del ateísmo y los modales autoritarios de Weishaupt y en contrapartida éste lo acusó de fanático y de mojigato, diciendo que había incorporado en el ritual demasiados elementos religiosos completamente innecesarios[1]. Los rituales y gran parte de los aspectos formales y ceremoniales de la Orden Illuminati habían sido diseñados en 1781 por Knigge[2], experto en simbolismo y uno de los más profundos conocedores de la cultura masónica. No es que Weishaupt y los miembros del núcleo interno de los Illuminati fueran fervientes esoteristas, más bien al contrario. Sin embargo, necesitaban de la parafernalia paramasónica para mantener entretenidos a sus neófitos recién pescados en las logias e irles desvelando poco a poco sus intenciones.

---

1. Las recriminaciones de Weishaupt se debían principalmente al «Festín de amor», celebrado con motivo del grado de Illuminatus dirigens, en el curso del cual «J. de N.» (es decir, Jesús de Nazaret) era invocado como fundador de la orden.

2. Antoine Faivre, *El esoterismo en el siglo XVIII*, Madrid, Edaf, 1976.

Su aportación al grupo fue enorme y, harto de que no le fuera convenientemente reconocida, el barón se retiró de la sociedad y con él muchos de los que habían acudido a las filas de los Illuminati al reclamo de su prestigio. Libres de su vínculo, algunos de los desertores no dudaron en revelar a las autoridades fragmentos de lo que tramaba Weishaupt. El elector de Baviera había ordenado una investigación sobre esa orden cuyos designios revolucionarios comenzaban a conocerse; pero las declaraciones de los desertores sobrepasaron todas las sospechas que hasta entonces se albergaban sobre ellos: «La orden abjura del cristianismo, se entrega a placeres epicúreos, justifica el suicidio, repudia el patriotismo y la lealtad como prejuicios de espíritus estrechos, condena la propiedad privada, permite que se haga el mal cuando de él haya de salir un bien, y en fin, coloca los intereses de la orden por encima de toda otra consideración»[1]. En vista de su peligrosidad, el gobierno bávaro disolvió la orden en 1785, si bien muchos de sus miembros pasaron a la clandestinidad a partir de aquel momento. En febrero de 1785, Weishaupt fue destituido de su cátedra y partió desterrado a Regensburg (Ratisbona). Algunos otros jefes huyeron a provincias cercanas.

El rastro de Adam Weishaupt parece perderse en este momento. Robert Anton Wilson sugirió en su día a modo de broma (broma que sorprendentemente fue tomada en serio por algún autor frecuentador de las revistas de temática paranormal) que el líder de los Illuminati escapó a América y se convirtió en George Washington, empedernido masón y ávido fumador de cáñamo[2]. Bromas aparte, casi en el mismo instante de su disolución forzosa empezaron a correr los más variados rumores sobre los elitistas subversivos de Weishaupt, involucrándolos en todo tipo de conspiraciones.

La mayoría de la información con respecto a los rituales y

1. Richard von Duelmen, *op. cit.*
2. Robert Anton Wilson, *The Illuminati Papers*, California, Ronin Publishing, 1997.

a los objetivos de la orden se deriva de los papeles y de la correspondencia encontrada en un registro en la residencia de Xavier Zwack en Landshut y un registro posterior en el castillo del barón Bassus de Sondersdorf en Baviera en 1787.

También existe una historia mítica respecto al origen de la información sobre los Illuminati que tenemos actualmente, que afirma que en la noche del 10 de julio de 1785 el abad Lanz, correo personal de Weishaupt, cayó fulminado por un rayo –en justo castigo por su asociación con esta orden impía, suelen apostillar los narradores más devotos de esta historia–. Su cuerpo fue trasladado a la capilla de San Emmeran y al ser registrado aparecieron en su ropa algunos papeles cuyo contenido no dejó duda de las pérfidas intenciones de los Illuminati. Este error ha sido reimpreso y agrandado de una versión a otra por autores cuya carencia de investigación y desdén para con la exactitud histórica les hace confundir al abad Johann Jakob Lanz, un sacerdote de la localidad de Erding, que jamás perteneció a los Illuminati pero sí tuvo una buena amistad con Weishaupt, con Franz Georg Lang, consejero de la corte en Eichstätt y, en sus ratos libres, activo Illuminati bajo el nombre de Tamerlán.

Estos documentos fueron publicados por el gobierno bávaro con el título *Einige Originalschriften des Illuminaten Ordens*, en Múnich en 1787. Según el clásico *Pruebas de una conspiración*[1], catorce años después de que los Illuminati dieran su última prueba pública de existencia, el grupo se había metamorfoseado y había desempeñado un papel importantísimo en la Revolución francesa, un alzamiento cuyo lema «Libertad, igualdad, fraternidad» era explícitamente masónico.

En cuanto al propio Weishaupt, se refugió en Gotha al amparo del duque Ernesto, que le nombró su consejero y le confió la educación de su heredero. Allí vivió hasta su muerte el 18 de noviembre de 1830. Durante aquel período escribió varias obras, como *Una historia completa de la persecución contra los Ilumi-*

---

1. Robinson, *op. cit.*

nados de Baviera, Retrato del Iluminismo, Apología de los Illu-minati[1] y *Un sistema mejorado de Iluminismo*. A modo de testa-mento, y mostrando que en absoluto se arrepentía de lo vivido, nos dejó esta frase: «La tónica de mi vida ha sido contraria a todo lo que es vil; y ningún hombre puede poner nada en mi contra»[2].

La leyenda Illuminati

Según las diversas teorías, tras su forzada desaparición de esce-na, los Illuminati habrían adoptado diferentes nombres y for-mas, extendiéndose por distintos países y promocionando doc-trinas tan diversas como el anarquismo, el comunismo o el republicanismo, siempre con los objetivos en mente de la secu-larización de la sociedad y la abolición de la monarquía.

En su estupenda monografía sobre este tema, el autor esta-dounidense Neal Wilgus[3] recoge que George Washington era un profundo conocedor de los planteamientos de Weishaupt. Sin em-bargo, en las logias masónicas estadounidenses se vivía una situa-ción muy diferente de la de sus homólogas europeas. Thomas Jefferson, otro masón (como la mayoría de los fundadores de Es-tados Unidos), también conocía la obra de Weishaupt y los Illu-minati. De hecho los admiraba. Afirmaba que podía comprender la predilección por el secreto de los miembros de la organización alemana teniendo en cuenta el despotismo que reinaba en Euro-pa. Pero si Weishaupt hubiera estado en América, el autor de la Declaración de Independencia afirmaba que «no habría pensado en ninguna maquinación secreta» para propagar su ideología li-brepensadora. Con maquinación o sin ella, el caso es que existen diversas pruebas que nos hablan de una fértil presencia iluminis-

---

1. Adam Weishaupt, *Apologie der Illuminaten*, In der Grattenaueris-chen Buchhandlung, Frankfurt y Leipzig, 1786.
2. *Ibid.*
3. Neal Wilgus, *De illuminoids: secret societies and political paranoia*, Santa Fe, Nuevo México, Sun Publishing, 1978.

ta en las colonias americanas en el período final del siglo XVIII que bien pudo ser determinante en el nacimiento de Estados Unidos[1], algo que ampliaremos en un capítulo posterior.

En su momento de máximo esplendor, los Illuminati contaban con miles de miembros diseminados por casi toda Europa (en España las ideas iluministas nunca calaron demasiado), siendo sus principales feudos Alemania, Italia, Francia, Hungría, Bélgica, Polonia, Holanda, Suecia, Escocia, Austria y Dinamarca[2]. En todos estos países las logias masónicas fueron el principal banderín de enganche para el grupo. Llama la atención que el país con una mayor implantación masónica, Reino Unido, resultara completamente impermeable a las ideas de los Illuminati. Pero existe una explicación: en Reino Unido la masonería y la Corona tienen vínculos muy firmes, por lo que resulta lógico que el republicanismo iluminista no fuera acogido con excesivo entusiasmo en las logias británicas.

Si bien la ojeriza de los Illuminati hacia la institución monárquica es un rasgo incuestionable e históricamente documentado, la acusación de que la orden pretendía la erradicación del cristianismo es infundada y alarmista. Muchos miembros prominentes del movimiento, como el barón Knigge, eran devotos cristianos que, sin embargo, no entendían el papel de la Iglesia en la sociedad en cuestiones tan alejadas de lo espiritual como la economía o la política. La secularización que propugnaban los Illuminati no consistía en una supresión de la religión del ámbito social, sino su circunscripción a lo meramente espiritual.

La conjura judeomasónica

Llegados a este punto hay que señalar que ciertos historiadores han atribuido a la masonería los propósitos de los Illuminati,

1. Vernon Stauffer, *New England and the Bavarian Illuminati*, Nueva York, Russell&Russell Pub, 1967.
2. Albert G. Mackey, *op. cit.*

quienes, por su parte, trataban de vampirizar a aquella institución en provecho propio. Han sido muchos los autores a lo largo de la historia que han atribuido a los masones una imagen como la que se presenta en este párrafo publicado a principios del siglo xx: «Nada de autoridad, así pues, nada de gobierno; nada de leyes, de modo que nada de legislador; nada de familia; nada de sociedad; no más nacionalidades; no más fronteras, no más patrias»[1].

En cualquier caso, la peripecia de los Illuminati hizo un flaco favor a la masonería en general, cuyo prestigio quedó gravemente salpicado por la leyenda negra atribuida a los primeros. Una leyenda negra que ha adquirido dimensiones colosales con el paso del tiempo, con ramificaciones llenas de elementos tan diversos como los caballeros templarios, la orden de los asesinos o la sempiterna conspiración judeomasónica. Los Illuminati de Weishaupt se han convertido en un comodín para todo tipo de teorías de conspiración: la teoría que lo explica todo y es aplicable siempre.

Las versiones más famosas del relato incluyen a Franklin Delano Roosevelt como un Illuminatus iniciado. Después de todo, fue durante la presidencia de Roosevelt cuando el ojo masónico sobre la pirámide apareció por vez primera impreso en el billete de Estados Unidos. Incluso existe una anécdota, muy posiblemente una «leyenda urbana», que afirma que durante el *show* de Oprah Winfrey, el programa más popular de la televisión estadounidense, Charles Manson, el asesino psicópata que estremeció a los estadounidenses en los años sesenta, fue identificado como un Illuminatus. El mito de los Illuminati se debe en buena medida a que Weishaupt se ha convertido casi en un arquetipo, una metáfora viviente como JFK, Al Capone, Hitler, Casanova o el Cid. Pero ¿qué es exactamente lo que viene a simbolizar el líder de los Illuminati?

La búsqueda del saber, la iluminación, y el potencial poder que puede otorgar ese saber al que lo posee han sido las obse-

---

1. B. Fabre, *Un iniciado de las sociedades secretas superiores*, París, 1913.

siones más recurrentes de la humanidad. Weishaupt, el Illuminati bávaro, fue el último y más notorio de los herederos de una tradición que probablemente se remonta a los días más remotos de la prehistoria, cuando el chamán de la cueva reunía a su alrededor a una multitud asombrada e incrédula que le consideraba como un ser sobrenatural por hacer fuego con un par de piezas de pedernal y unos palos. Él o ella eran, literalmente, los portadores, los guardianes de la luz, los primeros Illuminati.

La búsqueda de la iluminación puede ser simultáneamente perniciosa y benigna. Como nos decía el simpático Yoda en *La guerra de las galaxias:* «La fuerza siempre tiene su lado oscuro». La historia nos muestra cómo ángeles y demonios han alternado en su búsqueda del saber supremo, trayendo al ser humano tanta muerte y destrucción como avance y bienestar. Aquellos que en las diferentes épocas han seguido las huellas de los Illuminati suelen ser seres bienintencionados e insatisfechos con la mediocridad de nuestra vida cotidiana. Quieren trascenderla para conseguir alcanzar algo mejor para ellos y para todos.

Las sectas primitivas que sirvieron a Weishaupt de inspiración y modelo (el cabalismo judío, el gnosticismo cristiano y el sufismo islámico) estaban imbuidas de este espíritu. El «lado oscuro», el reverso tenebroso de esta moneda, está constituido por otras sectas y sociedades secretas como los temibles *hashishins*, que no reparaban en medios de ningún tipo para conseguir sus fines, destruyendo la vida y creando el caos por doquier, sin renunciar por ello al mismo título de «iluminados» que también reclamaban para sí los seguidores de Weishaupt.

Los Illuminati son un eslabón más de esta cadena que, ni mucho menos, quedó rota con la desaparición, real o fingida, de los iluminados bávaros.

Desde la aparente desaparición de los Illuminati, su herencia ha continuado impregnando páginas de la historia más o menos oculta de Occidente. Como veremos en los próximos capítulos, su supervivencia no es ni mucho menos descabellada. Aparte de ello, diversos grupos de todas las tendencias han recogido el testigo. Un amplio espectro de organizaciones que van desde la Ordo Templi Orientis de Aleister Crowley, a grupos más o menos pintorescos como la Iglesia de Satán, de Anton La-Vey, constituyen el extremo de este camino y una de sus manifestaciones más modernas: el «satanismo». No, no nos hemos vuelto locos. El satanismo actual tiene unas hondas raíces que se alimentan de las mismas fuentes de las que en su día bebiera Weishaupt, cuyos Illuminati han sido acusados en reiteradas ocasiones de secta satánica. Porque ¿quién es Satán sino Lucifer, el caído «Ángel de la luz», el primer Illuminatus?

CEREMONIA DE INICIACIÓN MASÓNICA

Dado que los Illuminati tomaron buena parte de sus rituales de la masonería, es muy probable que su ceremonia de iniciación fuera muy similar a la de ésta. Los ritos de iniciación masónica se desarrollan de la siguiente forma:

– Una vez aceptado su ingreso en la logia, el aprendiz es llevado a la cámara de reflexión, decorada en negro con una ambientación tétrica que se compone de un reloj de arena, una calavera, la figura de un gallo y las siglas V.I.T.R.I.O.L. Allí deberá escribir su testamento simbólico.

– Tras ello, se le traslada al templo de la logia, donde un guardia golpea tres veces la puerta con la empuñadura de una espada solicitando permiso para la entrada del iniciado. Éste entra con los ojos vendados y vestido con camisa y pantalón blanco (el cual lleva remangado en una pierna hasta la rodilla), una pantufla sencilla en uno de sus pies y una soga al cuello. También debe desprenderse de sus objetos de metal.

– Posteriormente se le somete a un interrogatorio sobre su mayoría de edad y su deseo de iniciarse en la masonería. El iniciado deberá contestar mientras se le oprime el lado izquierdo de su pecho con la punta de una espada.

– Contestadas las preguntas, deberá ponerse de rodillas mientras se invoca una oración al Gran Arquitecto del Universo, tras la que el adepto es guiado por el perímetro del templo por un ayudante que le ordena detenerse tres veces para presentarlo como «un pobre candidato en estado de oscuridad».

- Seguidamente se le conduce, aún con sus ojos vendados, delante del trono del Maestro Venerable que le interroga diciendo: «Habiendo permanecido en un estado de oscuridad, ¿cuál es el deseo que predomina en tu corazón?». La respuesta es susurrada al adepto por alguien al oído, y ésta es: «La Luz». «Entonces deja que esta bendición sea restaurada.» Al adepto se le quita la venda y le indican observar las luces emblemáticas de la francmasonería (libro sagrado, escuadra y compás).
- Posteriormente se le ofrecen los signos secretos, apretones de manos y contraseñas del primer grado y se le explica que la columna del lado izquierdo del templo de Salomón (Boaz, bisabuelo de David) tiene un especial significado para los francmasones. Finalmente, se le entrega un delantal blanco de piel de cordero, que simboliza la inocencia. Y es el momento en que el nuevo masón hace su juramento.

JURAMENTO MASÓNICO

Por este acto voto y juro solemnemente, en presencia de Dios Todopoderoso y de esta muy venerable asamblea, que guardaré y ocultaré, y nunca revelaré los secretos o lo secreto de los masones o la masonería, que puedan serme revelados; excepto a un verdadero y legítimo hermano, después de un debido examen, o en una justa y venerable logia de hermanos y compañeros bien reunida, y además prometo y voto que no los escribiré, imprimiré, marcaré, esculpiré o grabaré, o haré que sean escritos, impresos, marcados, esculpidos o grabados en madera o piedra, de modo que la impresión o el carácter visible de una letra pueda aparecer, y sean obtenidos ilegítimamente. Todo ello bajo una pena no menor que tener mi garganta cortada, mi lengua extraída del paladar, mi corazón arrancado de bajo mi pecho izquierdo, para ser enterrados bajo las arenas del mar, a la distancia de un cable de la orilla, donde la marea baja y sube dos veces en 24 horas, mi cuerpo quemado hasta las cenizas, mis cenizas esparcidas sobre la faz de la tierra para que no haya más recuerdo de mí entre los masones. Que Dios me ayude.

Capítulo 3

Arquitectos de la revolución

Ya hemos comprobado en el capítulo anterior cómo los masones norteamericanos miraban con simpatía tanto a Weishaupt como a sus ideas. En los tensos tiempos que antecedieron a la revolución americana, las logias ofrecieron a los colonos patriotas que se disponían a alzarse contra la corona británica el refugio perfecto para trazar sus planes y estrategias con total comodidad. El *Boston Tea Party*, que prologó la revolución lanzando al mar los cargamentos de té británico en protesta por la tasa con que se gravaba este producto, estaba compuesto enteramente por masones de la logia St. John[1].

Los masones americanos tenían motivos sobrados para sentirse irritados. Una de las medidas más impopulares decretadas durante el reinado de Jorge III fue la llamada Acta de los Sellos, que obligaba a colocar sellos reales en todos los bienes exportados desde la colonia, así como en facturas, presupuestos, escrituras, panfletos, periódicos, anuncios, libros de contabilidad, minutas, testamentos y contratos. Pasado el furor por el Acta de los Sellos, los colonos americanos se sintieron de nuevo soliviantados cuando en 1764 la Iglesia anglicana dio un paso en falso ordenando a un obispo para las colonias americanas. La indignación, convenientemente azuzada por agitadores indepen-

---

1. Ciertos autores han identificado la logia como la St. Andrews. En cualquier caso, lo que sí está establecido más allá de toda duda es la adscripción masónica de los participantes.

dentistas, se extendió por América. Una carta publicada en el diario *The New York Gazette*, el 14 de marzo de 1768, afirmaba que un obispo americano sólo serviría para «establecer un sistema de palacios pontificios, de recaudación de ingresos y cortes espirituales revestidos de toda la pompa, grandeza, lujo y parafernalia de un Lambeth americano»[1].

La nota final la proporcionaría la East India Company, la mítica Compañía de las Indias. A raíz de la crisis bancaria que sufrió Inglaterra en julio de 1772, la East India Company inició en el entorno de la Corona una serie de maniobras encaminadas a gravar el té que se exportaba a las colonias con un impuesto especial. Sumada a las anteriores ofensas, el Acta del Té sacudió a las trece colonias americanas como una bofetada en pleno rostro: «Las colonias podrían haber aceptado con agrado el impuesto sobre el té y otras materias de no ser porque Inglaterra se llevó nuestro dinero a la metrópoli, lo que creó desempleo y desafección», explicaba Benjamin Franklin.

El dinero era trasvasado de América a Inglaterra sin que los colonos recibieran contraprestación alguna ni representación en el Parlamento británico. La reacción no se hizo esperar, y tras el Boston Tea Party vino la Declaración de Independencia. El clima de inquietud que producían las desacertadas iniciativas de los británicos había sido azuzado por diversas sociedades secretas, muchas de clara inspiración Illuminati, como Los Hijos de la Libertad, de Samuel Adams. Las turbas populares fueron manejadas con destreza, como por ejemplo cuando en 1765 los comerciantes más ricos de Boston, casi todos masones, formaron un grupo opuesto al Acta de los Sellos llamado Los Nueve Leales.

Entre otras actividades, este grupo organizó una manifestación de más de dos mil personas que se encaminaron hacia la «casa de los sellos» de Boston, frente a la cual quemaron una efi-

1. El palacio de Lambeth es la residencia del arzobispo de Canterbury, cabeza de la Iglesia de Inglaterra por detrás del rey.

gie de su director. Después de esto, los instigadores originales de la manifestación se apartaron, no sin antes incitar un poco más a la multitud. Inmediatamente después comenzaron los disturbios. Se destruyó la propiedad privada, hubo agresiones contra las personas y verdaderas batallas campales entre los manifestantes y los encargados de velar por el orden público, todo ello farisaicamente condenado por los mismos que habían planeado la manifestación.

De los cincuenta y seis firmantes de la Declaración de Independencia sólo uno no era masón[1]. Pero en aquella reunión había algo más que masones. En el transcurso de la sesión, los debates se hicieron cada vez más encendidos. Fueron muchos los que empezaron a echarse atrás respecto a la firma del documento, aduciendo que ello podría ser equivalente a firmar su propia sentencia de muerte. Las posiciones de unos y otros se alejaban progresivamente, amenazando con dar al traste con el objetivo de la reunión, cuando súbitamente un personaje en el que nadie había reparado tomó la palabra. Se trataba de un sujeto alto y pálido con evidente acento extranjero. Nadie sabía quién era, ni de dónde había venido.

El profesor

En realidad a nadie le importaba porque su discurso tuvo un efecto hipnótico y enardecedor sobre los indecisos revolucionarios. En medio de la algarabía de voces contrapuestas, el desconocido se hizo oír con un simple grito que hizo callar automáticamente a toda la sala: «¡Dios nos ha dado América para que sea libre!». Tras el encendido alegato que vino a continuación,

1. Manly P. Hall, *The secret teachings of all ages: an encyclopedic outline of Masonic, Hermetic, Cabbalistic, and Rosicrucian symbolical philosophy: being an interpretation of the secret teachings concealed within the rituals, allegories, and mysteries of all ages*, Los Ángeles, Diamond jubilee ed., Philosophical Research Society, 1988.

todos los presentes sin excepción se apresuraron hacia la mesa en la que reposaba el documento para firmar la Declaración. Bueno, en realidad no todos. El extranjero no firmó: «Había desaparecido. Nunca más volvió a ser visto otra vez ni su identidad pudo ser establecida... ¿Es una coincidencia, o la demostración de que la divina sabiduría de los antiguos misterios está todavía presente en el mundo, sirviendo a la humanidad como lo hiciera antaño?».

La identidad de este personaje ha sido motivo de controversia, apuntándose todo tipo de teorías, desde que se trataba del mismísimo general de los por aquel entonces proscritos jesuitas, Lorenzo Ricci –que habría escenificado su propia muerte para viajar a América y participar en la rebelión–, hasta que se trataba de un enviado de los Illuminati que dirigía desde la sombra toda la trama de la revolución. Lo cierto es que, en la primavera de 1775, hace su aparición en el entorno de los revolucionarios americanos un misterioso personaje al que sólo se conoce como «el profesor». En los escasos documentos que hacen referencia a este personaje sólo se menciona que habla con «acento europeo». Sin embargo, a pesar de ser un desconocido, los revolucionarios lo tratan con especial deferencia.

Se hospedaba en una habitación alquilada en una casa particular de Cambridge, cuya dueña nos ha legado a través de su diario personal una de las más detalladas e interesantes descripciones de este oscuro personaje. Se trataba de un hombre discreto y apacible, buen conversador y de carácter en general bondadoso. A juicio de la patrona, debía de rondar los setenta años de edad. El desconocido hablaba varios idiomas y demostraba una cultura tan amplia que no dejaba de asombrar a sus eventuales contertulios. No recibía correspondencia, pero sí breves visitas de desconocidos que desaparecían tan de súbito como habían llegado.

Cuál no sería la sorpresa de la patrona cuando, el 13 de diciembre de 1775, se presentó en su casa una delegación de dignatarios de la recién nacida república para reunirse con «el profesor». Curiosamente, lo que más llamó la atención de la mujer fue que de las actitudes de los presentes se deducía que la figura de mayor autoridad era, precisamente, el misterioso anciano. A partir de ese momento, el desconocido comenzó a frecuentar la compañía de los revolucionarios, en especial la de Benjamin Franklin, de quien se hizo inseparable. La importancia que llega a cobrar este personaje es tal, que incluso toma parte activa en el diseño de la bandera de la nueva república, para la que se toma como modelo la de la Compañía de las Indias. También parece seguro que participó en la llamada «misión a Canadá», la primera legación diplomática que enviaron los recién nacidos Estados Unidos.

BENJAMIN FRANKLIN

Este legendario ensayista, científico, político, diplomático, filósofo y seductor fue bautizado por sus hermanos masones como el *Pitágoras del nuevo mundo*.

Franklin (1706-1790) fue uno de los masones más influyentes de Europa y América y son muchos los biógrafos que sospechan que estuvo vinculado directamente con los Illuminati. También formó parte del londinense Club del Fuego Infernal.

Franklin inició a Voltaire en la logia Nueve Hermanas de París, uno de los centros ideológicos de la Revolución francesa.

El coste de la libertad

No obstante, el entusiasmo de los revolucionarios duró bien poco, justo hasta que descubrieron lo tremendamente cara –en términos económicos– que les iba a resultar su campaña de independencia. En principio decidieron que este problema podría solventarse con la emisión de papel moneda, pero no tardaron en descubrir que esta solución no era viable. El dinero que se acuñó en aquellos días recibió el nombre de «continentales», de los cuales se emitieron 425 millones hasta 1779. Cuando se instauró el dólar, el cambio era de apenas un centavo por continental.

Pero los independentistas fueron superando uno a uno todos los obstáculos que se interponían en su camino. Muchos de ellos con la ayuda de España y, muy especialmente, de Francia, donde los Illuminati se iban infiltrando en todos los estamentos sociales. El autor William Bramley nos señala lo siguiente: «Había algo mucho más profundo conduciendo la causa revolucionaria: los rebeldes estaban decididos a establecer un orden social completamente nuevo... Un "quién es quién" de la revolución americana es casi un "quién es quién" de la masonería americana colonial»[1].

Sin embargo, la mayor parte de los masones que participaron en el alzamiento era completamente ignorante de estar sirviendo a intereses por encima de los de la propia masonería:

Pocos de estos hombres, si es que había alguno, conocían el plan del que sólo estaban informados los más altos jefes de la masonería. La mayor parte creían que simplemente estaban tomando parte en la causa de obtener la independencia de un tirano. La masonería era para la mayoría de ellos, como lo es para la mayoría de los masones de hoy día, meramente una organización fraternal que promueve fines sociales y provee a sus miembros de un entorno de camaradería[2].

Fruto del pensamiento Illuminati había nacido un coloso. El conde de Aranda, uno de los más finos analistas políticos de aquella época, resumía en una carta al rey la importancia histórica de lo que acababa de suceder:

1. William Bramley, *The Gods of Eden*, San José, California, Dahlin Family Press, 1990.
2. William T. Still, *New World Order: The Ancient Plan of Secret Societies*, Lafayette, Louisiana, Huntington House Publishers, 1990.

Dejando esto aparte, como he dicho, me ceñiré al punto del día, que es el recelo de que la nueva potencia formada en un país (Estados Unidos), donde no hay otra que pueda contener sus proyectos, nos ha de incomodar cuando se halle en disposición de hacerlo. Esta república federativa ha nacido, digámoslo así, pigmea, porque la han formado y dado el ser dos potencias como España y Francia, auxiliándola con sus fuerzas para hacerla independiente. Mañana será gigante, conforme vaya consolidando su constitución, y después un coloso irresistible en aquellas regiones. En este estado se olvidará de los beneficios que ha recibido de ambas potencias y no pensará más que en su engrandecimiento.

La libertad de religión, la facilidad de establecer las gentes en términos inmensos y las ventajas que ofrece aquel nuevo gobierno llamarán a labradores y artesanos de todas las naciones, porque el hombre va donde piensa mejorar de fortuna y dentro de pocos años veremos con el mayor sentimiento levantado el coloso que he indicado[1].

Fricciones internas

Por su parte, el celo patriótico e independentista de los iluministas estadounidenses a veces lindaba con el ridículo, como cuando se propuso adoptar en la nueva nación un idioma diferente del inglés, un lenguaje nuevo creado para Estados Unidos. Ante la imposibilidad de llevar a cabo tal pretensión se fomentaron los modismos y giros típicos del dialecto estadounidense de forma que fuera un idioma lo más alejado posible del inglés de Gran Bretaña[2]. No obstante, una vez establecida la república estadounidense, en el país comenzó a surgir un intenso sentimiento contrario a que el recién formado gobierno recibiese influencias externas. El propio George

1. «Memoria secreta presentada al rey de España por el conde de Aranda sobre la independencia de las colonias inglesas después de haber firmado el Tratado de París de 1783», Biblioteca Nacional, Manuscritos, 12966/33.
2. H. L. Mencken, *The American Language*, Nueva York, Knopf, 1936.

Washington, en su testamento político, advertía a sus conciudadanos contra la «acechanza de las intrigas extranjeras».

En 1785, la logia Columbia de la Orden Illuminati se estableció en Nueva York[1]. Entre sus miembros estaba el gobernador DeWitt Clinton, Horace Greeley (político y redactor del *New York Tribune*), Charles Dana y Clinton Roosevelt (antepasado de Franklin D. Roosevelt). Roosevelt escribió un libro titulado *Ciencia del gobierno fundada en el derecho natural*, en el que entre otras cosas muy del carácter Illuminati escribió: «No hay ningún dios al que pedir justicia en la tierra, y si hay un dios, es un ser malévolo y vengativo, que nos creó para la miseria». Él se refería a sí mismo y a los otros miembros como «los iluminados» y decía que la Constitución de Estados Unidos era un recipiente provisional establecido con el fin de que los americanos abandonaran la bandera británica, y por lo tanto necesitaba una revisión.

En 1786, en Portsmouth, Virginia, se fundó otra logia a la que presuntamente perteneció Thomas Jefferson. Por lo menos hubo otras catorce más en diversas ciudades de las trece colonias.

El 19 de julio de 1789, David Pappin, rector de la Universidad de Harvard, publicó una advertencia a sus nuevos graduados refiriéndose a la influencia de los Illuminati tanto en la política norteamericana como en la religión. En abril de 1793, Francia envió como nuevo embajador en Estados Unidos a Edmond, con la misión oficial de recabar el pago de la deuda en la que habían incurrido los estadounidenses durante la revolución americana. El dinero estaba destinado a financiar la guerra de Francia con Inglaterra. Sin embargo, son muchos los que creen que la verdadera razón de este viaje era crear en los ambientes políticos un clima favorable para Francia así como la difusión del iluminismo, algo que hizo con extraordinaria eficacia a tra-

1. David Allen Rivera, *Final Warning: A History of the New World Order*, Los Ángeles, Conspiracy Incorporated, 2004.

vés de la fundación de los llamados «clubes democráticos». A propósito de estos clubes, John Quincy Adams dijo que estaban tan perfectamente hermanados con los jacobinos de París (lo que era lo mismo que decir con los Illuminati), que aun teniendo un padre común no podrían ser más parecidos.

Infiltración en el gobierno

La influencia de los Illuminati en el recién nacido gobierno fue denunciada en 1798 por Jedediah Morse[1], un ministro evangélico cuyas denuncias encontraron un notable éxito y precipitaron la proclamación de una legislación específica –la *Alien and Sedition Act*– que prohibía las maquinaciones secretas contra el gobierno.

Morse era conocido como orador fogoso, geógrafo de prestigio e incluso como antiguo partidario de la revolución en Francia. Su entusiasmo hacia la revolución decreció, sin embargo, con el «incremento asombroso de la irreligión» precipitado por la época del terror, y el subsiguiente ascenso del más descarado ateísmo. Morse advirtió a su audiencia de la North Church Street de que fuerzas similares estaban operando en América[2]. Morse planteaba la existencia de un plan maestro, del que una parte ya había sido ejecutado en Francia, y que estaba siendo puesto en práctica a lo largo del resto de Europa y América. Morse advertía de que durante las últimas dos décadas venía actuando una secta llamada «los iluminados» que se había alzado en todo el mundo contra tronos y altares y había establecido una de sus bases en Estados Unidos. Para el reverendo, el jacobinismo era la «manifestación» de que los Illuminati seguían trabajando contra la cristiandad.

Morse no estaba del todo paranoico. Ciertamente había un

1. Michael Lind, *Next American Nation: The New Nationalism and the Fourth American Revolution*, Nueva York, Free Press, 1996.
2. Vernon Stauffer, *op. cit.*

espíritu de irreligión rampante en el país, y las viejas instituciones puritanas se desmoronaban por doquier. Las ideas de los
Illuminati estaban siendo llevadas a la práctica a todos los niveles, incluidos los derechos políticos. La sociedad se volcaba hacia el progreso material[1].

En julio de 1798 Timothy Dwight, rector de la Universidad de
Yale, dijo en el transcurso de un discurso pronunciado ante cientos
de personas en New Haven: «¿Deben acaso nuestros hijos bienamados convertirse en los nuevos discípulos de Voltaire y Murat, o
nuestras hijas convertirse en las concubinas de los Illuminati?».

En las elecciones de 1800, Thomas Jefferson fue señalado
como jacobino por el Clero Federalista de Nueva Inglaterra.
En 1807, John Quincy Adams escribió tres cartas al coronel
William C. Stone, gran maestre de la masonería, diciéndole que
el presidente Thomas Jefferson, fundador del partido demócrata,
utilizaba las logias masónicas para llevar a cabo los propósitos
subversivos de los Illuminati. Si bien estas cartas se custodiaron
en la biblioteca Rittenburg Square, en Philadelphia, misteriosa-
mente han desaparecido. Adams también escribió a Washington,
afirmando que Jefferson y Alexander Hamilton estaban haciendo un mal uso de las logias masónicas, no sólo para beneficiar a
los Illuminati, sino incluso para adorar a Lucifer.

Tensión de contrarios

La vinculación de Jefferson con los Illuminati toma algo más de
cuerpo si tenemos en cuenta la estrecha relación de amistad que
le unía con Thomas Paine, quien había sido acusado por el reverendo Morse de ser un agente de los Illuminati con la misión
de desmoralizar al pueblo estadounidense[2]. Lo cierto es que Paine

1. E. J. Hobsbawn, *The Age of Revolution*, *1789-1848*, Nueva York,
New American Library, 1962.
2. Stauffer, *op. cit.*

era el prototipo del pensador ilustrado del siglo XIX que mantenía viva la llama del pensamiento antimonárquico y antirreligioso. Su libro *El sentido común*[1] constituye uno de los alegatos más elegantes, eficaces y brillantes jamás escritos contra el derecho divino de las monarquías. Refiriéndose a la invasión normanda de Inglaterra llevada a cabo por Guillermo el Conquistador, escribió:

> Un bastardo francés desembarcando junto a una pandilla de bandidos armados y declarándose a sí mismo rey de Inglaterra en contra del criterio de los naturales del lugar constituye, hablando claramente, un antepasado bastante granujiento. No considero que en este acto haya ninguna clase de divinidad.

Los planteamientos ateos de Paine y otros llevaron el pánico a amplios sectores de la sociedad estadounidense, en especial después de la Revolución francesa. Estos sectores veían cómo la religión oficial y las instituciones puritanas en América estaban en peligro de declive. En sus primeros días las colonias americanas tuvieron todas las características de verdaderas teocracias feudales. Cada colonia tuvo, de hecho, una Iglesia establecida y una recaudación de impuestos destinados al sostenimiento de la religión cristiana[2]. En Virginia se promulgaron leyes que castigaban con la pena de muerte hablar en contra de la divinidad o de los principios de la fe cristiana. Delaware prohibió detentar cargo de funcionario público a cualquiera que no fuera creyente en la «cristiandad trinitaria». Carolina del Sur oficialmente declaró el cristianismo protestante como la religión del estado,

1. Thomas Paine, *Collected Writings: Common Sense / The Crisis / Rights of Man / The Age of Reason / Pamphlets, Articles and Letters (Library of America)*, Library of America, Nueva York, 1995 [*Los derechos del hombre*, Madrid, Alianza, 1984; *El sentido común y otros escritos*, Madrid, Tecnos, 1990].

2. Dr. Madalyn Murray O'Hair, *Freedom Under Siege*, Los Ángeles, J. P. Tarcher, 1974.

agregando: «Éste es el único Dios que podrá ser adorado públicamente» y que «la cristiana es la religión verdadera»[1].

Este clima de división fue el pistoletazo de salida de una pugna que marcaría a partir de entonces la vida estadounidense. Por un lado las fuerzas afines al iluminismo y a la masonería, por otro el integrismo evangélico especialmente implantado en los estados de Nueva Inglaterra. Fruto de esta pugna es en gran medida el antiintelectualismo que impregna a sectores muy amplios de la sociedad estadounidense[2], donde inconscientemente se identifica al intelectual, sea cual sea su adscripción, con el iluminismo ateo. Sin este sentimiento hostil hacia la intelectualidad habrían sido impensables fenómenos como el de la caza de brujas protagonizada en la década de los cincuenta por el senador McCarthy.

La Revolución francesa

La desbandada de la Orden Illuminati por parte del elector de Baviera no fue suficiente para que se disiparan los rumores cada vez más alarmantes sobre la influencia de la secta y su tamaño. Dentro de ciertos segmentos de la Iglesia, se consideró que se había hecho aún más fuerte en la clandestinidad, y estaba trabajando a lo largo y ancho del continente bajo diferentes apariencias. En 1797, un vehemente jesuita francés llamado Agustin Barruel puso por escrito y publicó su teoría sobre cómo y por qué tuvo lugar la Revolución francesa a consecuencia de la cual había tenido que huir del país. El abate se convirtió a la sazón en el primer teórico de la conspiración de la historia. Su libro *Mémoires pour servir a l'histoire du jacobinisme* se convirtió en uno de los primeros best sellers a nivel mundial, e hizo al autor y a su editor hombres muy ricos. En 1812 aparecieron traduc-

1. *Ibid.*
2. Richard Hofstadter, *Anti-intelectualismo en la vida norteamericana*, Madrid, Tecnos, 1969.

ciones al alemán, inglés, holandés, italiano, polaco, portugués, ruso, español y sueco. La edición francesa se mantuvo en el catálogo de modo constante hasta 1837 y durante muchos años fue uno de los libros de mayor circulación en toda Europa. Sus tesis han influido decisivamente en generaciones enteras de pensadores franceses como Louis de Bonald, George Sand, Gérard de Nerval, Louis Blanc, Hippolite Taine o Charles Maurras.

En Alemania fue una de las mayores influencias para Friedrich La Motte-Fouqué y Adam Müller. Sus visiones y planteamientos fueron fuente de inspiración en la génesis del movimiento romántico, tan aficionado a la parafernalia oculta y a las tramas conspiratorias. Esta obra llegó incluso a algo que está reservado a muy pocos libros: influir directamente en la historia. La obra de Barruel inspiró la Santa Alianza y llevó a las monarquías de Francia, España e Italia a poner en práctica políticas especialmente reaccionarias. Es más, se puede decir que las ideas propagadas por Barruel constituyen una de las semillas de las que años después germinará lo que hoy conocemos como derecha conservadora, con su característica suspicacia hacia todo lo que signifique progreso o logros sociales[1].

Barruel, además, afirmaba contar con información de primera mano, ya que decía haber sido iniciado como masón. Entre sus fuentes de información estaban el masón y pastor luterano Jean Auguste Starcke, así como el periodista vienés Léopold Aloys Hoffman. Con la información de la que disponía, este clérigo consiguió componer una sinfonía conspiranoica en la que los analistas más comedidos habían visto la consecuencia de la ira ciega de un pueblo sometido a la más cruel de las miserias mientras contemplaba impasible la obscena opulencia de la aristocracia; o el fruto de las nuevas ideas democráticas fomentadas por los enciclopedistas que habían encontrado el caldo de cultivo ideal en las filas de la cada vez más poderosa burguesía; o simplemente el re-

---

1. Darrin M. McMahon, *Enemies of the Enlightenment: The French Counter-Enlightenment and the Making of Modernity*, Nueva York, Oxford University Press, 2002.

sultado de la corrupción patológica de la clase dirigente con la monarquía a la cabeza. Nuestro buen abate lo tenía claro: aquello había sido fruto de la más pérfida de las conspiraciones.

La teoría de la conspiración de Barruel no sólo tiene el mérito de ser la primera en la historia digna de tal nombre, al menos como lo concebimos hoy en día, sino que es una construcción tan compleja y monumental que ha influido de manera más o menos directa en todo el que se ha acercado al tema de las conspiraciones en los últimos doscientos años.

Los principales protagonistas de la teoría de Barruel son, cómo no, los Illuminati, que lejos de haber desaparecido tras su prohibición por el gobierno bávaro en 1785, habrían pasado a la clandestinidad para seguir conspirando contra la cristiandad y la monarquía. Francia habría sido desde entonces el principal escenario de sus maquinaciones, que fructificarían a través de las cuatro logias activas en París: la logia de los Neuf Soeurs, la logia Contrat Social, la logia Amis Réunis y la logia Candeur.

Pero ¿hasta qué punto son dignas de ser tenidas en cuenta las elucubraciones de Barruel? Sin prestar demasiada atención a las creaciones más o menos novelescas del buen abate, lo cierto es que se puede afirmar que la Revolución francesa constituye el hecho histórico de mayor trascendencia –junto a la revolución americana– del que se sabe a ciencia cierta que fue inspirado, y en gran medida controlado, por sociedades secretas. Entre 1777 y 1789 Francia, una de las naciones más poderosas y civilizadas de la Tierra, se vio asolada por un huracán revolucionario que tiñó de sangre al país. El decadente reinado de Luis XVI había abierto las puertas de la primera revolución nacional de la historia. Cadet de Gassicourt afirmaba que la Revolución fue instigada por apenas ocho verdaderos iniciados, los únicos que conocían los auténticos planes de los Illuminati[1]. Los demás serían meros títeres en manos de estos conspiradores.

1. Daniel Pipes, *Conspiracy: How the Paranoid Style Flourishes and Where It Comes From*, Nueva York, Touchstone, 1999.

LOS SUBLIMES PERFECTOS MAESTROS

Los Sublimes Perfectos Maestros fue una logia masónica de carácter anarquista que estaba tremendamente influida por los Illuminati, los cátaros y los rosacruces.

Esta sociedad secreta paneuropea, con sede en Italia y fuerte arraigo en Francia, fue fundada en plena Revolución francesa por Filippo Buonarotti, un noble italiano masón que participó en la Conspiración de los Iguales, liderada por François-Noël Babeuf.

Se opusieron firmemente a Napoleón y fueron de los primeros en proponer la abolición de la propiedad privada.

Cronología revolucionaria

Antes de proseguir, y para no perdernos en el relato de las andanzas de los Illuminati y sus herederos en una época tan convulsa como la Francia revolucionaria, daremos a modo de guía una pequeña cronología de los principales acontecimientos que jalonaron aquellos días:

- Febrero de 1787: Asamblea de los notables, convocada por Charles-Alexandre de Calonne.
- 5 de mayo de 1789: los Estados Generales se reúnen en Versalles.
- 14 de julio de 1789: la multitud parisina toma la fortaleza-prisión de La Bastilla.
- 4 de agosto de 1789: la Asamblea Nacional suprime el régimen feudal.
- 26 de agosto de 1789: Declaración de los derechos del hombre y del ciudadano.
- 5 de octubre de 1789: la multitud parisina marcha hacia Versalles y lleva al rey a París.
- 20 de abril de 1791: Francia declara la guerra a Prusia y Austria.

- 20 de junio de 1791: Luis XVI intenta huir del país.
- 10 de agosto de 1792: el palacio de Las Tullerías es ocupado por los revolucionarios, que encarcelan a la familia real.
- 21 de enero de 1793: ejecución de Luis XVI.
- 5 de septiembre de 1793: comienza el reinado del terror (que durará hasta el 27 de julio de 1794).
- 5 de octubre de 1795: Napoleón frustra la tentativa de los monárquicos de hacerse con el poder en París.
- 9 y 10 de noviembre (18 y 19 de brumario) de 1799: Napoleón proclama el final de la Revolución.

Como suele suceder en muchos momentos clave de la historia, la espoleta que realmente desató la Revolución francesa no fue ni política, ni ideológica, ni social, sino económica. Francia había gastado una considerable cantidad de dinero en apoyo a la revolución americana. Las arcas del tesoro estaban exhaustas. En febrero de 1787 los nobles fueron convocados a una asamblea para intentar buscar una salida a esta desesperada situación. La única solución viable que se propuso fue una considerable subida de impuestos que gravaría con especial dureza las rentas de los más pudientes, pero que conseguiría aliviar en gran medida la deuda nacional. Ni que decir tiene que los nobles rechazaron de plano semejante idea y, por el contrario, reclamaron una reunión de los Estados Generales, el Parlamento francés en el que estaban representadas las tres clases sociales fundamentales: la nobleza, el clero y el pueblo llano. Para hacernos una idea de lo excepcional de la situación baste mencionar que hacía casi doscientos años que no se reunía esta asamblea.

La trampa del rey

Durante todo el año 1788 Francia, y en especial París, vivió toda suerte de disturbios provocados por el clamor popular para que la asamblea emprendiera las reformas reclamadas por un pueblo que cada vez más sentía en sus carnes la mordedura del hambre. En medio de este clima de agitación general se eligió a los representantes de los tres estados.

El 5 de mayo de 1789 se reunieron por fin los Estados Generales en Versalles. Sin embargo, rápidamente se pudo comprobar que las sesiones no iban a ser precisamente pacíficas ni los acuerdos se iban a alcanzar con facilidad. La primera disputa surgió, nada más constituirse la asamblea, a raíz del método que debía emplearse para tabular los votos. La votación numérica favorecía a los comunes, que eran más, mientras que la votación por estados beneficiaba a la nobleza y el clero, que solían votar juntos.

No obstante, en esta ocasión parte del clero se puso del lado de los comunes y éstos consiguieron ganar la votación, por lo que Luis XVI no tuvo más remedio que convocar una Asamblea Constituyente que redactase una Carta Magna para Francia. Sin embargo, lo que no sabían los miembros de la asamblea es que, mientras ellos creían contar con el beneplácito real, el monarca secretamente reunía tropas para frustrar el encuentro.

En julio de 1789 la población tuvo conocimiento de estos movimientos de tropas y, como respuesta, una multitud enardecida se lanzó al asalto de La Bastilla, la fortaleza-prisión que era el símbolo indiscutible del poder absoluto del monarca. Aunque se ha hecho mucha mitología al respecto, de La Bastilla solamente fueron liberados siete prisioneros –algunos de ellos con las facultades mentales muy perturbadas a causa de su prolongado y cruel encierro–, pero allí el pueblo de París consiguió algo mucho más importante que un simple gesto de rebeldía. En La Bastilla había pólvora, munición, fusiles, espadas y alabardas para abastecer a un ejército y tras el asalto todo ese arsenal estaba en manos de las gentes de París.

Aunque por lo general se cree que la Revolución fue un estallido popular y espontáneo, debido en gran medida a la hambruna que reinaba en las calles de la capital, lo cierto es que no resulta difícil establecer que tras este alarde de espontaneidad se encontraban células masónicas fuertemente imbuidas del espíritu de los Illuminati. La historiadora y estudiosa de las sociedades secretas Nesta H. Webster escribió en 1924: «Los masones, con el infame duque de Orléans a la cabeza, fueron quienes iniciaron la Revolución francesa»[1].

El duque de Orléans era a la sazón el gran maestre de la masonería francesa, hasta que, en el momento de apogeo de la Revolución, decidió dimitir de su cargo. Son muchos los historiadores, no necesariamente antimasónicos, que le señalan como uno de los cabecillas del impulso revolucionario. Junto a él estaba el marqués de Lafayette, iniciado en la fraternidad masónica por el mismísimo George Washington. Ambos bien pudieron estar hechizados por el influjo Illuminati, que se hacía sentir más que en ningún sitio en el club jacobino, el núcleo del que partió la Revolución.

Los jacobinos

Los miembros más abiertamente prorrevolucionarios de la Asamblea Nacional Constituyente francesa habían formado un grupo que era conocido como la Sociedad de amigos de la Constitución. Cuando la asamblea se trasladó a París ellos se reunieron allí en el antiguo convento que los padres dominicos tenían en la calle San Jacobo, por lo que comenzó a llamárseles jacobinos.

La influencia Illuminati quedó claramente palpable en el afán de los recién ascendidos al poder por borrar de la vida pública cualquier referencia religiosa. Se cambió el calendario, se alteraron las fiestas, y por toda Francia florecieron altares dedicados a la Diosa Razón, entronizada como deidad suprema del panteón revolucionario.

1. Nesta H. Webster, *Secret Societies and Subversive Movements*, Londres, Boswell Printing & Publishing Co., Ltd., 1924.

Entre las logias de París el sentimiento antimonárquico era patente. El duque de Orléans, Valance, Lafayette, Mirabeau, Garat, Danton, Robespierre, Marat, Rabaul y Desmoulins eran todos masones y se sospecha que también Illuminati[1]. Honoré-Gabriel Riquetti, conde de Mirabeau y uno de los líderes revolucionarios, solía pronunciar discursos cuyo contenido parecía salido de la pluma del mismísimo Weishaupt. Una de sus coletillas favoritas solía ser: «¿Qué importan los medios siempre y cuando uno alcance su fin?». Exactamente la misma filosofía de «el fin justifica los medios» que caracterizaba a Weishaupt y a sus seguidores.

No es de extrañar todo ello, pues de entre todos los padres de la Revolución el conde de Mirabeau es del único del que se tiene cierta constancia de su condición de Illuminatus bajo el nombre simbólico de «Leónidas». El 6 de octubre de 1789, tuvo lugar un registro policial en la casa del editor de Mirabeau, en el transcurso del cual se hallaron varios documentos importantes. Uno de ellos, titulado *Croquis ou Projet de Monsieur de Mirabeau*», era una declaración de los objetivos y los propósitos de los Illuminati, supuestamente escrita por el propio Mirabeau, Illuminatus, cabalista y uno de los niños mimados de la sociedad de París. Durante un viaje a Alemania recibió su iniciación en los Illuminati de Weishaupt en casa de Henrietta Herz, donde se reunía lo más granado de la intelectualidad alemana de la época, incluido el compositor Mendelsshon.

En este documento que trataba sobre «El proyecto de Mirabeau», tras una larga diatriba contra la monarquía francesa, se recogía lo siguiente:

Para triunfar sobre este monstruo con cabeza de hidra, éstas son mis ideas:
Plan de los Illuminati franceses:
«Debemos derrocar todo orden, sofocar todas las leyes, anular todo poder, y dejar a las personas en la anarquía. Las le-

1. Webster, *op. cit.*

79

yes que establecemos quizá no estén en vigor inmediatamente, pero de todos modos, habiendo dado el poder al pueblo, resistirán por el bien de la libertad que creerán que están manteniendo. Debemos acariciar su vanidad, halagar sus esperanzas, prometerles la felicidad después de que nuestro trabajo esté iniciado; debemos eludir sus caprichos y sus sistemas a voluntad, porque el pueblo como legislador es muy peligroso, solamente establece leyes que coinciden con sus pasiones; además, su falta de conocimientos solamente daría a luz abusos. Pero el pueblo es una palanca que los legisladores pueden mover a voluntad: debemos usarlos como soporte necesario, y hacerles aborrecible todo lo que deseamos destruir y plantar ilusiones en su camino; también debemos comprar plumas mercenarias que propaguen nuestros métodos y que informen al pueblo de que es a sus enemigos a quienes atacamos. El clero, siendo el más fuerte a ojos de la opinión pública, puede ser destruido ridiculizando la religión, haciendo a sus ministros odiosos, y representándolos como monstruos hipócritas, como hiciera Mahoma, que para expandir su religión difamó el paganismo que practicaban los primitivos árabes, los escitas. Los libelos deben a cada momento mantener fresco el odio contra el clero. Exagerar sus riquezas, hacer que los pecados de una persona individual parezcan ser comunes a todos, atribuirles todos los vicios; la calumnia, el homicidio, irreligión, sacrilegio, todo está permitido en épocas de revolución.

»Debemos degradar a la nobleza y atribuirla un origen odioso, establecer un germen de igualdad que nunca podrá existir pero que halagará al pueblo, debemos inmolar a los más obstinados, quemando y destruyendo su propiedad para intimidar al resto, con el propósito de que si no podemos destruir este prejuicio completamente, podamos quitarle fuerza y el pueblo vengue su vanidad y su prepotencia hasta someterlos.»

Este tipo de sentimientos era especialmente intenso en algunas logias como la Neuf Soeurs, que había conseguido infiltrarse en el mismo palacio de Versalles de la mano de Romains de Sèze, confidente de María Antonieta y que sería el abogado de Luis XVI ante el tribunal revolucionario. A pesar de que la logia había sido atacada por algunos medios revolucionarios como un «nido de aristócratas», prominentes personajes del movimiento revolucionario, con Danton a la cabeza, militaban en sus filas. Ésta no era una logia masónica al uso sino que en ella las ideas de Weishaupt habían calado con especial fuerza, hasta el punto de que a principios de 1790, con la Revolución plenamente consolidada, la logia rompe todo lazo con la masonería, pasándose a llamar «Société Nationale des Neuf Soeurs».

Las logias revolucionarias

Otras logias habían mantenido contactos directos con los Illuminati, como la Amis Réunis, que en 1788 y 1789 recibió sendas visitas de Johan Joachim Christopher Bode y el barón de Busche, prominentes Illuminatus. Cagliostro, otro presunto Illuminatus de renombre, fue igualmente habitual de la logia. Con anterioridad a todos ellos, Weishaupt en persona había enviado como embajadores a París al conde Kalowait en 1782 y a Falgera en 1784.

La logia Contrato Social, otra de las grandes instigadoras de la Revolución, tuvo una vida interna sumamente agitada y convulsa, fruto de las tensiones que suscitó la toma del poder por elementos cercanos al iluminismo. Constituida bajo la Gran Logia de Francia en 1766, fue reconstituida más tarde bajo la Mère Loge Écossaise de Marsella, volviendo más adelante a la Gran Logia de Francia, hasta que en 1773 fue reconstituida otra vez bajo el Gran Oriente. Esto demuestra que Barruel se equivocaba al considerar a la masonería francesa como un todo homogéneo; parece que cada logia hacía un poco la guerra por su cuenta, existiendo sensibilidades con diferente grado de cercanía –o lejanía– con los planteamientos de los iluminados bávaros.

Para hacernos una idea de que las convulsiones y la división social que reinaban en Francia tenían su fiel reflejo en la masonería, baste mencionar que lo que con el tiempo se convertiría en un nido de revolucionarios tuvo como gran maestre al marqués de La Rochefoucauld Bayers, leal a la dinastía borbónica hasta que perdió la cabeza en Gissors en 1792. De esa época procede una carta enviada por la logia Contrat Social invitando a otras logias a unirse en ayuda de Luis XVI como monarca constitucional.

Los martinistas iluminados de Lyon y Estrasburgo, de quienes ya hemos hablado cuando hacíamos referencia a los antecedentes de los Illuminati, tenían creencias diferentes a las de los Illuminati bávaros, pero compartían su desdén hacia las autoridades tanto civiles como eclesiásticas, así que unieron sus brasas al fuego revolucionario. No obstante, horrorizados por las sangrientas consecuencias que estaba teniendo el reinado del terror en Lyon, el 5 de diciembre de 1793 intervinieron directamente para apaciguar a las masas salvando con ello las vidas de muchos inocentes.

LIBERTAD, IGUALDAD, FRATERNIDAD

La Revolución francesa se hizo al grito de «libertad, igualdad, fraternidad», lema nacido en las logias masónicas y que tenía un sentido muy particular para los Illuminati. Mientras que para los masones este lema tiene un significado explícito, los Illuminati lo entendían como una forma simbólica que resumía a la perfección su ideología.

- La palabra **libertad,** dentro del iluminismo, representa la liberación del hombre con respecto a la idea de Dios, la recuperación del ser humano de su capacidad de convertir su propia voluntad en suprema ley sin más límite que la libertad de sus congéneres, la liberación de los grilletes morales impuestos por la religión cristiana.
- La Revolución francesa no sólo era un levantamiento para liberar los cuerpos sino, fundamentalmente, para liberar los espíritus. La palabra **igualdad** implicaba que toda la autoridad debe ser derrocada y que ningún hombre debe poseer más bienes que sus semejantes.
- **Fraternidad** significa que todos los hombres deben ser hermanos, eliminando las restricciones artificiales impuestas por las fronteras nacionales, las religiones, las razas, etc.

No fueron los únicos. Culpar a la masonería en su conjunto de los desmanes de los revolucionarios es simplista además de injusto. Muchos masones (como Adrien Nicolas, Deleutre, Louis Daniel Tassin y el abate Bartolio) se dedicaron valientemente a mantener el orden civil durante los disturbios. Muchos fueron enviados a la guillotina o masacrados por las turbas enloquecidas; y muchas logias que no estaban de acuerdo con lo que sucedía y no habían sido influidas por las ideas de los Illuminati suspendieron sus actividades durante el período revolucionario.

CAPÍTULO 4

La gran conspiración de los Illuminati

Llegados a este punto de la historia, no podríamos continuar sin hacer al menos una referencia al nombre que con mayor frecuencia aparece cada vez que se habla de los Illuminati. Nos estamos refiriendo a los Rothschild. Los teóricos de la conspiración afirman que la familia Rothschild utilizó a los Illuminati como un medio para alcanzar su meta, que no era otra que la dominación financiera mundial.

Mayer Amschel Rothschild (1743-1812) nació en Frankfurt, Alemania, y era hijo del banquero y joyero Moses Amschel Bauer. Gracias a su particular talento para los negocios, Rothschild se convirtió en intermediario de los mayores banqueros de Frankfurt, como los hermanos Bethmann y Rueppell & Harnier. Con el tiempo extendió sus negocios a las antigüedades, las bodegas de vino, y la importación de manufacturas inglesas, con lo que la familia Rothschild comenzó a amasar una fortuna considerable.

Para entonces ya se había convertido en asesor financiero y agente del príncipe Guillermo de Hesse, heredero, a la muerte de su padre en 1785, de la mayor fortuna privada de Europa. En 1804, los Rothschild hicieron en secreto préstamos al gobierno danés en nombre del príncipe Guillermo.

En junio de 1806, cuando las tropas de Napoleón invadieron Alemania, el príncipe Guillermo huyó a Dinamarca, dejando su dinero al cuidado de Mayer Rothschild. Entre otras cosas, Rothschild era el responsable de recaudar el interés de los préstamos reales. Napoleón le ofreció en su momento una importantísima suma para poder hacerse con la titularidad de esos préstamos, que le hubieran venido estupendamente para financiar sus campañas, pero Rothschild rehusó.

Las condiciones reinantes permitieron a los Rothschild formular un plan que les garantizara el control financiero de Europa[1]. Su primera jugada maestra fue aprovecharse del resultado de la batalla de Waterloo. En las primeras horas de la batalla, Napoleón parecía estar ganando según los informes militares secretos que recibía el gobierno británico. El domingo 18 de junio de 1815, Rothworth, un emisario de Nathan Rothschild, cabeza de la rama británica de la familia, se encontraba en el campo de batalla, y al ver que Napoleón estaba perdiendo como consecuencia de la llegada de los refuerzos prusianos, cabalgó rápidamente a Bruselas, de allí a Ostende, y previo pago de dos mil francos consiguió que un marinero le llevará a Inglaterra a pesar de que reinaba un intenso temporal. Cuando Nathan Rothschild recibió la noticia el 20 de junio informó al gobierno, que no le creyó. Entonces, con todo Londres convencido de que Wellington había sido derrotado, Rothschild comenzó a vender todas sus acciones en el mercado de valores británico. Con ello se generó una verdadera desbandada de inversores que hizo que los precios de las acciones cayeran a mínimos históricos. En ese momento, agentes de Rothschild comenzaron a comprar todos los títulos que posteriormente, cuando empezó a conocerse la derrota de Napoleón, regresaron a su valor original. Esto dio a la familia Rothschild el control virtual de la economía británica, y obligó al gobierno anglosajón a crear un nuevo banco de Inglaterra controlado por Nathan Rothschild.

1. Eric Fortman, *Webs of Power: Government Agencies, Secret Societies & Elite Legacies*, Austin, Texas, Van Cleave Publishing, 2004.

Tras la derrota de Napoleón, el príncipe Guillermo regresó a su trono sumamente complacido con la gestión de su banquero. El siguiente paso de los Rothschild fue hacer una maniobra similar en la maltrecha economía francesa, y en octubre de 1818 sus agentes empezaron a comprar cantidades enormes de efectos públicos franceses, lo que hizo que su valor aumentara. Una venta masiva de esos efectos llevó a los inversores al pánico con resultados que sólo beneficiaron a los Rothschild.

Aquél fue el inicio de la casa Rothschild, que por entonces controlaba una fortuna estimada en más de trescientos millones de dólares de la época. Pero aquello era sólo el principio. Cuando se empezaron a tender ferrocarriles en toda Europa, los Rothschild invirtieron dinero en carbón y acerías, financiaron la compra del canal de Suez por parte de los británicos, aportaron fondos para la prospección de petróleo en Rusia y el Sahara, financiaron a los zares de Rusia, capitalizaron las minas de diamantes de Cecil Rhodes, ayudaron a Francia a crear un imperio en África, financiaron a los Habsburgo, y salvaron al Vaticano de la bancarrota[1]. De 1820 en adelante fue «la era de los Rothschild», en la que sólo hubo un único poder en Europa, y ese poder era el de esta familia de banqueros.

Antes de su muerte, el 19 de septiembre de 1812, Mayer Rothschild dejó perfectamente establecidas las líneas específicas de actuación que deberían mantener sus descendientes:

1. Los puestos más importantes de la organización estarían reservados a miembros de la familia, y sólo los hombres intervendrían en los negocios.
2. El primogénito del hijo mayor sería el cabeza de familia, a menos que se acordara de otro modo por el resto de la

[1]. Jim Marrs, *op. cit.*

familia, como fue el caso en 1812, cuando Nathan fue señalado como patriarca.

3. Los matrimonios deberían celebrarse entre primos primeros y segundos, a fin de mantener la cohesión del imperio financiero familiar.

4. Rothschild ordenó que jamás se hiciera inventario público de los bienes de la familia.

Hasta aquí tenemos una historia apasionante, desde luego, pero ¿qué tiene todo esto que ver con los Illuminati? Pues parece ser que mucho. Tradicionalmente existen dos versiones diferentes que vinculan a los Rothschild con los Illuminati. La primera de ellas procede del mismísimo abate Barruel, a quien un misterioso personaje, al que llamaba «capitán Simonini», le reveló que gran parte del éxito de la orden procedía de los fondos ilimitados con los que contaban a través de la familia Rothschild[1], que gestionaba la fortuna del más acaudalado de los Illuminatus, Guillermo de Hesse.

La segunda versión establece la relación en un momento posterior, cuando Salomón Rothschild, hijo del patriarca Mayer, se une a los Illuminati a través de una logia en la que le introduce el contable de su padre, Seligmann Geisenheimer[2]. Sea cual sea el relato correcto –e incluso si ambos son falsos–, lo cierto es que el nombre de los Rothschild queda para siempre hilvanado en la historia de los Illuminati.

Desmadre en la universidad

Al otro lado del Atlántico, los iluministas no habrían permanecido ni mucho menos ociosos. En la idea de que Estados Unidos

1. Robert Anton Wilson, *Everything Is Under Control: Conspiracies, Cults and Cover-ups*, Nueva York, HarperResource, 1998.
2. Niall Ferguson, *The House of Rothschild: Money's Prophets, 1798-1848*, Nueva York, Penguin Books, 1999.

es una tierra de igualdad y oportunidades hay mucho de mito. Si bien es cierto que es un país en el que todos son iguales, también lo es que algunos lo son más que otros. Durante generaciones, para ser miembro de la élite dirigente se requerían ciertas condiciones imprescindibles. Había que ser varón, anglosajón, protestante, blanco y rico. Además existía otra condición, no tan evidente pero igualmente imprescindible, para ser admitido en ciertos círculos: era necesaria la pertenencia a determinados clubes e instituciones que ayudaban a establecer claramente la separación entre la clase dirigente y la plebe[1].

La fraternidad estudiantil conocida como Phi-Beta-Kappa fue fundada en 1776 por algunos estudiantes del William & Mary College, en Williamsburg, Virginia, como un club secreto de debate. Al poco tiempo de su fundación este grupo sería infiltrado por los Illuminati, que lo utilizarían como un medio de expandir su ideario en Estados Unidos. Weishaupt había aprendido de los jesuitas que la educación constituía el medio perfecto para difundir y perpetuar un determinado ideario, por lo que los Illuminati se centraron en los universitarios como uno de sus objetivos prioritarios.

Un estudiante recién graduado, llamado Elisha Parmele, recibió la concesión para ofrecer seminarios en Yale en 1780 y en Harvard en 1781. Más tarde se extendieron a otras universidades. Entre los miembros más conocidos de esta hermandad figuran o han figurado la actriz Glenn Close, el director de cine Francis Ford Coppola, el ex secretario de Estado y asistente del presidente de Estados Unidos en Asuntos de Seguridad Nacional Henry Kissinger, el cantante y actor Kris Kristofferson, el consejero presidencial Dean Rusk, el secretario de defensa Caspar Weinberger, John D. Rockefeller, Nelson Rockefeller, los presidentes George W. Bush, Jimmy Carter, Bill Clinton, Franklin D.

---

1. Thomas R. Dye y Harmon Zeigler, *The Irony of Democracy. An Uncommon Introduction to American Politics*, California, Duxbury Press, 1975.

Roosevelt y Woodrow Wilson, el gobernador de Florida Jeb Bush y un sinfín más de notables personajes de la vida pública estadounidense.

Phi-Beta-Kappa no era ni es un nido de conspiradores Illuminati sedientos de poder, sino que simplemente trataba de establecer un semillero de jovencitos que con toda probabilidad algún día ocuparían puestos de relevancia en la sociedad estadounidense y que por tanto convenía que estuvieran familiarizados, aun sin saberlo, con el ideario Illuminati. Sin embargo, no todas las organizaciones estudiantiles son tan inocentes.

Calavera y huesos

La logia Skull & Bones, conocida también como la «Hermandad de la Muerte» o «La Orden», fue fundada en la Universidad de Yale en 1832 por el general William Huntington Russell y Alphonso Taft (secretario de guerra en 1876, embajador en Austria entre 1882-1884, fiscal durante 1886-1887 y embajador en Rusia, aparte de padre de la William Howard Taft University)[1]. En 1856, el millonario Russell Colt Gilman tomó el control del grupo al que bautizó como «The Russell Trust Association». Russell había visitado anteriormente Alemania, donde habría descubierto la existencia de los Illuminati, y posiblemente fue iniciado en la orden.

La Russell Trust se mantiene gracias a las aportaciones multimillonarias de los antiguos alumnos –se han barajado cifras que rondan los cincuenta millones de dólares anuales–, y son los antiguos alumnos quienes controlan el grupo. Cada año, quince estudiantes de la universidad, de entre los más brillantes, los que pertenecen a las familias de mayor prestigio o los que por alguna otra razón son considerados como los más promete-

---

1. Anthony C. Sutton, *America's Secret Establishment: An Introduction to the Order of Skull & Bones*, Oregón, Trine Day, 2003.

dores, son seleccionados para ser miembros, denominándoseles «Caballeros». Una vez graduados, pasarán a ser «Patriarcas de la orden».

Desde su fundación, unos dos mil quinientos alumnos de Yale han sido iniciados. Sus miembros se han colocado en la cima del mundo de los negocios y la política. Entre ellos están: W. Averell Harriman (consejero de varios presidentes), J. Hugh Liedtke (fundador de Pennzoil Oil Corp.), John Kerry (candidato demócrata a la presidencia en 2004), Gifford Pinchot (uno de los padres del movimiento ecologista), William H. Taft (presidente), Archibald MacLeish (fundador de UNESCO), Harold Stanley (fundador de Morgan Stanley), Henry Luce (fundador del grupo Time/Life), George W. Bush (presidente) y George Bush (presidente).

Los denominados «Bonesmen» constituyen una élite que ha colocado a sus miembros en la Comisión Trilateral y el Consejo de Relaciones Exteriores (Council in Foreign Relations, CFR), y han logrado ocupar posiciones de privilegio en las administraciones de diversos presidentes, en el poder legislativo y en la judicatura. Desde estas posiciones pueden utilizar su influencia para trabajar en busca de sus metas comunes que, según los teóricos de la conspiración, en la actualidad se pueden resumir en el establecimiento de un gobierno mundial.

Durante décadas, Skull & Bones ha sido uno de los viveros más importantes donde los cachorros de la oligarquía estadounidense aprendieron el duro oficio de dirigir desde las sombras la nación más poderosa del planeta. En la actualidad, la sociedad no ha perdido un ápice de su poder ni de su leyenda –recientemente se ha estrenado una película sobre el tema[1]–, si bien se ha adaptado a los tiempos y se sabe que hace muy poco tiempo ha admitido en sus exclusivas filas, de modo testimonial, a alguna persona de raza negra, algún gay e incluso algún estudiante extranjero. No obstante, aún rige la prohibición de que

1. *The man who knew Bush*, escrita y dirigida por Marc Berlin, 2004.

las mujeres formen parte de la misma, y sus miembros llegan hasta el punto de afirmar que si un día una mujer es admitida en «La Tumba» –el sanctasanctórum secreto del grupo– habrá llegado el momento de dinamitar el lugar.

La importancia de Skull & Bones no radica en que se trate o no de un grupo de jovencitos empeñados en realizar extraños ritos en una cripta subterránea, sino que el grupo liga a esos chicos, elegidos indistintamente entre los estudiantes más brillantes de la universidad y entre aquellos descendientes de las familias más poderosas –sin ir más lejos Bush padre e hijo fueron Skull[1]–, con lazos que los acompañarán durante el resto de sus vidas. Ser miembro de los Skull supone para estos jóvenes ni más ni menos que su iniciación en el mundo de la alta política y/o el gran capital. Los miembros más viejos del grupo –senadores, gobernadores, altos ejecutivos e incluso presidentes de la nación– se convierten en protectores de los más jóvenes, despejándoles su camino hacia la cumbre y asegurándose de que serán ellos los que hereden los sillones que algún día dejarán vacantes.

Uno de los aspectos más interesantes de esta sociedad secreta se centra en el gran número de sus miembros que, tras abandonar la universidad, entran a formar parte durante un tiempo de la plantilla de los servicios de inteligencia estadounidenses. Se ha especulado mucho sobre el grado de infiltración de los Skull en centros de poder tan importantes como la CIA, máxime cuando al menos un director de la agencia –George Bush padre– y varios de sus altos cargos de los últimos años han sido identificados como miembros de la sociedad. De hecho, en los cuadros directivos de la Agencia, los antiguos alumnos de Yale son los más numerosos. La Agencia sirve a los Skull para realizar una especie de «posgrado» en el que podrían aprender de primera mano lo que se mueve entre las bambalinas del poder.

Para diversos autores, ambos grupos secretos –Skull & Bones

---

1. Webster Griffin Tarpley y Antón Chaitkin, *George Bush: The Unauthorized Biography*, Washington, Executive Intelligence Review, 1992.

y Phi-Beta-Kappa– son distintas formas de la infiltración Illuminati en los más variados ámbitos.

El Congreso de Viena

En 1802, Europa estaba compuesta por un sinfín de pequeños estados dominados por Inglaterra, Austria, Rusia, Prusia y Francia, el país más poderoso de todos. En 1804, cuando Napoleón Bonaparte asumió el control de Francia, sus hazañas militares le llevaron a controlar casi toda Europa. En 1812, cuando Napoleón inició su campaña contra Rusia, Inglaterra, España y Portugal estaban ya en guerra con Francia. A ellos se sumaron Suecia, Austria y Prusia.

Tras las guerras napoleónicas, los Illuminati debieron pensar que el mundo estaría cansado de luchar y aceptaría cualquier solución que le trajera la paz. Por primera vez vieron al alcance de la mano su sueño internacionalista. A través del Congreso de Viena (1814-1815), los Rothschild esperaban crear una especie de liga de naciones.

Aquélla fue la mayor reunión política de la historia europea. Representando a Inglaterra estaba lord Robert Stewart, segundo vizconde Castlereagh; por Francia acudió el ministro de Asuntos Exteriores, Charles-Maurice Talleyrand de Perigord; del lado de Prusia acudió el rey Federico Guillermo III, y por parte de Austria, el emperador Francisco II.

Otros representantes fueron: Federico VI, rey de Dinamarca; Maximiliano José, rey de Baviera; Federico I, rey de Wurttemburg; Napoleón II, rey de Roma; Eugenio de Beaurharnais, virrey de Italia; el rey Federico Augusto I de Sajonia; el conde Leowenhielm, de Suecia; el cardenal Consalvi, representante de los estados papales; el gran duque Carlos de Baden; el elector Guillermo de Hesse; el gran duque Jorge de Hesse-Darmstad; Carlos Augusto, duque de Weimar; el rey de Bohemia; el rey de Hungría, y emisarios de España, Portugal, Dinamarca, Holanda y otros estados europeos.

La preocupación principal del Congreso era redistribuir los territorios conquistados para crear un equilibrio de fuerzas entre las potencias europeas, restaurar la monarquía francesa a través del rey Luis XVIII y devolver a la Iglesia católica su fuerza de antaño. Sin embargo, la fuga de Napoleón de la isla de Elba hizo que el Congreso tuviera que dejar a un lado los asuntos diplomáticos y entablar batalla.

Poco antes de la derrota de Napoleón en Waterloo, las negociaciones del Congreso de Viena se dieron por concluidas, y el 9 de junio de 1815 se celebró la firma del tratado. En noviembre de ese mismo año, la segunda paz de París decretó el exilio de Napoleón a Santa Elena, una isla a más de 1.000 kilómetros de la costa africana, donde murió –es posible que envenenado– en 1821. Poco antes de esto, el 26 de septiembre de 1815, el acuerdo de la Santa Alianza fue rubricado por Alejandro I de Rusia, Francisco II de Austria y Federico Guillermo III de Prusia, mientras que los aliados negociaban la segunda paz de París. Los británicos se sintieron especialmente molestos por la firma del tratado y Castlereagh afirmó que la Alianza era una «pieza sublime de misticismo y sin sentido».

La Santa Alianza (la coalición formada por el emperador Francisco I de Austria, el rey Federico Guillermo III de Prusia y el zar Alejandro I para defender a la monarquía y sus principios cristianos) fue un efecto colateral no deseado por los Illuminati, que habían visto en el Congreso de Viena la ocasión de oro para crear una federación que les facilitara acceder al control político sobre buena parte del mundo civilizado. Esta teoría no es en absoluto fruto de la especulación de los modernos teóricos de la conspiración, sino que ya en su día era recogida por el diario alemán más influyente del momento, el *Rheinischer Merkur*[1]. Sólo lo imprevisto, encarnado en el espectacular retorno de Napo-

1. Michael Rowe, *From Reich to State: The Rhineland in the Revolutionary Age, 1780-1830 (New Studies in European History)*, Cambridge, Cambridge University Press, 2003.

león, habría impedido que los Illuminati triunfaran en esta tentativa.

A partir de este momento la pista de los Illuminati se diluye, aunque ni mucho menos desaparece. Aquí y allá podemos encontrar restos de su influencia y, sobre todo, los misteriosos pasos que van confluyendo en el cumplimiento de su plan global.

El sueño de una noche de verano

Uno de los rastros más evidentes de la influencia Illuminati es su gusto por los conciliábulos secretos de todo tipo, como Bohemian Grove, una gigantesca finca boscosa situada en el condado de Sonoma, en California, y que pertenece a un club de San Francisco, fundado en 1872, llamado Bohemian Club. Oficialmente, el Bohemian Club es una sociedad artística cuyo fin es el patrocinio y difusión de diversas actividades en el campo de la literatura, las artes escénicas, la música y las artes plásticas. A esta sociedad pertenecen artistas de todos estos campos así como importantes personalidades (varios presidentes estadounidenses han formado parte de este grupo) que acuden en calidad de mecenas o simples aficionados. Extraoficialmente, el Bohemian Club ha sido señalado como uno de los principales semilleros del iluminismo norteamericano.

El club lleva a cabo un «campamento de dos semanas» durante el mes de julio, donde los miembros y sus huéspedes se reúnen para compartir su pasión por las artes. Durante esos quince días se celebran en los diversos anfiteatros con los que cuenta la arboleda decenas de conciertos, muchos de ellos improvisados, y se representan obras de teatro y comedias musicales. Hay también exposiciones de arte y conferencias sobre una amplia gama de asuntos que van desde la historia de la música a temas de política actual.

El símbolo del Bohemian Club ha sido tradicionalmente un búho. El búho representa la sabiduría y el compañerismo que permite convivir en el club a personas de intereses muy diversos. Se erigió un búho de cemento de más de diez metros de alto junto al lago que hay en la arboleda y que desde 1929 ha servido como sede para la ceremonia anual que celebra el grupo. El lema del club, «las arañas que tejen no vienen aquí», está tomado de la obra de Shakespeare *El sueño de una noche de verano* –acto 2, escena 2– y significa que el club no es lugar para hacer negocios ni tratar asuntos mundanos, sino para disfrutar de una pasión común por la belleza.

La ceremonia principal de la acampada fue ideada en 1893 por un miembro del grupo llamado Joseph D. Redding, un famoso abogado de Nueva York. El 25 de junio de 1899 *The New York Times* publicó un artículo sobre esta curiosa ceremonia:

> Se prestaba una gran atención a todos los detalles, y los sacerdotes druidas que participaban en gran número en la ceremonia llevaban en sus túnicas las insignias de su orden. Calculo que habría unas 500 personas participando en el ritual y se utilizaron luces eléctricas y de calcio para iluminar el escenario. Había una orquesta sinfónica y un coro magnífico. Un altar y una piedra de sacrificios de los druidas daban un aire de especial realismo a las escenas. El señor Redding oficiaba como sumo sacerdote de Bohemia. Tras él vino una procesión de ocho sacerdotes druidas que llevaban a seis cautivos encadenados: un galo, un celta, un romano, un bárbaro y dos hombres de aspecto nórdico. Cada cautivo estaba ataviado con su traje correspondiente y cada uno alternativamente abogó por su causa ante la asamblea, pero todos fueron condenados a muerte. Solamente el galo, que representaba a Bohemia, pudo hilvanar una defensa capaz de levantar la condena que pesaba sobre los cautivos. Tras esto se bebió una copa de fraternidad entre druidas, cautivos y bohemios.

La ceremonia todavía se celebra cada año. La lista de los últimos asistentes ha incluido nombres como los de Ronald Reagan, Richard Nixon, George H. Bush, George W. Bush, Alan

Greenspan, Dwight D. Eisenhower, Robert Novak, Arnold Schwarzenegger, Dick Cheney... y otros líderes políticos y empresariales. Como se habrá notado, estos nombres incluyen a lo más granado de la derecha estadounidense, por lo que se ha especulado intensamente con la posibilidad de que el club no sea sino un conciliábulo secreto en el que los sectores más conservadores del país pueden discutir a sus anchas sus próximas acciones y, de paso, congraciarse con el influyente mundo de las artes y las letras, por lo general bastante reticente ante este tipo de planteamientos.

Copias y reapariciones

En 1880, en París, vuelven a aparecer los Illuminati. Dependiendo del autor al que se consulte, este grupo sería una mera copia del original que buscaría aprovecharse del prestigio de los iluminados bávaros para ganar influencia o, por el contrario, se trataría de los genuinos Illuminati, que tras décadas de silencio habrían decidido emerger a la superficie para dirigir el movimiento socialista a nivel mundial[1], un aspecto al que dedicaremos un capítulo aparte.

Mucho más intrigante es la Orden Illuminati fundada en Múnich en 1880 por el prominente masón Theodor Reuss. A estos Illuminati se unió el popular actor alemán Leopold Engel, quien en 1893 fundó su propia Liga Mundial de los Illuminati. En 1896, Engel, Reuss y el ocultista Franz Hartmann fundaron la Sociedad Teosófica de Alemania, y en 1901 Engel y Reuss habrían obtenido –o falsificado– una patente que les daría el liderato legítimo sobre los Illuminati originales de Weishaupt. También en 1901, Reuss, Hartmann y el metalúrgico Kart Kellner fundan una de las sectas más influyentes del panorama ocul-

1. Nesta H. Webster, *World Revolution: The Plot Against Civilization*, Londres, Britons Pub. Co., 1971.

tista, la Ordo Templi Orientis (OTO), a la que diversos autores han señalado como uno de los frentes ocultistas de los Illuminati.

La Ordo Templi Orientis es una sociedad ritualista y paramasónica cuyos pretendidos orígenes se remontarían a los caballeros templarios. Fue fundada con el propósito de servir de crisol unificador de un gran número de sistemas y ritos, tanto masónicos como ocultistas, en los que Reuss afirmaba ser un maestro. Entre éstos se incluían el Rito Escocés de la masonería, los ritos de Memphis y Mizraim, el rito masónico de Swedenborg, el martinismo, el rito Illuminati y el gnosticismo, todo ello aderezado con prácticas tántricas y de magia sexual que habrían sido la contribución de Karl Kellner[1].

El conocido ocultista y satanista Aleister Crowley se convirtió en iniciado de la OTO en 1912, después de publicar *El libro de las mentiras*[2]. El episodio no está exento de cierta gracia. Un buen día llegó a presencia de Crowley el mismísimo Theodor Reuss, cabeza visible de la orden, para decirle que, ya que conocía el secreto del noveno grado de la orden, lo menos que podía hacer era aceptarlo y cumplir con las obligaciones que llevaba aparejado. Crowley protestó; él no había estudiado los ritos de la OTO y por tanto no conocía tal secreto. Sin embargo, Reuss le repuso que no sólo lo conocía, sino que lo había divulgado, señalándole un capítulo de *El libro de las mentiras* en el que venía enunciado el secreto con total claridad. Crowley releyó atentamente la página que le mostraba Reuss: «Instantáneamente una luz se encendió dentro de mí. Todo el simbolismo, no sólo de la masonería, sino de otras tradiciones espirituales resplandeció en mi visión espiritual. Comprendí que tenía en mis

---

1. Francis King, *Tantra. The Way of Action: A Practical Guide to Its Teachings and Techniques*, Rochester, Vermont, Destiny Books, 1990.
2. Aleister Crowley, *El libro de las mentiras: las divagaciones o falsificaciones de un pensamiento de Frater Perdurabo*, Barberà del Vallès, Barcelona, Humanitas, 1996.

manos la llave para el futuro progreso de la humanidad». Por supuesto, Crowley nunca desveló cuál era el revelador pasaje de su obra –a fin de cuentas, un secreto es un secreto–, pero, si se me permite el atrevimiento, creo que el lector curioso que repase el capítulo 69 del citado libro no saldrá en absoluto decepcionado.

Crowley se convirtió de esta manera en el principal valedor de la orden y en la causa de su posterior popularidad. Aunque han sido varios los líderes que contribuyeron al desarrollo de la misma, sus aportaciones le dieron un nuevo giro, en especial la incorporación de la llamada Ley de Thelema, que viene a decir que la voluntad de los seres vivos es la ley suprema que rige la existencia. Crowley sucedió a Reuss en la cabeza de la orden y, a su vez, a él le sucedió un tal Kart Germen que falleció sin haber designado un sucesor, lo que desencadenó una furiosa lucha entre las diversas facciones que convivían en el seno de la orden.

Como sucede en múltiples de los casos que estamos exponiendo, la OTO tiene en la actualidad literalmente cientos de ramas escindidas que pugnan por la legitimidad, por lo que es difícil precisar el grado de supervivencia actual de la orden. En cuanto a su estructura original y ritos, sí conocemos algo más. La OTO estaba estructurada en once grados, de los cuales el primero, noveno y undécimo implicaban ritos de iniciación en los que el adepto tenía que superar algún tipo de prueba con la que conseguía una «iluminación» sobre él mismo o el universo. El décimo grado confería la cualidad de cabeza visible de la orden, lo que puede haber influido en la ingente cantidad de personas que reclaman para sí ese puesto en la actualidad.

A modo de curiosidad citaremos que Charles Manson, el asesino cuyos crímenes conmocionaron a la sociedad estadounidense durante la década de los sesenta, perteneció a la OTO durante una temporada.

En cuanto a los Illuminati de Reuss, en 1934 fueron erradicados de Alemania por la Gestapo, así como todas las logias masónicas del país, y un sinfín de organizaciones, algunas tan aparentemente irrelevantes como las escuelas de esperanto. No obstante, en Suiza tenemos noticia de la pervivencia de un grupo de esta rama. Claro que incluso hay quien ha señalado que el germen Illuminati estaba incluido en la locura del Tercer Reich.

¿Nazis e Illuminati?

En un artículo sumamente intrigante titulado «La religión nazi: visiones del estatismo religioso en Alemania y América»[1], el historiador político J. F. C. Moore argumenta que el nazismo y el conservadurismo estadounidense estuvieron en su origen influidos por los Illuminati, con quienes aparentemente no guardan ninguna relación. Según este autor, el nazismo nace bajo el auspicio directo de la Sociedad de Thule, un grupo esotérico profundamente influido por los Illuminati.

Ciertamente, el auge del Tercer Reich no es fácil de explicar sin hablar de la Sociedad de Thule. Diversos investigadores opinan que esta sociedad secreta de carácter germano y ario era el verdadero poder oculto que se escondía tras el Partido Nacionalsocialista. El bagaje doctrinal de la orden estaba formado por una extraña fusión de pangermanismo, antimaterialismo, espíritu medieval, aspectos del pensamiento rosacruz, enseñanzas alquímicas, influencia Illuminati y, en general, todo aquello relacionado con la tradición esotérica occidental.

Ellos fueron quienes se encargaron de alentar las más descabelladas aventuras de Hitler, desde la captura de la Lanza del Destino a las búsquedas del Santo Grial o el Arca de la Alianza, que tan buen juego han dado en el cine de aventuras. Tal vez un

---

1. J. F. C. Moore, *The Nazi Religion: Views on Religious Statism in Germany and America*, Libertarian American, vol. III, núm. 3, agosto de 1969.

ejemplo nos ayude a mostrar hasta qué punto era influyente este grupo en la vida alemana. En abril de 1919 hubo en Baviera una verdadera revolución en la que socialistas y anarquistas tomaron las calles y proclamaron la República Soviética de Baviera. Sin saber cómo ni de dónde, surgió un grupo de resistencia, «los blancos», compuesto por soldados desmovilizados conocidos como Frei Corps, equipados, entrenados y financiados por la Sociedad de Thule. Gracias a este misterioso ejército, la revolución bávara fue aplastada en pocas semanas sin necesidad de intervención gubernamental. En palabras de un periodista francés de la época:

> La hipótesis de una comunidad secreta en la base del nacionalsocialismo se ha ido imponiendo poco a poco. Una comunidad demoníaca, regida por dogmas ocultos mucho más complicados que las doctrinas elementales expresadas en el *Mein Kampf* y servida por ritos de los que no se advierten huellas, aislados, pero cuya existencia parece indudable a los analistas de la patología nazi.

Quizás el mejor ejemplo de esto sean las temidas SS, el cuerpo de élite de la maquinaria nazi. La guardia personal de Adolf Hitler se transforma poco a poco en una orden religiosa-militar basada en doctrinas ocultistas. Su credo racista y excluyente los condujo a intentar cumplir todas las extrañas y terroríficas doctrinas del nacionalsocialismo. Básicamente, se trataba de una poderosa herramienta diseñada para subyugar a las consideradas «razas inferiores» y conseguir la máxima purificación de la estirpe aria a través de la selección y eliminación racial. Su amenazadora estética fue concebida para personificar la imagen de la raza aria como clase dominante. Organizados como una orden de caballería a la antigua usanza, en sus ritos siempre estaban presentes elementos tomados del paganismo germano y otras corrientes ocultistas. No debe extrañarnos entonces que uno de los requisitos para formar par-

EL SIGNIFICADO DE LA SIMBOLOGÍA MASÓNICA

- *Triángulo*. Representa a la divinidad y por eso preside todas las logias. El ojo que podemos ver en su centro es la representación de la luz.
- *La estrella de cinco puntas*. Es el símbolo de la luz irradiada y de la unión del microcosmos y el macrocosmos, lo de arriba y lo de abajo.
- *Las columnas*. En las logias masónicas existen dos columnas, de color rojo y blanco, que reciben los nombres de Jachim y Boaz. Representan la dualidad del Universo y recuerdan a Irma, arquitecto del Templo de Salomón y mítico fundador de la masonería.
- *La letra G*. Otra representación de la divinidad. Sirve para señalar al Gran Arquitecto del Universo, a Dios (*God* en inglés) o al Gran Geómetra, todas ellas advocaciones masónicas de la divinidad.
- *La espada flamígera*. Espada entregada al Venerable de la logia el día de su instalación. La hoja es sinuosa y representa el fuego del cielo. En las manos del Venerable significa la potencia espiritual.
- *Sello de Salomón*. Estrella de seis puntas formada por dos triángulos, uno blanco y otro negro, que representan la dualidad entre el bien y el mal, la luz y la oscuridad.
- *Piedra Cúbica*. En los dos primeros grados el masón trabaja sobre sí mismo: de «Piedra Bruta» debe llegar a «Piedra Cúbica», y entonces se puede integrar en su lugar en el edificio, o si se prefiere en el templo ideal. Este trabajo es más o menos largo; algunos tal vez jamás llegan a «desbastar la Piedra Bruta», no por falta de capacidad, sino porque no sienten la necesidad.
- *Plomada, llana, mandil*. Herramientas simbólicas necesarias para completar con éxito el trabajo masónico que llevará al aprendiz por el camino de la perfección.

te de esta élite del nazismo fuera renegar de manera categórica de la religión cristiana, a la que, y en esto sí se aprecia el parentesco con los Illuminati, se consideraba fuente de todos los males de la raza aria.

Muchos de los jerarcas nazis eran hombres que creían en

la magia, para los que el universo no era más que una ilusión, algo cuya estructura podía ser modificada, doblegada por la voluntad de los iniciados. Tal fue la motivación que llevó a Hitler a enviar sus tropas a Rusia sin equipo invernal. ¿Qué misterioso poder provocaba la fascinación que Hitler ejercía sobre su pueblo? Hubo quien vio en su potente y demencial oratoria a un hombre poseído por alguna suerte de espíritu maligno. A través de sus estudios, Hitler había aprendido el inmenso poder que ejercen los símbolos sobre las masas y emprendió la tarea de dar vida a los mitos que, si bien ignorados, seguían siendo poderosos en lo más profundo del inconsciente colectivo del pueblo alemán.

El ojo y la pirámide

A propósito de símbolos, otra de las circunstancias que han hecho correr ríos de tinta conspiracionista respecto a los Illuminati y sus supuestas andanzas en las bambalinas del poder reside en su peculiar manía de dejar su impronta, su sello particular, en todo lo que hacen. Cuando hablamos de sello no lo estamos haciendo ni mucho menos en sentido figurado. El emblema de los Illuminati, el mismo que decora la portada de este libro, es conocido en el mundo entero, entre otras cosas porque se encuentra en el reverso de los billetes de un dólar.

Cuando Weishaupt fundó la orden Illuminati, adoptó como símbolo de la organización el «ojo que todo lo ve» de la masonería, una pirámide truncada cuya cima ha sido sustituida por un ojo inscrito en un triángulo. Según los expertos en simbología, el ojo es un símbolo solar cuyos orígenes pueden remontarse a Caldea y el antiguo Egipto donde a Osiris, el dios del sol, se le representaba mediante un ojo humano[1].

1. Donald Holmes, *The Illuminati Conspiracy: The Sapiens System*, Arizona, New Falcon Publications, 1992.

El 4 de julio de 1776 un comité del congreso continental designó a Thomas Jefferson, John Adams y Benjamin Franklin –masones los tres y sospechosos de, como poco, albergar una profunda simpatía hacia las ideas de los Illuminati, si no ser miembros de la orden– para elaborar el gran sello de Estados Unidos que representara y conmemorara a los trece estados que se habían unido y declarado independientes.

El diseño, que incluía el ojo y la pirámide en el reverso, fue aceptado el 9 de mayo de 1782 y remitido al también masón Charles Thompson, secretario del Congreso, el 13 de junio. La versión final, aprobada y adoptada por un acta del Congreso el 20 de junio de 1782, fue resultado de una serie de reuniones del comité que combinaron ideas de William Barton, Thompson y Jefferson, quienes, entre otras cosas, pusieron un triángulo alrededor del ojo, agregaron el año 1776, la leyenda *E Pluribus Unum*, una rama de olivo en la parte frontal y las estrellas sobre el águila.

En 1841, el secretario de estado Daniel Webster decidió remozar el diseño haciéndole el encargo al artista francés R. P. Lamplier, que introdujo algunas diferencias en el original. El llamado gran sello websteriano se utilizó hasta 1885. Un tercer grabado fue producido en 1885 siendo secretario de estado F. T. Frelinghuysen, quien encargó el trabajo a Tiffany & Co. Un folleto de 1957 de la Oficina de Impresiones del Gobierno de Estados Unidos, titulado «El gran sello de Estados Unidos», indica que el sello de 1885 incluía el reverso con el ojo y la pirámide pero nunca fue utilizado.

Celestia Root Lang, uno de los personajes más destacados de la Sociedad Teosófica estadounidense, escribió en 1917:

El dorso debe haber sido diseñado por un místico, alguien sumamente versado en simbolismo... El tiempo vendrá... cuando la piedra blanca (la cima de la pirámide) se convertirá en la piedra angular de nuestro gobierno... proclamando una nueva religión en la cual confluyan todas las corrientes espirituales de cada religión uniéndose en la perfección de la piedra blanca... que no tiene ni dogma ni doctrina... Vemos en el señor Barton solamente la fachada, el instrumento; ya que si él mismo no era místico o adivino, debió tener a alguien (pensamos que pudo haber sido Thomas Paine) dirigiendo su trabajo.

Dólares iluminados

Arthur M. Schlesinger Jr., en su libro *The Coming of the New Deal*[1], afirma que el vicepresidente Henry A. Wallace, masón y fascinado por todos los temas relativos al ocultismo, impresionado con el significado oculto del dorso del gran sello, presionó al secretario de hacienda Morganthau para que lo insertara en la parte posterior del billete de dólar en 1935. Wallace, quien suele aparecer en casi todas las listas de presuntos Illuminati modernos, se presentaría después como candidato a presidente afirmando ser socialista, toda una rareza dentro del panorama político estadounidense, aunque muy coherente con el ideario iluminista.

Otra de las peculiaridades del gran sello es que el número trece, una cifra considerada mística por egipcios, babilonios, masones e Illuminati, aparece con gran profusión. Hay:

- 13 estrellas en todo el sello.
- 13 barras en el escudo.
- 13 hojas de olivo.
- 13 aceitunas.
- 13 flechas en la garra derecha del águila.
- 13 plumas en las flechas.
- 13 letras en *Annuit Coeptis*.
- 13 letras en *E Pluribus Unum*.

1. Arthur M. Schlesinger Jr., *The Coming of the New Deal: 1933-1935, The Age of Roosevelt*, vol. II, Nueva York, Mariner Books, 2003.

– 13 hileras de piedra en la pirámide.
– 13 × 9 puntos en las divisiones alrededor del sello.

Además, para delicia de los más suspicaces, el racimo de trece estrellas de cinco puntas que hay sobre la cabeza del águila está colocado de tal manera que forma la representación de un hexagrama, la estrella de David o sello de Salomón, el símbolo hebreo que representa la unión del dios y del hombre. El simbolismo del sello cubre los mínimos detalles. Hay 32 plumas largas en el ala derecha del águila que representan los 32 grados de la masonería del Rito Escocés; y hay 33 plumas en el ala izquierda, que simbolizan los 33 grados del rito de York. Para los conspiracionistas más acérrimos, la pirámide refleja la estructura de organización de los Illuminati, y el pináculo que contiene el ojo representaría a la casa de los Rothschild, que controla al grupo[1].

Si todo esto ya le puede haber parecido al lector ciertamente retorcido, un pequeño juego nos mostrará hasta qué punto se puede llegar con los significados ocultos de los símbolos. Tomemos un lápiz y, en el sello, donde se encuentra la palabra «Annuit», dibujemos un círculo alrededor de la «A» inicial. En «Coeptis» dibujaremos un nuevo círculo alrededor de la «S» final. En «Novas» volvemos a marcar la letra inicial, en este caso una «N». En «Ordo» otra vez la letra final, en este caso una «O». Para terminar, en «Seclorum» volvemos a rodear la letra final, una «M». Ahora uniremos los puntos de la siguiente manera: dibujaremos un primer triángulo cuyos vértices sean las letras N, M y la punta del triángulo con el ojo, luego dibujaremos un segundo triángulo con las letras A, S y O como vértices. Lo que obtenemos finalmente no es sólo una representación de la estrella de seis puntas, sino también un anagrama que deletrea la palabra MASÓN.

1. Texe Marrs, *Circle of Intrigue: The Hidden Inner Circle of the Global Illuminati Conspiracy*, Austin, Texas, River Crest Publishing, 2000.

El dorso del gran sello, que se puede encontrar en el cuarto de la meditación de Naciones Unidas, nunca se ha utilizado para sellar documento alguno en la historia de Estados Unidos. ¿Por qué existe entonces? ¿Es posible que realmente sea la firma de los Illuminati?

Capítulo 5

Enemigos del Vaticano

Sin embargo, sumado a todo lo que hemos mencionado hasta este momento, si algo ha caracterizado la actividad conspiratoria de los Illuminati, por encima de decapitar reyes y marcar con su sello la divisa más importante del mundo, es su manifiesta enemistad con el Vaticano y todo lo que éste representa. Para el Illuminatus, la Santa Sede es el nido de la superstición, fuente de todos los males que atenazan desde hace siglos a nuestra sociedad. Esta enconada enemistad –que probablemente tenga una relación muy íntima con el paso de Weishaupt por la Compañía de Jesús– se ha manifestado tradicionalmente al más puro estilo de la estrategia iluminista, esto es, mediante repetidos intentos de infiltración (unos más exitosos que otros, según intuimos).

Los Illuminati desde siempre promovieron la estrategia de infiltración como una de sus herramientas de trabajo preferidas, y la Iglesia ha sido un objetivo prioritario. El propio Weishaupt afirmaba en uno de sus escritos: «Hemos provisto con beneficios, cargos y plazas de preceptores a todos los miembros sacerdotes... Hemos colocado a miembros de la orden en cuatro cátedras eclesiásticas». Admitiendo que es cierta la hipótesis que sitúa a la Ordo Templi Orientis como una suerte de frente esotérico de los Illuminati, hay que advertir que en pleno siglo XIX una de estas infiltraciones estuvo a punto de sentar al infiltrado en la mismísima Silla de Pedro. El cardenal Mariano Rompalla (1843-1913), secretario de Estado del Vaticano durante el pontificado de León XIII, era uno de los principales candidatos a sucederle a su muerte. Tan sólo el veto del emperador Francisco José de Habsburgo impidió que fuera proclamado Papa. Pues bien, el veto del emperador se mostró acertado, pues tras su fallecimiento una serie de papeles incriminatorios apuntaban a que el difunto cardenal pertenecía a la OTO.

Incluso en la actualidad circulan historias mucho más truculentas sobre la infiltración vaticana de satanistas y/o Illuminati, como este diálogo de confesión:

En el santuario romano del Divino Amor (sic), a última hora de la tarde, mezclado entre los demás, se acerca al confesionario un penitente muy alterado y turbado. El confesor lo anima a hablar.

–Padre, pertenezco a una secta satánica en la que desempeño un papel importante. He arrastrado a muchos a ella [...]. He llegado a convencer a muchas personas para asistir a misas negras y a otros ritos satánicos. Sin embargo, el otro día fui yo el invitado a una misa negra en un lugar donde yo jamás hubiera imaginado que se pudiese celebrar semejante rito...

–¿Dónde? –pregunta el confesor desde el otro lado de la reja.

–En el Vaticano.

–¿Quiénes eran los demás?

–No se los podía reconocer, todos íbamos encapuchados y cubiertos de la cabeza a los pies. Las voces eran graves, imposibles de identificar por el timbre...[1]

Entre el mito y la realidad

El jesuita Malachi Martin ha declarado y escrito en múltiples ocasiones que esta infiltración es conocida por los pontífices y se trata de uno de sus principales motivos de preocupación:

1. Los Milenarios, *El Vaticano contra Dios*, Barcelona, Ediciones B, 1999.

Lo más espantoso para Juan Pablo II fue descubrir la inamovible presencia de una fuerza maligna en su propio Vaticano y en ciertos obispados. Era lo que los sacerdotes bien informados solían llamar la «superfuerza». Los rumores, siempre difíciles de verificar, datan su instalación en los primeros tiempos del reinado del papa Pablo VI en 1963. De hecho, el propio Pablo se refirió una vez sombríamente al «humo de Satán que se ha instalado en el santuario...», una referencia indirecta a una ceremonia de coronación llevada a cabo por Satanistas en el Vaticano. Además, la incidencia de la pedofilia satánica –ritos y prácticas– ya ha sido documentada entre ciertos obispos y sacerdotes en lugares tan diversos como Turín, en Italia, y Carolina del Sur, en Estados Unidos. Los actos rituales de pedofilia satánica son considerados por los profesionales como la culminación de los ritos del Arcángel Caído[1].

También, y sería injusto y poco honesto no admitirlo en este capítulo, existe mucho de mitología en la presunta infiltración iluminista en el seno de la Iglesia católica. De hecho ha sido un argumento recurrente utilizado por parte de los sectores más integristas de la Iglesia para denunciar los tímidos avances sociales que, según ellos, alejan al pueblo de Dios de la que debiera ser su doctrina inamovible. Piers Compton, ex director del periódico católico *The Universe*, es uno de los principales defensores de la presunta infiltración de la Iglesia romana por los Illuminati. El autor es un católico tradicionalista recalcitrante, que escribió un libro[2] como protesta contra el abandono por la Iglesia católica de sus enseñanzas tradicionales de la doctrina cristiana. Compton, en medio de ese derroche de paranoia conspiracionista, se lamenta:

1. Malachi Martin, *Keys of this Blood: Pope John Paul II Versus Russia and the West for Control of the New World Order*, Nueva York, Simon & Schuster, 1991.
2. Piers Compton, *The Broken Cross*, Londres, N. Spearman, 1983.

Hay un sentir en el exterior de que nuestra civilización está en peligro de muerte. Es un despertar reciente... Porque la civilización declina cuando la razón se pone de cabeza, cuando lo malvado y abyecto, lo feo y corrupto, son convertidos aparentemente en las normas de las expresiones sociales y culturales... cuando la maldad, bajo una variedad de máscaras, toma el lugar del bien.

Nosotros, los de esta generación... nos hemos convertido en las víctimas dispuestas, inconscientes o resentidas de tal convulsión. De ahí, el aire de inutilidad que nos ha impregnado, un sentimiento de que el hombre ha perdido la fe en sí mismo y en la existencia como un todo... Nunca antes el hombre ha sido abandonado sin una guía o compás... divorciado de la realidad... sin religión.

Juan Pablo II, el infiltrado

Según este autor, ¿quiénes son los responsables de esta situación? Por supuesto los Illuminati, a los que Compton perfila como un formidable enemigo:

Adam Weishaupt pudo ver el propósito que tenía ante sí con una mente militar. Tenía empuje y visión. Sabía del valor de la sorpresa basada en el secreto... Era decidido... Fusionaría a la humanidad en un todo, eliminaría la tradición, suprimiría los dogmas [...]. Los Illuminati tenían un plan sumamente ambicioso. Formarían y controlarían la opinión pública. Amalgamarían las religiones al disolver todas las diferencias de creencias y rituales que las habían mantenido separadas y se apoderarían del papado poniendo a un agente suyo en la Silla de Pedro[1].

Pero, con todo, la osadía de Compton no le llevó tan lejos como para afirmar, igual que se hace en algunas páginas de Internet, que el infiltrado en cuestión era ni más ni menos que Juan Pablo II. El planteamiento que lleva a que alguien tan poco sos-

1. *Ibid.*

pechoso de mantener posturas progresistas como el pontífice polaco sea acusado de actuar como esbirro de los Illuminati no deja de tener cierta gracia. En efecto, Juan Pablo II, azote de homosexuales, madres solteras y parejas no reproductoras en general, tenía sin embargo un rasgo que alarmaba particularmente a los sectores más talibanes del catolicismo: su inclinación ecuménica, que le llevaba a hacer guiños y maniobras de acercamiento hacia las más variadas religiones. Para estos detractores, el que el Papa, en el transcurso de sus múltiples viajes, orase en su día frente al muro de las lamentaciones, besase un Corán o se dejase poner la marca de Shiva en su frente, sólo puede ser muestra de que los Illuminati, tan aficionados ellos a la amalgama religiosa, actuaban a través de él.

Pero, paranoias aparte, la Santa Sede cuenta con muchos otros puntos débiles que podrían haber sido explotados por los Illuminati. El Vaticano está lleno de secretos, un terreno en el que los discípulos de Weishaupt se mueven a sus anchas. Los archivos secretos del Vaticano no sólo no son una leyenda sino que existen y, además, su forma real debe ser muy parecida a lo que nos describe Dan Brown en su novela de gran éxito *Ángeles y demonios*[1]. Se trata de un depósito en el que se custodian todas las actas y documentos, tanto los promulgados por el Papa y la Iglesia católica como los procedentes de otras fuentes pero en poder de la Santa Sede, que se considera que deben ser de acceso restringido al público. Entre estos documentos está casi todo el material de la diplomacia vaticana así como la correspondencia personal de los diferentes Papas, lo que a lo largo de los siglos ha ido generando que, con toda seguridad, sea el archivo histórico más importante del mundo[2].

1. Dan Brown, *Ángeles y demonios*, Barcelona, Umbriel, 2004; Barcelona, Círculo de Lectores, 2005.
2. Aquellos interesados en conocer más profundamente los archivos pueden documentarse en su página web: *www.vatican.va/library_archives/ vat_secret_archives/docs/index.htm.*

En las bóvedas del archivo secreto descansan algunos de los documentos históricos esenciales para entender la verdadera historia del mundo occidental. Los archivos secretos del Vaticano fueron segregados de la Biblioteca Vaticana en el siglo XVII por orden expresa del papa Pío IV. Desde entonces hasta finales del siglo XIX nadie fuera del personal de más alto rango de la Santa Sede pudo volver a poner su vista sobre estos documentos, lo que no hizo sino avivar siglos de rumores sobre la naturaleza de los secretos que encerraba el archivo. A día de hoy los archivos secretos todavía permanecen estrictamente separados del resto de los fondos documentales de la Santa Sede. Los expertos con debida acreditación pueden consultar en la actualidad ciertos documentos del archivo, todos ellos anteriores a 1922, final del pontificado de Benedicto XV.

Algo que no sabe mucha gente es que, aparte de éstos, existen otros archivos secretos en el Vaticano, un recinto aún más secreto en el que se comenta que se guardan aquellos documentos capaces de afectar gravemente a la Iglesia. Se trata del Penitenciario Apostólico, que contiene, que se sepa, documentos papales y textos de leyes canónicas así como otros materiales completamente desconocidos fuera de la Santa Sede, ya que el acceso a este lugar está terminantemente prohibido. Sin embargo, salvo ésta y alguna que otra excepción, los archivos secretos son la colección principal.

Una de las ambiciones secretas después de tanto intento de infiltración por parte de los Illuminati radica en poner la vista sobre estos documentos. Los archivos secretos del Vaticano tienen unas proporciones ciclópeas. Se calcula que en su interior se alinean cerca de cincuenta kilómetros de estanterías repletas de material sobre el que hace siglos que no se posa mirada humana alguna. Tan sólo el conocido como catálogo selecto –la elaboración y publicación de índices del archivo está terminantemente prohibida– consta de más de treinta y cinco mil volúmenes. Los archivos secretos del Vaticano albergan además los servicios de conservación y restauración de documentos más avanzados del mundo. Tanto celo no ha impedido que la totalidad de los documentos anteriores al siglo VIII, repletos de material tan interesante para el estudioso como toda suerte de textos heréticos, versiones alternativas de las Sagradas Escrituras, etc., se haya perdido para siempre por razones que, según la propia versión oficial del Vaticano, «no son enteramente conocidas».

Entre los siglos VIII y XIII, la documentación es un poco escasa aunque hay documentos posteriores que harían las delicias de cualquier historiador, como la petición de anulación matrimonial de Enrique VII de Inglaterra. Sin embargo, no es tan fácil que los eruditos accedan a este material. Para empezar, nadie puede investigar en los archivos. Los eruditos seleccionados deben pedir por adelantado el documento exacto que desean ver, lo que les obliga a saber de antemano que existe tal documento y que se encuentra en el archivo, algo extremadamente difícil en especial si tenemos en cuenta que no existe un catálogo completo del archivo.

La fortuna vaticana

El 20 de febrero de 2002, Juan Pablo II decretó como medida extraordinaria la desclasificación, efectiva a partir de 2003, de todos los documentos referentes a la Alemania nazi, concernientes al período comprendido entre 1922 y 1939, que se encuentran custodiados en los archivos. La medida, aunque bienvenida, fue muy criticada por los historiadores por no incluirse en ella la Segunda Guerra Mundial, un período en el que la actuación de la Iglesia ha sido frecuentemente puesta en entredicho.

No obstante, posiblemente el secreto que más vulnerable puede haber hecho a la Iglesia a las intrigas de Illuminati y similares es, en realidad, un secreto a voces. La Iglesia necesita dinero para cumplir sus misiones benéficas y de apostolado. A nadie le cabe la menor duda de eso. Sin embargo, son muchos los que ven excesiva la tremenda cantidad de recursos que atesoran las arcas vaticanas. La extensión de esas riquezas es algo sobre lo que la Santa Sede se ha mostrado tradicionalmente discreta, lo que ha convertido este tema en frecuente motivo de todo tipo de especulaciones. La actual opulencia del Vaticano es fruto de un largo proceso histórico que arranca en el siglo IV de la era cristiana, cuando el emperador Constantino, con el entusiasmo que caracteriza a todos los conversos, puso a disposición del papa Silvestre I una colosal fortuna que estableció los cimientos de las posteriores riquezas vaticanas.

La Iglesia católica es la única organización religiosa del mundo que tiene su propio Estado independiente y soberano: la ciudad del Vaticano, en cuyos reducidos límites se encuentra la mayor concentración de riqueza material y artística del planeta. La moderna opulencia del Vaticano tiene su origen en la generosidad de Benito Mussolini. Cuando éste llegó al poder, la Santa Sede se encontraba en estado de virtual bancarrota y dispuesta a negociar con cualquier benefactor que quisiera sacarla de tan lamentable estado. Gracias a la firma del tratado de Letrán entre el gobierno fascista y el del Vaticano, la Iglesia católica obtuvo una fabulosa inyección económica que le devolvió el esplendor de antaño, pero con la lección aprendida de que la divina providencia requiere algo de ayuda en lo referente a la economía doméstica.

En 1933, el Vaticano volvió a demostrar su habilidad a la hora de cerrar lucrativos negocios con las dictaduras europeas de extrema derecha al establecer un acuerdo similar con la Alemania de Hitler. El cardenal Eugenio Pacelli (que se convertiría en Papa con el nombre de Pío XII) y su hermano Francisco fueron los principales artífices de estos acuerdos. Pío XII conocía bien Alemania, ya que fue nuncio en Berlín durante la Primera Guerra Mundial. Este conocimiento le llevó a obtener de Hitler ventajas fiscales si cabe mayores a las obtenidas del gobierno italiano. Dichas ventajas continúan vigentes hoy día y representan entre el 8 y el 10 % del total impositivo que recauda el gobierno alemán.

Pero esta recién adquirida opulencia debía ser administrada con criterios empresariales, así que no se dudó en invertir en todo tipo de empresas, incluidas aquellas cuya actividad era contraria a la doctrina de la Iglesia, como las de armamento o anticonceptivos[1]. Todo ello podía ser condenado desde los púlpitos, pero sus dividendos, gracias a los buenos oficios de Bernardino Nogara, el administrador seglar designado para esta tarea, incrementaron el poder temporal de la Santa Sede por encima del de sus tiempos de mayor gloria. El 27 de junio de 1942, Pío XII inauguró el Instituto de Obras de Religión (IOR), coloquialmente conocido en todo el mundo como el Banco Vaticano.

Nogara fue designado director de la recién creada institución y desempeñó esta tarea magistralmente durante años hasta la entrada en escena de un joven sacerdote estadounidense, Paul Marcinkus, cuyas capacidades llamaron en 1963 la atención del entonces papa Pablo VI, quien le acogió bajo su tutela y le condujo de la mano a una de las carreras profesionales más vertiginosas de la historia moderna del Vaticano, algo que en absoluto fue fruto de la improvisación. El pontífice y sus consejeros económicos habían decidido que lo más conveniente era no tener todos los huevos en la misma cesta, así que dieron comienzo a una atrevida campaña de expansión económica hacia mercados extranjeros, principalmente a Estados Unidos. Marcinkus era el hombre perfecto para esta tarea, no sólo como profundo conocedor de la economía norteamericana, sino también porque sus conocimientos se extendían a otras áreas económicas mucho menos convencionales.

1. Durante este período, el Vaticano se siguió beneficiando de las ganancias derivadas de una de las muchas empresas que poseía: el Instituto Farmacológico Sereno. Uno de los productos de más venta elaborados allí era una píldora anticonceptiva que se llamaba Luteolas.

Para quienes creen en la presunta infiltración iluminista en el Vaticano, la entrada de la Santa Sede en el mundo de las altas finanzas ofrecía a los Illuminati un nuevo frente de contacto. A través de los canales ilegales de tráfico de divisas de los que disponía el Banco Vaticano y de los contactos de Marcinkus con Michele Sindona, un curtido hombre de negocios del que se decía en voz baja que tenía no pocos contactos con la Mafia, la Santa Sede hizo fluir discretamente una buena parte de sus bienes fuera de Italia. Gracias a estas maniobras, la Iglesia pobre para los pobres que pregonaba Pablo VI se volvía paradójicamente cada vez más rica y poderosa. Sin embargo, la opinión pública veía lo contrario, ya que sus propiedades en Italia, donde el poder de la Iglesia se percibía más claramente, descendían a ojos vista mientras que era distribuida y disfrazada por el resto del mundo.

En su encíclica *Populorum Progressio*, Pablo VI citaba a san Ambrosio: «Nunca das a los pobres lo que es tuyo, simplemente les devuelves lo que les pertenece porque los bienes de los que te has apropiado fueron donados para que todos los disfrutaran. La tierra es de todos, no sólo de los ricos». En el momento de publicarse esta frase, el Vaticano era el mayor propietario de bienes inmuebles del mundo. Todo esto pareció cambiar con la designación del cardenal Albino Luciani como pontífice, que regiría los destinos de la Iglesia con el nombre de Juan Pablo I. El nuevo Papa tenía el sueño de una Iglesia pobre y a las pocas horas de su designación ya había comenzado a trabajar para hacer realidad esta aspiración suya, que consideraba de vital importancia para el futuro de la Iglesia católica.

Terremoto en Roma

En la noche del 27 de agosto de 1978, Juan Pablo I cenó con el cardenal Jean Villot, y confirmó a éste y a los otros miembros de la curia romana en sus cargos, a los que habían tenido que renunciar automáticamente al morir Pablo VI. Pero en aquella cena hubo algo más. Luciani ordenó a Villot que iniciara de inmediato una investigación que abarcase todas las operaciones del Vaticano –especialmente las de carácter financiero– sin excluir nada. Una vez que hubiera estudiado el informe, decidiría qué era lo que se debería hacer. Cuatro días después, el 31 de agosto, el diario de información económica *Il Mondo* publicaba una carta abierta a Luciani titulada «Su Santidad: ¿le parece correcto?». En ella se pedía al nuevo Papa que impusiera «orden y moralidad» en las finanzas del Vaticano, inmersas según el rotativo «en la especulación y aguas insalubres». El texto se refería explícitamente a las operaciones financieras fraudulentas del Vaticano e incluía un recuadro sobre las propiedades y fortuna de la Santa Sede[1]. La carta, además, reseñaba con especial crudeza la figura de Marcinkus: «Es sin duda el único obispo que forma parte de la junta directiva de un banco legal y secular, que incidentalmente tiene una rama en uno de los paraísos fiscales más importantes del mundo capitalista; nos referimos al Banco Cisalpino Trasatlántico de Nassau, en las islas Bahamas».

Pero Luciani no necesitaba de estas llamadas de atención: quería una revolución que sirviera para devolver a la Iglesia a sus orígenes y a congraciarla de nuevo con las enseñanzas de Jesucristo. Ya el 28 de agosto había llamado mucho la atención su negativa a ser coronado y usar el trono o la tiara cargados de jo-

---

1. *Il Mondo* planteaba entre otras las siguientes preguntas: «¿Es correcto que el Vaticano opere en el mercado como especulador? ¿Es correcto que el Vaticano posea un banco cuyas operaciones incluyen la transferencia de capitales ilegales de Italia al extranjero? ¿Es correcto que dicho banco ayude a los italianos a evadir impuestos? ¿Por qué tolera la Iglesia que se invierta en empresas nacionales y multinacionales cuyo único objetivo son los beneficios, empresas que, cuando es necesario, violan los derechos humanos y estafan millones a los pobres, especialmente a los que pertenecen a ese Tercer Mundo que tanto dice amar su santidad?».

yas. El Papa nunca más sería monarca coronado, sino pastor de su rebaño, como el propio Jesucristo lo habría querido. Acto seguido, Juan Pablo I se dirigió al cuerpo diplomático acreditado ante la Santa Sede: «No tenemos bienes materiales que intercambiar ni intereses que discutir. Nuestras posibilidades para intervenir en los asuntos del mundo son específicas y limitadas y tienen un carácter especial».

Fueron muchos los que en esta declaración de intenciones vieron claro el fin del Banco Vaticano. En los mercados de valores más importantes del mundo había auténtica expectación respecto a las decisiones que estaba a punto de tomar el nuevo Papa. Lo único que quedaba por confirmar era lo lejos que iba a llegar Juan Pablo I en su reforma, algo que, para los especuladores que operaban cercanos a los intereses del Vaticano, podría significar la diferencia entre obtener nuevas ganancias o enfrentarse a la ruina. Además, había una importante cuestión pendiente. Si el Papa quería una Iglesia pobre, ¿qué pensaba hacer con las riquezas del Vaticano? Uno de los más preocupados parecía ser el cardenal Villot, de carácter sumamente conservador y al que las nuevas ideas de Juan Pablo I inquietaban profundamente. Las diferencias entre ambos no hacían sino acrecentarse y el papa Luciani sentía cada vez en mayor medida la desaprobación de aquel al que había confirmado en su puesto como secretario de Estado.

La lista de los Illuminati

En los primeros días de septiembre de 1978 comenzaron a hacerse públicas las primeras medidas del programa del nuevo pontífice. Una de sus intenciones iniciales se centraba en variar drásticamente las relaciones del Vaticano con el mundo del gran capital. Aparte de esto, Albino Luciani ya había dado los primeros pasos hacia una revisión de la postura de la Iglesia sobre el tema del control de la natalidad, algo que levantó ronchas en amplios sectores de la Iglesia y, en especial, en el cardenal Villot, contrario a los métodos anticonceptivos. Pero, con todo, aquél era el menor de los problemas a los que tenía que enfrentarse Juan Pablo I. Por aquellos días se publicó un artículo titulado «La gran logia del Vaticano», en el que se mencionaban los nombres de ciento veintiuna personas del entorno de la Santa Sede –cardenales, obispos y otros altos dignatarios de la Iglesia– acusadas de pertenecer a logias masónicas. La infiltración Illuminati en el Vaticano ya había sido denunciada anteriormente[1], pero era la primera vez que una de estas denuncias aparecía publicada en un medio de comunicación incluyendo nombres y apellidos. Después ha habido otras igualmente precisas como la que reproducimos a continuación:

> El hecho de que el clan masónico esté tan envuelto en el secreto como su adversario opusdeísta hace que la identificación de sus miembros resulte tan difícil como la de los de este último. En el Vaticano se rumorea que, aparte del cardenal José Rosalío Castillo Lara, pertenecen al clan masónico el cardenal Achille Silvestrini (prefecto de la Congregación para las Iglesias Orientales, señalado como uno de los jefes del clan), el cardenal Pio Lagui (prefecto de la Congregación para la Educación Católica), el cardenal Camillo Ruini (vicario general de Roma), monseñor Celestino Migliore (subsecretario para las relaciones con los Estados)...[2]

El problema es ahora tan grave como era entonces. Al parecer el Papa se encontraba literalmente rodeado de masones, cuando ser masón significaba la automática excomunión para todo católico. Entre estos presuntos masones estaban el secretario de Estado, el cardenal Jean Villot, el ministro de Asuntos Exteriores monseñor Agostino Casaroli, el cardenal Baggio, el car-

1. Branton, «The secrets of the Mojave», VJ Enterprises, 1995.
2. Discípulos de la Verdad, *Mentiras y crímenes en el Vaticano*, Barcelona, Ediciones B, 2000.

denal Ugo Poletti vicario de Roma, el obispo Paul Marcinkus y monseñor Donato de Bonis, los dos últimos dirigentes del Banco Vaticano[1]. A partir del día 20 de septiembre ya se rumoreaba en Roma que el Papa se disponía a hacer una limpieza en profundidad entre los nombres más representativos de la Santa Sede.

Una muerte muy oportuna

Uno de los más preocupados era Roberto Calvi, presidente del Banco Ambrosiano, cuyos negocios con Marcinkus y el Banco Vaticano podrían llevarle a una celda de por vida. Calvi se había apropiado indebidamente de más de 400 millones de dólares mediante evasión fiscal y sociedades fantasmas. Era mucho lo que dependía de que el ahora investigado Marcinkus continuara en su puesto. La única y remota posibilidad estaba en que el Papa muriera antes de destituir a los hombres de confianza del anterior pontífice y en su lugar fuera elegido alguien menos partidario de reformar las finanzas vaticanas. Un mes después de su designación, Juan Pablo I había conseguido llevar el temor y la incertidumbre al corazón de los principales responsables de la corrupción vaticana.

Al caer la tarde del lunes 28 de septiembre de 1978 el Papa mantuvo una reunión con el cardenal Villot en la que le comunicaba su próximo cese en el cargo y le solicitaba que antes de veinticuatro horas procediera a la destitución de Marcinkus al frente de la banca vaticana. Asimismo, el Papa comunicó a su secretario de Estado los otros cambios que tenía planeados, que incluían la inmediata sustitución de todos los presuntos masones del Vaticano por hombres de la confianza del Papa. El remate para Villot fue la confirmación de que el Santo Padre recibiría al comité norteamericano sobre el control de población el 24 de

1. Robert Anton Wilson, *op. cit.*

octubre. Esta delegación del gobierno de Estados Unidos trataba de modificar la posición de la Iglesia sobre la píldora anticonceptiva, algo a lo que el Papa no pondría demasiados reparos.

A la mañana siguiente, los enemigos del Papa tuvieron su «milagro» y el cuerpo sin vida del pontífice fue hallado en sus aposentos. La Santa Sede comenzó entonces una confusa campaña de mentiras mezcladas con medias verdades sobre la muerte del Papa que levantaron las primeras sospechas de asesinato. Y no era porque no hubiera enemigos lo suficientemente poderosos y con motivos bastante graves dentro del Vaticano como para recurrir a la más terrible de las soluciones. Desde luego, un atentado contra el Papa en medio de la plaza de San Pedro era impensable. La muerte tenía que producirse de forma aparentemente accidental, sin investigaciones ni ansiedad para la Iglesia.

La mejor forma de plantear un hipotético atentado contra el Papa era mediante un veneno que después de administrado no dejara ninguna señal externa. El autor debía ser, además, una persona completamente familiarizada con la rutina del Vaticano. En este sentido, la actitud del cardenal Villot ha sido calificada de llamativa. Cuando llegó junto al cuerpo, al lado de la cama del Papa, en la mesilla de noche, estaba el frasco con el medicamento que Luciani tomaba para sus problemas de presión arterial baja. Villot se lo guardó en la sotana y arrancó de las manos del cadáver los apuntes sobre las designaciones de las que habían estado conversando la tarde anterior. Luego Villot impuso el voto de silencio a la hermana Vincenza (la monja que había encontrado el cadáver y formaba parte del servicio del Papa desde que éste era cardenal de Venecia) e instruyó a todos para que la muerte del pontífice fuera silenciada hasta que él ordenara lo contrario.

Villot asimismo decidió que el difunto Juan Pablo I debía ser embalsamado de inmediato, sin dar posibilidad a ningún tipo de autopsia[1].

El nuevo cónclave comenzó el domingo 15 de octubre de 1978, y desde el principio se hizo patente que el «Espíritu Santo» no tenía intención de hacer acto de presencia. El favorito era el cardenal Benelli, que estaba dispuesto a continuar con las reformas de su antecesor. Pero a Benelli le faltaron nueve votos y el eventual ganador resultó ser un candidato de compromiso, el cardenal Karol Wojtyla de Polonia, en el polo opuesto de las ideas de Albino Luciani a pesar de haber elegido el mismo nombre. Ni una sola de las reformas que su predecesor había propuesto se convirtió en realidad. Si realmente la muerte de Juan Pablo I había sido fruto del asesinato, a los conspiradores todo les había salido a pedir de boca.

Villot volvió a ser designado secretario de Estado, esta vez bajo un Papa con el que tenía más en común; Marcinkus siguió manejando el Banco Vaticano; Calvi continuaba en libertad para dedicarse al fraude a gran escala. La misma camarilla que había convertido en imposible el pontificado de Juan Pablo I, seguía ocupando los puestos claves del Vaticano durante el reinado de Juan Pablo II. La Iglesia había dado un paso atrás hacia la época de Pablo VI. Más aún, en 1981, el nuevo Papa estableció una alianza estratégica con el presidente Reagan de forma que el gobierno estadounidense informaba a la Santa Sede de toda suerte de asuntos de interés global a cambio de contar con su apoyo en los temas que fuera necesario. Estados Unidos bloqueó millones de dólares de ayuda a países que contaban con programas de planificación familiar; el Papa, «mediante un significativo silencio», apoyaba las políticas militares de Estados Unidos, incluida

---

1. David Yallop, *En nombre de Dios*, Barcelona, Planeta, 1989; Barcelona, Círculo de Lectores, 1994.

la de proveer a la OTAN con una nueva generación de misiles crucero.

Cada semana, el jefe de la estación de la CIA en Roma llevaba un extenso informe secreto elaborado por la Agencia. Ningún otro líder mundial tenía acceso a la información que el Papa recibía. Ello permitió que la primera parte del pontificado de Juan Pablo II tuviera un marcado carácter político que estuvo a punto de costarle la vida en la plaza de San Pedro, el 13 de mayo de 1981, cuando fue abatido por las balas de Mehmet Ali Agca, antiguo miembro del grupo terrorista Lobos Grises. Pero el Papa sabía muy bien que el ejecutor del atentado era sólo un peón en manos de una fuerza mucho más poderosa que quería verle muerto. El arzobispo Luigi Poggi, «el espía del Papa», fue el encargado de averiguar quién había ordenado el asesinato.

Durante meses, Poggi mantuvo contactos con el Mossad hasta que finalmente, en noviembre de 1983, el servicio secreto israelí le proporcionó la información que necesitaba. La CIA pensaba que Agca había sido el ejecutor de un complot inspirado por la KGB y argumentaba que Moscú temía que el pontífice encendiera la mecha del nacionalismo polaco. Pero la CIA se equivocaba. Lo que descubrieron los agentes del Mossad fue que el complot había sido preparado en Irán con la aprobación del Ayatolá Jomeini como primer movimiento de la guerra santa contra Occidente y sus valores decadentes[1].

Un mes después, el 23 de diciembre de 1983, el Papa fue a ver a Agca a la prisión de Rebibbia. El encuentro fue concertado como un «acto de perdón». En realidad, Juan Pablo II quería saber si la información del Mossad era cierta. Los periodistas permanecieron en el corredor y con ellos había guardias preparados para correr a la celda en caso de que Agca hiciera

1. Gordon Thomas, *Mossad: la historia secreta*, Buenos Aires, Vergara, 2000.

algún movimiento sospechoso. El diálogo duró veintiún minutos, tras los cuales el Papa se puso de pie y le extendió una caja en la que había un rosario de nácar y plata. Agca había confirmado lo que Luigi Poggi supo por el Mossad, lo cual iba a cambiar para siempre la actitud de Juan Pablo II hacia el islam e Israel.

En otro orden de cosas, el pontificado de Juan Pablo II no ha variado sustancialmente la línea tradicional del Vaticano en asuntos de negocios.

P2

En la crisis que finalizó con la muerte de Juan Pablo I tuvo un papel preponderante la logia P2, protagonista del mayor escándalo de la vida política italiana y para muchos un pariente más o menos cercano del entramado iluminista. La logia P2 era una sociedad dentro de otra sociedad secreta, algo muy similar a aquello de lo que se acusa repetidamente a los Illuminati. Su probable fundador fue Licio Gelli en algún momento de la década de los setenta, como parte de la operación Gladio, una maniobra de la CIA para infiltrarse en determinados centros de influencia en Europa. Al principio a los miembros de P2 se les reclutaba entre los miembros de la logia del Gran Oriente de la Masonería Egipcia, pero poco después se fue abriendo el abanico hasta incorporar a más de 950 miembros seleccionados entre lo más granado de la banca, las finanzas y la política italianas. El grupo está bajo sospecha de liderar una gran conspiración neofascista en Italia que habría sido responsable de, entre otras cosas, el atentado de 1980 en la estación de Bolonia, tráfico de drogas, gigantescos fraudes financieros y toda clase de extorsiones y actos violentos.

La logia comenzó a ser objeto de la atención pública a partir de la bancarrota del Banco Ambrosiano (uno de los principales bancos de Milán) y la más que sospechosa muerte de su

LA EXTRAÑA MUERTE DE ROBERTO CALVI

Un año después de ser condenado y puesto en libertad bajo fianza, Roberto Calvi vuela a Londres. Se ha especulado mucho sobre el motivo de ese viaje que, más allá de una simple huida, pudo estar motivado por la solicitud de ayuda en una logia londinense de la que se jactaba de ser miembro y con cuyas influencias financieras había amenazado en más de una ocasión a sus adversarios financieros. Sea cual fuere el motivo de su estancia en la capital británica, su cadáver fue hallado a los pocos días colgando del puente de Blackfriars con los bolsillos repletos de piedras.

Las investigaciones policiales ponen en duda que se trate de un suicidio y apuntan hacia un posible asesinato, que su viuda achaca a las «feroces luchas vaticanas». La misma viuda recuerda cómo desde la muerte de Juan Pablo I en 1978 Calvi recibía asiduas llamadas que le llenaban de temor por parte de un individuo que decía llamarse Luciani, el apellido del Papa muerto. Cuando David Yallop intentó entrevistarle por teléfono para su libro sobre la vida de Juan Pablo I, Calvi le respondió malhumorado: «¿Quién te ha mandado contra mí? Yo siempre pago».

Entre otras muchas actividades, Calvi se dedicaba a hacer de recadero de lujo por cuenta del Estado Vaticano. En virtud de una alianza secreta entre el Papa y el presidente Ronald Reagan, el banquero italiano remitía a Polonia cuantiosas sumas de dinero para financiar el movimiento anticomunista polaco Solidarność. Cuando, agobiado por los problemas personales y el chantaje al que era sometido, empieza a dar bandazos, Calvi pide ayuda a sus contactos del Vaticano y escribe una carta al Papa tratando de extorsionarle con el tema de la financiación a los sindicalistas polacos.

Doce días después, Calvi es hallado muerto. Al principio, su maletín de mano, repleto de documentos comprometedores, es dado por desaparecido. Pero corre el rumor de que previo pago de veintiún millones de marcos alemanes, más de diez millones de euros, el Vaticano pudo recuperar su contenido gracias a un benefactor anónimo.

presidente, Roberto Calvi, cuyo cadáver apareció en Londres ahorcado bajo el puente de Blackfriars (un lugar con una importante simbología masónica), con los bolsillos llenos de piedras. En principio la policía británica dictaminó que había sido un suicidio. Sin embargo, más tarde comenzaron a aparecer pruebas que apuntaban hacia un asesinato.

La íntima relación entre Calvi y Licio Gelli provocó que el interés tanto del público como de la prensa se encaminara en esa dirección, impulsando el descubrimiento de la existencia de la logia. En la casa de Gelli, en Arezzo, se encontró una lista de miembros del grupo que contenía los nombres de algunas de las personalidades más relevantes de la vida pública italiana. En la lista se nombraba, por ejemplo, el actual primer ministro Silvio Berlusconi o el príncipe de Nápoles, Victor Emmanuel, actual jefe de la Casa de Saboya.

El escándalo alcanzó tales proporciones que precipitó la dimisión del entonces primer ministro Arnaldo Forlani. El Parlamento italiano tomó cartas en el asunto con una comisión de investigación presidida por la cristianodemócrata Tina Anselmo, que llegó a la conclusión de que la logia era una organización criminal. La comisión también sacó a la luz una serie de conexiones internacionales de la logia, en especial con Argentina y con la CIA.

El escándalo de la P2 terminó por salpicar también al Vaticano. Como consecuencia del descubrimiento de las actividades de la logia, el arzobispo Paul Marcinkus fue retirado de la presidencia del Banco Vaticano y regresó a su Chicago natal.

Pero quizá la más grave de las acusaciones que pesan sobre la logia sea la de haber estado implicada en el asesinato del líder democristiano Aldo Moro, llevado a cabo por la organización terrorista Brigadas Rojas.

La historia de la logia P2 tiene sin embargo un más que triste epílogo. Mino Pecorelli, el primer periodista que se atrevió a hablar públicamente de la infiltración del grupo en el gobierno italiano y el Vaticano, fue asesinado en una calle de Roma con un disparo en la boca: el *sasso in bocca*, castigo tradicional de la mafia para los delatores[1].

Los Caballeros de Malta

Por su parte, el Vaticano no estaría solo ni desamparado ante las acechanzas de los Illuminati. Uno de sus más poderosos aliados en esta lucha habría sido desde tiempos muy antiguos los Caballeros de Malta. Originalmente conocidos como los Caballeros del Hospital de San Juan de Jerusalén y como los Caballeros de Rodas, esta orden militar se estableció en Malta después de que el emperador Carlos V les cediera la isla en 1530. En un principio, la Orden de Malta era pacífica y religiosa y se denominaba Orden de San Juan. Estaba compuesta por frailes benedictinos que a mediados del siglo XI daban cobijo a toda clase de enfermos y peregrinos en un hospital de Jerusalén construido por comerciantes italianos. Un italiano procedente de Amalfi, el beato Gerardo, dirigía aquella congregación humanitaria, cuyo único vestido consistía en una túnica negra (la de los benedictinos) que llevaba cosida una cruz blanca en el pecho. Esa cruz de ocho puntas provenía de un escudo de la ciudad natal del padre Gerardo.

En 1798 las tropas de Napoleón tomaron la isla, lo que supuso el fin del dominio de los caballeros. Desde entonces, han vagado durante dos siglos en una interminable diáspora, ciudadanos de un Estado sin tierra. En la actualidad la orden ocupa un discreto edificio en el Vaticano, admiten damas al igual que caballeros y han adoptado el nombre de Soberana Orden Militar de Malta. En los siglos XX y XXI la Orden de Malta ha aglu-

1. Robert Anton Wilson, *TSOG: The Thing that Ate the Constitution*, Arizona, New Falcon Publications, 2002.

tinado a algunos de los personajes más influyentes de la historia reciente[1]:

- Franz von Papen, quien convenció al presidente Hindenburg de que dimitiera convirtiendo a Hitler en dirigente de Alemania.
- General Reinhard Huelen, una de las piezas clave de los servicios de inteligencia del Tercer Reich, colaborador indispensable en la creación de la CIA tras la Segunda Guerra Mundial y director de los servicios de inteligencia de la República Federal de Alemania.
- General Alexander Haig, uno de los principales diseñadores de la política exterior estadounidense durante las administraciones de Nixon y Reagan.
- Alexander de Marenches, antiguo jefe de los servicios de inteligencia franceses.
- William Casey, director de la CIA en la época del escándalo Irán-Contra.
- Otto von Hapsburg, uno de los miembros más influyentes del grupo Bilderberg.
- Licio Gelli, Roberto Calvi y Michele Sindona, principales personajes de la logia P2 y del escándalo de la banca vaticana, lo que según los más suspicaces sería la prueba de los intentos de infiltración Illuminati en la orden.
- Entre sus miembros se cuentan también el rey Juan Carlos y muchos representantes de la nobleza española como Hugo O'Donnell, conde de Lucena, o políticos como Valèry Giscard D'Estaing.

Al parecer, la enemistad entre los Caballeros de Malta y la masonería es intensa y más intensa aún cuanto más influida por los Illuminati se encuentra la masonería. Hay fuentes que afirman que en el grado 32 de la masonería se revela al iniciado que

1. *Covert Action Information Bulletin,* núm. 25, invierno de 1986.

ésta desciende de los caballeros templarios y que su misión es combatir sin cuartel la tiranía y la superstición, de las que el principal ejemplo es los Caballeros de Malta[1].

A pesar de las preferencias de Juan Pablo II hacia el Mossad, son muchos los que sostienen que la Orden de Malta constituye aún hoy el principal vínculo entre la Santa Sede y la CIA[2].

1. David Bernard, *Light on Freemasonry*, Washington, Vonnieda & Sowers, 1858.
2. Jim Marrs, *op. cit.*

Capítulo 6

Illuminati y satanismo

Uno de los sambenitos que con mayor insistencia han tenido que arrastrar los Illuminati es el de ser calificados como «secta satánica», algo no del todo desatinado pero sobre lo que, sin embargo, hay mucho que matizar. De tener alguna veleidad «satánica», los Illuminati pertenecerían más bien al sector luciferino, que toma a la figura de Lucifer como una metáfora de la oposición a la opresión de la Iglesia. Para entenderlo mejor, tal vez deberíamos hacer un repaso general al panorama de las sectas satánicas. También abordaremos algunas manifestaciones que, en principio, tocan el satanismo de forma tangencial, pero que a nuestro juicio resultan imprescindibles a la hora de comprender con claridad el decorado satanista y su posible relación con los Illuminati.

En sus orígenes medievales, el satanismo atravesó una fase de herética carnalidad que no era sino una lógica reacción a la represión ejercida por la Iglesia de la época. Lo carnal había pasado de ser algo natural a ser un elemento pecaminoso. Para entender el trauma que esto supuso para las culturas recién cristianizadas, baste señalar que la celebración –a veces desenfrenada– de la fertilidad solía ser el eje de muchas celebraciones de los cultos precristianos. Sin embargo, las bacanales, lejos de desaparecer, pasaron a la clandestinidad en forma de aquelarres catárticos en los que parte de la comunidad tenía la oportunidad de sacudirse, siquiera por un rato, el estrecho corsé de la moral cristiana. Los dioses antiguos adoptaron la vestidura de demonios que les habían impuesto los predicadores cristianos y sobrevivieron a lo largo de todo el medioevo con ella. El más favorecido en este proceso fue el dios Pan, que ni siquiera tuvo que cambiar de forma y siguió portando sus cuernos de carnero y sus patas con pezuñas.

Es fácil comprender que los Illuminati, considerándose a sí mismos como los herejes perpetuos, sintieran una más que justificada simpatía por el satanismo. Para ellos, Lucifer sería una figura emparentada íntimamente con el mito griego de Prometeo, que desafía a Zeus y regala al hombre el fuego y los conocimientos básicos de agricultura, astronomía, navegación, metalurgia, medicina y ganadería que le permiten establecer una civilización. Al igual que Lucifer, Prometeo fue castigado por este acto de rebeldía, en su caso siendo encadenado a una montaña donde cada día un águila le devoraría el hígado.

El planteamiento de una oposición entre las ideas de Dios y civilización se encuentra en la esencia misma del pensamiento iluminista y en el satanismo. Sin embargo, uno de los principales problemas a la hora de comprender este último es precisamente el de las definiciones. El satanismo constituye una anomalía religiosa, una exótica excepción que nunca ha obtenido la atención que merece por parte de los estudiosos, que tradicionalmente han preferido detenerse en la anécdota y no entrar en el meollo de la cuestión. Dependiendo de la estrechez de miras que se aplique, la definición de satanismo englobará sucesivamente a diferentes grupos.

Satanistas y satanistas

Para empezar estarían los satanistas propiamente dichos, esto es, aquellos que están adscritos a algún tipo de culto, secta u organización de carácter satánico. A pesar de que ciertos elementos de la prensa sensacionalista se empeñan en dar la sensación de que la sociedad se enfrenta a una especie de «peligro satánico», lo cierto es que los miembros de este tipo de grupos son escasos, completamente discretos y, salvo excepciones, sus actuaciones se ciñen estrechamente a los límites impuestos por el Código Penal.

Gran parte de esta sensación de la existencia de un peligro satánico real y definido se la debemos a la publicación en Estados Unidos de la novela *Michelle remembers*[1] *(Michelle recuerda)*. Se trata de la presunta crónica de los abusos, tanto psicológicos como sexuales, a los que fue sometida una joven estadounidense por parte de una secta satánica. Este libro creó escuela y, como veremos al final de este capítulo, hoy día son muchos los que cuentan historias similares referentes a los Illuminati.

En cuanto a los libros sobre satanismo, el panorama es desalentador. Por ejemplo, los satanistas son acusados sistemáticamente de llevar a cabo rituales destinados a ridiculizar y atacar las creencias y prácticas cristianas. Los orígenes de estas ficciones se encuentran en obras escritas en la Edad Media y el Renacimiento. Es cierto que los satanistas son extremadamente críticos con el resto de las religiones –llama la atención el alto número de satanistas que se consideran ateos– y en especial con el cristianismo, al que acusan de ser el culpable de la represión moral que ha sufrido Occidente durante siglos y de la persecución violenta de las minorías religiosas, entre las que se cuentan ellos mismos. Pero, por lo general, la liturgia cristiana y sus elementos son contemplados con desdén y, desde luego, evitan hacerlos parte integrante de sus propias liturgias, ya que no conciben un satanismo que sólo tenga existencia como doctrina opuesta al cristianismo, sino que pretenden que sea una manifestación religiosa con naturaleza propia e independiente de cualquier otra.

Dependiendo del enfoque y la mentalidad con que se juzgue, se ha etiquetado de «satánicas» a personas e instituciones que en principio pudiera parecer que no tienen nada que ver con

---

1. Michelle Smith, *Michelle remembers*, Nueva York, St. Martins Press, 1980.

el satanismo. El integrismo cristiano tiene por definición una visión maniquea del mundo en la que solamente caben dos polos contrapuestos, el bien y el mal, representados cada uno de ellos por dos poderosas fuerzas sobrenaturales confrontadas que libran una eterna batalla: su Dios y Satán. Para ellos, cualquier religión fuera de la suya no es sino una forma de satanismo, ya que no admiten la existencia de otros dioses, sólo Dios y Satán, así que todo aquel que no se decanta explícitamente por el uno estará tácitamente tomando partido por el otro. Por supuesto, semejante definición sustrae todo su significado al término «satanista».

También existen quienes libran de la etiqueta satánica a ateos y a los que adoptan formas más liberales de vivir el cristianismo, reservándosela a los practicantes de cualquier otra religión, acogiéndose al razonamiento de que es Satán quien se esconde tras la máscara de las otras deidades e inspira los actos de sus fieles. Aunque es un poco más restrictiva, esta definición deja igualmente a una gran mayoría de la población mundial bajo la tutela del diablo. Afortunadamente, dentro del integrismo cristiano hay un sector que está dispuesto a admitir como no satánicas a las otras dos religiones de Abraham, el judaísmo y el islamismo, considerándolas equivocadas pero no satánicas, al reconocer su inspiración bíblica. Esta inclusión reduce sensiblemente el teórico número de satanistas en el mundo, aunque no lo suficiente.

El tamaño sí importa

Mucho más curioso es el criterio según el cual las religiones son o no satánicas en función de su tamaño. Para los defensores de esta doctrina –muchos más de los que pudiéramos suponer en primera instancia– las religiones mayoritarias como el budismo o el hinduismo no serían satánicas, mientras que otras que cuentan en la actualidad con un menor número de adeptos, como el neopaganismo, la santería o cualquiera de las sectas de nuevo cuño que aparecen prácticamente a diario son de clara inspiración satánica. Además, se suelen englobar en esta definición a diversos elementos o manifestaciones extrarreligiosas como la masonería, la música rock o las ciencias ocultas. Es en estos sectores donde circula y se produce la mayor parte de la literatura que vincula a los Illuminati con el satanismo[1].

La verdad es que calificar como satanista a todo aquel que se aleje de la ortodoxia del cristianismo es una actitud que hace un flaco favor al estudio serio del fenómeno de la adoración al diablo. De hecho, es tanto más un sinsentido si consideramos que, fuera del cristianismo, no existe la figura del diablo y que sus posibles equivalentes en otras religiones son de una forma tan matizada que requeriría un estudio aparte.

Lo único que consiguen estos planteamientos es fomentar la intolerancia religiosa y provocar la animosidad de la opinión pública hacia manifestaciones religiosas completamente legítimas como las afrocaribeñas.

En un sentido estricto, satanista sería aquella persona que rinde culto al diablo cristiano. En realidad, estaríamos hablando de unos pocos miles de individuos repartidos entre diversos grupúsculos semiclandestinos con un puñado de miembros cada uno, y una cantidad similar de personas no adscritas a ningún grupo que practican su elección religiosa de forma solitaria, bien por no haber tenido contacto con ninguno de los grupos organizados, o bien por recelar de éstos temiendo que se trate de sectas destructivas, algo que, en no pocas ocasiones, es cierto.

Capítulo aparte merecen aquellos satanistas que consideran al diablo como el arquetipo precristiano del principio vital. Se trataría de individuos que no ven al diablo tanto como un ser sobrenatural con entidad y existencia real sino como un ideal, un

---

1. Jerome Elliot Plotkin, *Anti-Illuminati*, Falletville, Nueva York, Old Mountain Press, 1999.

LAS ONCE REGLAS SATÁNICAS

1. No des tu opinión o consejo a menos que te sea solicitado.
2. No cuentes tus problemas a otros a menos que estés seguro de que quieren escucharlos.
3. Cuando estés en la casa de otra persona, muestra respeto; si no es preferible que no vayas allí.
4. Si un invitado en tu hogar es descortés, trátalo cruelmente y sin piedad.
5. No hagas avances sexuales a menos que te sea dada una señal de apareamiento.
6. No tomes lo que no te pertenece a menos que sea una carga para la otra persona y esté clamando por ser liberada de la misma.
7. Reconoce el poder de la magia si la has utilizado con éxito para obtener tus deseos. Si niegas el poder de la magia después de haberla utilizado con éxito, perderás todo lo que has conseguido.
8. No te quejes por algo que no tenga que ver contigo.
9. No maltrates a los niños.
10. No mates animales a menos que seas atacado, o para alimentarte.
11. Cuando camines en territorio abierto, no molestes a nadie. Si alguien te molesta, pídele que se detenga. Si no lo hace, destrúyelo.

símbolo de rebeldía y oposición a la moral cristiana, algo que podrían asumir perfectamente nuestros Illuminati. En esta tendencia se agrupan muchos de los integrantes de las sectas satánicas mayoritarias, como la célebre Iglesia de Satán. Para ellos, el satanismo, más que una religión, es una filosofía de vida, independientemente de sus manifestaciones mágicas. En un sentido estricto, cada satanista se considera a sí mismo como su propio dios, la perspectiva de la vida de cada ser humano es su propio catecismo y la experiencia personal es la única verdad revelada en la que creen.

Son muchos los satanistas que reconocen como su emblema al llamado sello de Bafomet, que consiste en una cabeza de cabra inscrita en el interior de un pentagrama invertido. Quizás a causa de que la Iglesia de Satán adoptó este emblema, hay muchos autores que piensan erróneamente que tuvo su origen en este grupo. Otro emblema satánico muy extendido consiste en un signo de infinito con una cruz de Lorena colocada en su parte superior. Esto, más que un emblema satánico, constituye una pequeña broma por parte de Anton LaVey, fundador de la Iglesia de Satán. Se trata de un antiguo símbolo que empleaban los alquimistas medievales para referirse en sus escritos cifrados al azufre. LaVey lo adoptó como jocosa referencia al olor a azufre que las leyendas populares siempre han atribuido a las apariciones del diablo.

Llegados a este punto, es el momento de plantearse cuáles son las creencias y planteamientos de los satanistas actuales. Para empezar, hay que dejar claro que resulta completamente utópico hablar del satanismo como una única corriente, filosofía o religión. Como cualquier otra manifestación religiosa, el satanismo tiene múltiples corrientes, cismas y sectas. Al igual que hay católicos y protestantes, chiítas y sunitas, así como un sinfín de grupos menores en las religiones mayoritarias, hablar del satanismo como un todo unitario no tiene sentido fuera de un contexto meramente teórico. Incluso la forma que tienen los individuos de sentirse satanistas difiere notablemente de uno a otro. Al no existir una institución que homologue de alguna manera la pureza doctrinal del satanismo, nos encontramos con que tanto derecho tiene de calificarse como satanista el adulto con un alto grado de compromiso y muchas horas de estudio sobre sus espaldas, como podrían ser nuestros Illuminati, que el adolescente cuyo acercamiento al satanismo es posiblemente mucho más frívolo, cuando no estético[1].

1. Bill Ellis, *Raising the Devil: Satanism, New Religions and the Media*, Lexinton, University Press of Kentucky, 2000.

Con todo esto pretendemos reflejar la tremenda complejidad que supone abordar la temática del satanismo.

Comenzaremos por el satanismo más doctrinal y organizado, al que podríamos denominar «satanismo religioso». Como ya hemos mencionado, en su mayoría los satanistas más serios y comprometidos no consideran la existencia de Satán como un ser o entidad sobrenatural.

El Satán de los satanistas no tiene ninguna relación con el concepto de «Mal», si bien sirve para rechazar muchos aspectos de la moral judeocristiana. Estamos hablando, pues, de una fuerza de la naturaleza, de una energía; por ello no es de extrañar que satanistas y neopaganos encuentren ciertos puntos de encuentro en sus planteamientos. Sin embargo, los satanistas suelen acusar a éstos, en especial a los seguidores de la Wicca, de hipócritas o santurrones por circunscribir sus trabajos a propósitos positivos, lo que popularmente se conoce como magia blanca. Algunos satanistas llevan este desprecio por practicantes de la Wicca a un comportamiento tan visceral que les hace equipararlos con los cristianos.

Los seguidores de esta corriente son generalmente adultos con un alto grado de conocimiento de la tradición ocultista y con una permanencia de varios años en el satanismo. Son individuos fuertemente motivados en el plano ideológico y que encuentran en el satanismo una vía de expresión de determinadas inquietudes. A este grupo pertenecen los miembros de las grandes organizaciones satánicas reconocidas a nivel mundial, como la Iglesia de Satán o el Templo de Set.

Aleister Crowley

El satanismo moderno es frecuentemente, aunque de forma errónea, atribuido como una creación del ocultista Aleister Crowley (1875-1947), personaje ya mencionado en el capítulo 4 y del que abordaremos su vida de un modo más profundo en las líneas siguientes.

A pesar de haber nacido en el seno de una familia conservadora y acomodada de la Inglaterra victoriana, el joven Crowley comenzó a desarrollar desde su más temprana juventud un profundo desdén hacia el cristianismo y muchos de los valores que éste representa. Tras finalizar sus estudios universitarios, pasó a engrosar las filas de la Orden de la Aurora Dorada (Golden Dawn), que a la sazón era la fraternidad esotérica –excluyendo a la masonería, lógicamente– más importante de la Inglaterra de la época.

Pronto la Golden Dawn se le quedó pequeña y su afán de experimentar y adquirir conocimientos le llevaron a que, tras abandonar la orden, fuera elegido líder del capítulo británico de la Ordo Templi Orientis, una organización esotérica mucho más enfocada hacia la magia ceremonial y sexual, algo que concordaba mejor con los intereses de Crowley, que permaneció en esta orden desde 1922 hasta su muerte en 1947. La posible dependencia de la OTO con los Illuminati ha fortalecido los argumentos de quienes quieren ver una relación entre éstos y el satanismo. Fue en la OTO donde Crowley desarrolló el grueso de su trabajo, incluyendo la creación de una nueva religión a la que denominó Thelema, revelada a través del contacto mediúmnico con una entidad a la que Crowley identificaba como el ángel Aiwass. Asimismo, fue un gran experimentador en la llamada magia sexual. Su intención era recuperar para el ocultismo importantes parcelas de la tradición pagana y oriental, en la que los rituales mágicos con elementos sexuales eran una parte fundamental. Sobre este y otros particulares Crowley escribió una abundante bibliografía que le convierte en uno de los autores más prolíficos de la historia del ocultismo.

Su importancia como ocultista es tal que, aunque él mismo jamás se consideró satanista, un gran número de satanistas posteriores asimilaron buena parte de sus aportaciones dentro de sus liturgias, teorías y prácticas mágicas. Ésta es la razón de que muchos autores que no han profundizado demasiado en el tema consideren a Crowley como el primer satanista moderno. En su carrera como ocultista pasó una breve etapa de satanismo e incluso admitió una posible identificación de alguna de las entidades con las que manifestaba estar en contacto con la figura tradicional de Satán.

Una de las mayores desgracias en la vida de Crowley fue la de atraer –de forma voluntaria, eso sí– la atención de la prensa sensacionalista, algo en lo que influyó decisivamente su propio carácter, muy alejado de la ascética discreción de otros ocultistas que supieron permanecer completamente anónimos fuera de los círculos de iniciados. Crowley fue un pionero en la experimentación con psicotrópicos, era ciertamente promiscuo, aficionado al sexo en grupo y, que se sepa, al menos una vez recurrió al sacrificio de animales en una de sus ceremonias mágicas. No obstante, el peor enemigo de Crowley fue él mismo, que, siempre sediento de publicidad, disfrutaba como un niño de la imagen de archivillano con la que se le presentaba en los medios de comunicación[1].

Anton LaVey

En el nacimiento y, sobre todo, en la difusión del satanismo dentro de la imaginería popular, tuvo especial importancia un controvertido personaje que, si bien es cierto que no gozaba del calado esotérico de Crowley, poseía el carisma y la capacidad de comunicación que éste había ambicionado toda su vida, características ambas que terminaron haciendo de él una verdadera estrella. Nos estamos refiriendo a Anton Szandor LaVey, el hombre que la noche de Walpurgis de 1966 (la misma en que en 1776 fueron fundados los Illuminati) tomó el cetro del satanismo mundial con la fundación de la que estaría llamada a ser la secta satánica más importante de la historia: la Iglesia de Satán.

1. Richard Kaczynski, *Perdurabo: The Life of Aleister Crowley*, Tempe, Arizona, New Falcon Publications, 2002.

La biografía de LaVey ya sería de por sí tema suficientemente apasionante para merecer un libro aparte. Estamos hablando de alguien que, entre otros muchos oficios, había sido domador de leones, organista y fotógrafo de la policía. En el tiempo libre que le dejaban estas peculiares ocupaciones, LaVey se entregaba a lecturas no menos inusuales –Crowley era uno de sus autores favoritos–, que le cimentaron una más que respetable cultura ocultista. A raíz de estas lecturas, LaVey inició una breve carrera como conferenciante de temáticas de ocultismo en la que cobraba a los asistentes una modesta entrada de dos dólares. El publicista Edward Webber sugiere que el propósito de LaVey con aquellas conferencias no era ni mucho menos ganar unos dólares extra los viernes por la noche, sino hacerse a la manera de Weishaupt con un primer núcleo de seguidores que serían los que trabajarían hombro con hombro con él cuando en 1966 decide fundar la Iglesia de Satán.

Con sede en Los Ángeles, esta organización se convirtió en poco tiempo en la última sensación de Hollywood, algo debido en gran parte al sentido innato del glamour y el espectáculo que tenía LaVey. De su predicamento en los círculos de Hollywood nos habla el hecho de que en 1968 se le contratara como asesor en la producción del filme *La semilla del diablo* de Roman Polanski. En 1975, actúa igualmente como asesor de la película *The Devil's ram*, en la que también obtiene un papel, cómo no, de sacerdote de una secta satánica. LaVey realizó su cometido de asesor con gran profesionalidad, ya que los cantos y símbolos que aparecen en esta película son completamente fieles a la doctrina de la Iglesia de Satán.

Los libros de LaVey, entre los que destaca *La Biblia satánica*[1] (1969), se convirtieron en best seller al poco tiempo de su publicación y en la actualidad se puede decir que son prácticamente la única lectura satanista que se puede encontrar con relativa facilidad en las librerías. LaVey murió el 29 de octubre

1. Anton Szandor LaVey, *Satanic Bible*, Nueva York, Avon, 1976.

de 1997, si bien algún seguidor falsificó el certificado de defunción para que la fecha coincidiera con el 31 de octubre, Halloween. Desde el 31 de abril de 2001, el sumo sacerdote de la Iglesia de Satán es Peter Gilmore, y Blanche Burton es la suma sacerdotisa.

Los mandamientos satánicos

Como ya hemos mencionado, en la actualidad la Iglesia de Satán es la mayor de las organizaciones satánicas que operan en el mundo. Los puntos en común que tienen las doctrinas y liturgias de este grupo, con el concepto cristiano de Satán, son más bien escasos.

La Iglesia de Satán es de esos grupos cuya imagen de Satán se refiere a un arquetipo precristiano de virilidad, fuerza y energía sexual, muy similar, por ejemplo, al que en su momento se encontraba presente en los ritos dionisíacos de la antigua Grecia. Rechazan, por tanto, toda la imaginería cristiana referente al diablo, si bien –todo hay que decirlo– LaVey empleó en su momento importantes elementos de dicha imaginería con propósitos publicitarios.

Su doctrina se podría resumir en varios puntos fundamentales. El principal de ellos es no rendir culto a ninguna deidad. Cada ser humano debe ser su propio dios y el guardián de su propia moral. En contra de lo que supone la creencia popular, los satanistas exaltan y respetan en extremo la vida. Para ellos, animales y niños constituyen la expresión más pura de la fuerza vital y, por ello, son respetados al máximo. Muchos satanistas son por esto vegetarianos y hemos conocido personalmente algún caso en el que incluso se negaban al empleo de insecticidas en sus propios hogares, prefiriendo métodos menos agresivos aunque más caros, como los generadores de ultrasonidos. Niños y animales son también la única excepción a la total libertad sexual que preconizan los satanistas. Ello radica en su exaltación de la libertad individual, ya que consideran que tanto unos como otros son incapaces de elegir tener una relación sexual consensuada y, por tanto, se estaría vulnerando gravemente su libertad, algo impensable dentro de la práctica del satanismo.

El individualismo y la creatividad son igualmente dos de los valores fundamentales de este grupo. Los llamados nueve mandamientos satánicos resumen a la perfección la filosofía que inspira a la Iglesia de Satán:

1. Satán representa la indulgencia, en lugar de la abstinencia.
2. Satán representa una existencia vital, en lugar de creación imaginaria.
3. Satán representa la inmaculada sabiduría, en lugar de una ilusa hipocresía.
4. Satán representa amabilidad para aquellos que le sirven, en lugar de amor desperdiciado en ingratos.
5. Satán representa venganza, en lugar de dar la otra mejilla.
6. Satán representa responsabilidad para el responsable.
7. Satán representa al hombre sólo como otro animal, a veces mejor, otras veces peor, que aquellos que caminan con cuatro patas, porque quien desarrolla el intelecto y el espíritu se convierte en el más vicioso animal de todos.
8. Satán representa a todos los pecados.
9. Satán ha sido el mejor amigo que la Iglesia jamás haya tenido, donde se ha mantenido en el negocio todos estos años.

Los pecados satánicos

A estos mandamientos se contraponen nueve pecados satánicos, que el propio LaVey define de la siguiente manera:

1. Estupidez: en especial la promovida por los medios de comunicación.
2. Pretenciosidad: las actitudes vacías no son propias del satanista.
3. Solipsismo: pensar que los demás son iguales que nosotros y no juzgarlos estrictamente según sus actos.
4. Autoengaño hipócrita: en especial en lo que se refiere al acatamiento de los roles sociales.
5. Conformismo gregario: el individualismo es una de las más apreciadas virtudes para un satanista.
6. Falta de perspectiva: el satanista debe ser consciente de su lugar en el mundo y del de los demás.
7. El olvido de ortodoxias pasadas: LaVey previene a sus seguidores contra aquellos que no buscan otra cosa que lavar el cerebro a sus semejantes vendiéndoles viejas doctrinas con nuevos envoltorios.
8. Orgullo contraproducente: no hay que retroceder jamás en nuestras convicciones, pero hay que reconocer los errores cuando es necesario.
9. Falta de estética: especialmente grave, ya que priva al satanista de una poderosa herramienta para conseguir sus fines.

Por otro lado, si algo caracteriza a la Iglesia de Satán es ser uno de los pocos cultos satánicos que ha hecho un intento serio de levantar una teología. Para la Iglesia de Satán son los dioses los que están al servicio de los seres humanos y no al contrario. Satán es una forma simbólica y en ningún momento se corresponde con una entidad viviente o espiritual sino, como ya hemos dicho, con una poderosa fuerza de la naturaleza. Cielo e Infierno son creaciones cristianas y, como tales, rechazadas de plano. No hay retribución ni castigo después de la muerte. La vida humana, propia y ajena, es el mayor tesoro para un satanista. El sacrificio ritual (humano o animal) quebranta los más arraigados principios del satanismo. No obstante, algunas ceremonias implican la escenificación de sacrificios simbólicos, nunca reales[1].

El trato del satanista con cada persona está condicionado al trato que reciba de ésta. En cuanto a la moral sexual, el planteamiento satánico es el más amplio posible, abogando por una completa libertad sexual en función de las necesidades de cada individuo. En cuanto a la edad de pertenencia, la Iglesia de Satán establece que todos sus miembros deben ser mayores de edad, haciéndose una única excepción en el caso de adolescentes que cuenten con la autorización escrita de sus padres, los cuales deberán estar presentes en todo momento en el desarrollo de las actividades del grupo.

Al contrario de lo que se afirma de los Illuminati, la Iglesia de Satán es una institución altamente descentralizada, como no podía ser de otro modo tratándose de una institución que antepone la libertad personal a cualquier otro valor. Se trata de guiar y apoyar la iniciativa de los miembros individuales del grupo, pero sin imponer nada a nadie. De hecho, la propia doctrina del grupo está abierta a la interpretación individual de cada miembro, siempre que se respete la esencia ideológica de esa doctrina. A los grupos locales de la Iglesia de Satán se los denomina *grottos*, un término equivalente a los *covens* de la Wicca o a los aquelarres de las brujas.

Vota a Satán

La actividad política no es algo que quede en absoluto fuera del horizonte de la Iglesia de Satán. Para los satanistas, el igualitarismo a ultranza es un mito hipócrita y socialmente pernicioso. No se trata de discriminar en función de la raza o el sexo, sino en función de la capacidad. La Iglesia de Satán está además en contra de las subvenciones gubernamentales a las instituciones

1. Anton Szandor LaVey, *Satanic Rituals*, Nueva York, Avon, 1976.

religiosas; yendo más lejos, está incluso en contra de la exención de impuestos de la que disfrutan en la gran mayoría de naciones. Según ellos, las legislaciones de esos países deberían ser profundamente revisadas para eliminar de ellas cualquier ley o artículo que sea sospechoso de estar enmascarando como «tradición» creencias de carácter religioso.

En general, la Iglesia de Satán es favorable a los adelantos tecnológicos y la aplicación a la vida cotidiana de los logros científicos como la robótica o la genética, siempre y cuando sirvan para incrementar el bienestar de las personas. Los prejuicios morales que se suelen anteponer a la hora de profundizar aún más en campos como la genética son de carácter religioso, no práctico, entendiéndose que la superstición no tiene nada que decir ni que aportar en materia científica.

Añadido a todo esto, la Iglesia de Satán publica en Estados Unidos la revista *Satanism in action*, en la que se ofrece abundante información sobre la organización y sus actividades. En esta revista suelen aparecer con cierta periodicidad «listas negras» de personajes y organizaciones acusados de mentir y hacer propaganda calumniosa contra el satanismo y sus practicantes. La mayor parte de ellos son autores conservadores y cristianos, aparte de determinadas organizaciones antisectas.

Existen otras características del satanismo que seguramente sorprenderán a quien no esté familiarizado con este tema. Para el satanista, la oración es un ejercicio inútil y alienante que distrae a la mente de actividades más productivas. Por tanto, los satanistas no rezan a Satán.

Para un satanista, la más sagrada de las fiestas será su propio cumpleaños, como exaltación de su individualidad. También existen otras celebraciones menores:

- La noche de Walpurgis (30 de abril al 1 de mayo).
- Halloween (31 de octubre al 1 de noviembre).
- Los solsticios en junio y diciembre.
- Los equinoccios en marzo y septiembre.

Diversos autores han apuntado la existencia de otros festejos satánicos. La liturgia es uno de los elementos que diferencian a los satanistas de los Illuminati. En los auténticos rituales de la Iglesia de Satán se invoca a diversas entidades, las más importantes: Satán, Lucifer, Belial y Leviatán. Estas ceremonias se realizan con el fin de festejar a una persona o al elemento de la fe satánica. Luego están los rituales mágicos, que se dividen en tres tipos:

1. Magia sexual, que incluye rituales llevados a cabo en solitario, masturbación, en pareja o en grupo.
2. Rituales que tienen como fin asegurar la sanación, beneficio o felicidad de una determinada persona.
3. Rituales de destrucción, que pretenden llevar la desgracia al individuo. Los elementos que forman parte de estos rituales han sido suficientemente popularizados por el cine y la literatura e incluyen muñecos que representan a la víctima y que son traspasados por alfileres, la descripción escrita o iconográfica del daño que se pretende atraer sobre el sujeto, etc. Es creencia de la Iglesia de Satán que el individuo sobre el que se hace este tipo de ritual debe ser merecedor de la desgracia que se pretende desencadenar sobre él. De no ser así, el ritual no tendrá ningún efecto.

Un altar humano

Durante el transcurso de estas ceremonias, los oficiantes masculinos suelen vestir túnicas de color negro, con capucha o sin ella, dependiendo de los usos del grupo concreto. Las liturgias se celebran ante un altar sobre el que se tiende una mujer desnuda. La razón de esto es simbolizar que el satanismo es una religión de la carne y la sensualidad, no del espíritu. Dicho altar es trapezoidal, de color negro y tiene unas dimensiones de un metro de alto por dos de largo. Al menos así era hace unos treinta años, ya que con el tiempo la utilización de altares vivientes en las prácticas satánicas ha entrado en desuso y sólo recurren a ella algunos grupos muy determinados.

Independientemente de si está ocupado por una bella señorita o no, a la derecha de este altar se coloca una vela blanca, que representa los poderes de la luz, la magia blanca que se lleva a cabo para ayudar o socorrer a los amigos. A la izquierda hay una vela negra simbolizando el poder de las sombras, la magia negra para perjudicar o destruir a nuestros enemigos. Durante las ceremonias es frecuente el empleo de fórmulas y conjuros en «enoquiano», un extraño lenguaje cuya fonética suena a una mezcla entre latín, hebreo y árabe.

Los elementos litúrgicos de una celebración satánica varían mucho y pueden ir desde una simple vela a complejos montajes en los que utilizan cierto número de objetos. No obstante, pasaremos a enumerar los más comunes. Una campana que se tañe nueve veces al comienzo y final del ritual. El oficiante suele girar sobre sí mismo en sentido contrario a las agujas del reloj mientras hace sonar dicha campana. También puede emplearse vino, una espada, un gong, pergamino, etc. En cualquier caso, todos estos elementos se ubican en una mesita auxiliar cerca del altar, nunca en éste.

A excepción de la Iglesia de Satán y el Templo de Set, a los que con mucha suerte podríamos sumar otra media docena de organizaciones, los grupos o sectas satánicas generalmente se han caracterizado por ser pequeños y efímeros. Un somero recorrido por Internet nos mostrará un elevado número de páginas web abandonadas que, en su momento, pertenecieron a algún grupo satánico que se extinguió a los pocos meses de su nacimiento, víctima de la apatía de sus miembros y del no cumplimiento de unas expectativas de crecimiento bastante irreales. Y es que, a pesar de las cifras alarmistas con las que nos acribillan los medios de comunicación, el porcentaje de satanistas en cualquier país occidental es muy inferior al de otras prácticas religiosas minoritarias.

Por ejemplo, se estima que en Estados Unidos existen unos

veintiocho mil satanistas, una cifra equivalente al 0,01 % de la población de aquel país, lo que extrapolado a España nos daría aproximadamente unos cuatro mil satanistas.

Existe un porcentaje de satanistas que no están adscritos a ninguna de las corrientes mayoritarias del movimiento. Internet se ha convertido en la gran fuente de la que suelen beber estos grupos, cuyas liturgias y planteamientos mezclan, en dosis diversas, satanismo propiamente dicho con brujería, ocultismo, magia ceremonial, neopaganismo e incluso ámbitos completamente míticos, como el vampirismo, elementos extraídos de la literatura, el cine o los juegos de rol. Por general, los individuos más motivados y comprometidos acaban siendo absorbidos por un grupo de mayor entidad donde poder desarrollar sus inquietudes de forma más satisfactoria, mientras que el resto acaba por desistir al poco tiempo.

Satanistas «por libre»

No obstante es fácil suponer que, aunque igualmente minoritario, el número de estos satanistas «por libre» es muy superior al de los satanistas tradicionales, ya que aquí tienen un especial peso factores tales como la moda, la rebeldía juvenil y determinados movimientos musicales (no sólo el heavy metal, sino también otros como la llamada «música gótica». Los expertos incluso hablan de un denominado «satanismo ácido», asociado a los ambientes de música tecno y drogas de diseño). Los satanistas «por libre» son los responsables de casi todos los hechos delictivos asociados al satanismo. Por lo general, se trata de actos vandálicos como las ya célebres profanaciones de cementerios o las pintadas blasfemas en lugares de culto. Existen asimismo informes que nos hablan del ocasional sacrificio ritual de pequeños animales, como aves de corral o conejos, tratándose de una práctica minoritaria en estos grupos.

Con carácter extremadamente excepcional, cuando un determinado grupúsculo entra en una dinámica especialmente violenta y decide acceder a emociones más fuertes, se han dado agresiones físicas y/o sexuales contra miembros del propio grupo o terceros que, muy puntualmente, han terminado derivando en homicidios, por lo general cuando el o los implicados padecían algún tipo de patología mental. Normalmente, la mayor parte de los autores laicos que han tratado este tema concluyen que estamos ante una forma de rebeldía juvenil más que ante una manifestación de genuino satanismo. Estos satanistas juveniles no suelen mantener contactos con los satanistas religiosos, cuya inclinación al estudio, organización jerárquica y escrupuloso respeto por la liturgia les resultan mortalmente aburridos.

Por último, existe en la literatura y en no pocos estudios sobre este tema la huella de una forma de satanismo que jamás ha existido en la vida real y no es más que una mera invención de la Iglesia, gestada a finales de la Edad Media y motivada por fines propagandísticos. Nos estamos refiriendo al comúnmente conocido como «satanismo gótico», presentado como una religión profundamente maligna y evidentemente perniciosa para la sociedad.

Esta forma de satanismo jamás existió en el pasado como un grupo, culto o secta de carácter organizado. Por supuesto, este «satanismo gótico» nada tiene que ver con la subcultura gótica, que es un movimiento musical, filosófico y cultural que en modo alguno está directamente relacionado con el satanismo, si bien es cierto que entre los seguidores de esta tendencia se puede encontrar un porcentaje de satanistas sensiblemente mayor del existente en la población general.

¿Illuminati satanistas?

Llegados a este punto y tras hacernos una idea bastante aproximada de lo que es el satanismo, cabe preguntarse si realmente se puede afirmar que los Illuminati son satanistas, algo que han afirmado autores tan importantes en este campo como Jack T. Chick, Edith Starr Miller[1], Nesta Webster[2] y William G. Carr[3]. No debemos olvidar que Adam Weishaupt fundó su orden de los Illuminati con una base ocultista[4], con símbolos y rituales que entroncaban con diversos aspectos de la tradición esotérica occidental. Incluso el día de la fundación de los Illuminati, el 1 de mayo de 1776, era precisamente el día siguiente a la festividad más importante del satanismo y la brujería, la mítica noche de Walpurgis[5].

A finales de la década de los setenta, la asociación de los Illuminati con el satanismo se vio muy reforzada gracias a los cientos de conferencias que en diversas iglesias de Estados Unidos impartió un personaje llamado John Todd, que se presentaba a sí mismo como un antiguo satanista y miembro de los Illuminati que había sido salvado de sus errores por la gracia del Espíritu Santo[6]. Según Todd, los Illuminati, para los que presuntamente trabajaba como correo, realizarían una labor de coordinación de las distintas obediencias satánicas, cuyo poder y extensión serían mucho mayores de lo que cree la opinión pública. Películas como *El exorcista* o *La semilla del diablo* apenas serían un pálido reflejo de la realidad. Para Todd, el verdadero peligro radicaría en un entramado de policías, jueces, políticos e incluso sacerdotes cuya misión sería ayudar a la implantación social de los ideales del satanismo. En su labor de emisario de

1. Edith Starr Miller, *Occult Theocrasy*, Abbeville, Francia, Imprimerie F. Paillart, 1933.
2. Nesta H. Webster, *op. cit.*
3. William Guy Carr, *Pawns in the Game*, Los Ángeles, California, St. George Press, 1962.
4. A. Ralph Epperson, *The New World Order*, Tucson, Arizona, Publius Press, 1990.
5. W. Adam Mandelbaum, *The Psychic Battlefield: A History of the Military-Occult Complex*, Nueva York, Thomas Dunne Books, 2000.
6. Hank Hanegraaff, *The Covering*, Nashville, Tennesse, W Publishing Group, 2002.

los Illuminati, afirmaba haber llevado a cabo el pago de sobornos a personajes prominentes, incluidos los del ámbito religioso. La infiltración social de los Illuminati en los más variados entornos sería un hecho.

Las alegaciones de este «arrepentido» no tenían límite. De las más sorprendentes era la que afirmaba que ciertas películas de Hollywood como *El imperio contraataca* o *Los tres días del cóndor* contenían en su metraje mensajes cifrados de los Illuminati. El testimonio de Todd influyó en muchos grupos integristas cristianos estadounidenses, en especial el llamado «La Alianza, la Espada y el Brazo del Señor»[1].

Todd no fue el único presunto Illuminati arrepentido que denunció hechos similares. Mike Warnke afirmaba haber sido uno de los sumos sacerdotes de «La hermandad», una secta satánica del sur de California. Según Warnke, tenía a su cargo más de quinientos adeptos. En su libro *El vendedor de Satán*[2] cuenta la historia de cómo el típico muchacho americano de misa todos los domingos terminó siendo habitual de todos los vicios y perversiones imaginables. El relato de su vida como satanista está repleto de episodios de lujo, sexo y misas negras con sacrificios de animales.

La historia de Svali

Entre todos estos presuntos arrepentidos cabe destacar a una mujer que bajo el seudónimo de Svali ha revelado a través de Internet las más atroces historias respecto a su supuesto período junto a los Illuminati, encontrando eco en numerosos foros y convirtiéndose en un personaje popular dentro de la red. El relato de

1. Michael Barkun, *A Culture of Conspiracy: Apocalyptic Visions in Contemporary America (Comparative Studies in Religion and Society)*, California, University of California Press, 2003.
2. Mike Warnke, *The Satan-Seller*, Plainfield, New Jersey, Logos Associates, 1978.

Svali no sólo nos habla de la práctica del satanismo a todos los niveles, sino de prácticas institucionalizadas de abuso de menores y otras sorprendentes revelaciones. Según ella, uno de los recuerdos más imborrables de su propia infancia es el de la violación de su hermana de corta edad por parte de miembros de la orden en el transcurso de una ceremonia en la que la chiquilla había sido atada desnuda y amordazada sobre un altar. Svali afirma que ella no eligió ser miembro del grupo, sino que nació en él. Sus padres, aparentemente gente devota y verdaderos pilares de la comunidad en la ciudad en la que vivían, pertenecían a la orden como lo habían sido sus padres antes que ellos y como esperaban que lo fueran sus hijos. El adoctrinamiento de los pequeños, según Svali, comenzaba a los cuatro años de edad, e incluía toda suerte de experiencias traumáticas destinadas a conformar indeleblemente la mente del sujeto para que sirviera a los intereses de la orden.

Por si cabía alguna duda, Svali asegura que sus Illuminati son los mismos que en su día liderara Adam Weishaupt, aunque con una salvedad: Weishaupt no habría fundado los Illuminati, que existirían como poco desde la Edad Media, sino que habría sido elegido por ellos para pasar a una nueva fase de existencia. Uno de los aspectos más interesantes de estos Illuminati que nos presenta Svali es su afán por dominar los medios de comunicación, a los que consideran la llave para controlar a la opinión pública. Entre los medios de comunicación, el cine es tratado de forma preferente, financiando la producción de películas que promuevan los valores iluministas.

Hay muchos otros personajes que a través de Internet han contado sus experiencias de satanismo y abuso sexual durante su vida como Illuminatus. Entre los más activos están Brice Taylor, Neil Brick, Caryn Stardancer o Annie McKenna, cuyos escalofriantes testimonios arrojan una sombra de duda aun en el lector más escéptico.

Otros, en cambio, no tienen el menor reparo en reconocer la relación entre los Illuminati y el satanismo, como en el caso de los Illuminati de Satán, una secta satánica fundada a principios de la década de los noventa cuya sede está en Allen Park, Michigan, y que publica la revista *Diabolica,* donde se afirma que «el satanismo está vivo y con buena salud en Detroit». Su líder es un personaje conocido como Azazel, que ha imbuido al grupo de un carácter muy cercano al de la Iglesia de Satán[1].

1. Toni M. Kail, *Cop's Guide to Occult Investigations: Understanding Satanism, Santeria, Wicca, and Other Alternative Religions,* Boulder, Colorado, Paladin Press, 2003.

CAPÍTULO 7

La masonería oculta

En 1801, John Robinson, un personaje de cierto renombre dentro de la masonería escocesa, escribió una obra[1] en la que avisaba a sus hermanos masones de la infiltración de los Illuminati en las logias continentales y les pedía que se mantuvieran alerta para que no sucediera lo mismo en el Reino Unido. Robinson suele contar con más crédito que el abate Barruel, ya que en lugar de atacar frontalmente a la masonería la presenta como víctima de una conspiración que la amenaza. La tesis de Robinson es bastante sencilla: los Illuminati se han infiltrado en las logias del Gran Oriente de la Masonería Egipcia y tratan de infiltrarse en otras logias, extendiéndose como una infección dentro del mundo masónico. Según Robinson, a principios del siglo XIX los Illuminati controlaban un total de ochenta y cuatro logias en Alemania, ocho en Inglaterra y algunas más en diversos países europeos, así como en Estados Unidos. Su finalidad sería la ya apuntada en varias ocasiones en este mismo libro: la abolición de todo gobierno y religión organizada y el establecimiento de un gobierno anarco-comunista a nivel planetario.

El estilo de Robinson es vehemente y apasionado, con el ardor furioso de un zelote. No era para menos. La Revolución francesa acongojaba a los conservadores de toda Europa y cada uno hacía lo que podía para atajar lo que veían como una enfermedad potencialmente contagiosa. Como veremos más ade-

1. John Robinson, *op. cit.*

lante, diversos autores aportaron teorías aún más pintorescas. No obstante, el libro de Robinson contiene párrafos memorables dignos de ser citados aparte:

> Nada resulta tan peligroso como una asociación de tipo místico. El objetivo final permanece como un secreto en manos únicamente de la dirección, el resto se limita a colocarse una argolla en sus propias narices, como los bueyes, para poder ser conducidos a placer, y todavía los que se afanan tras el secreto se sienten más complacidos cuanto menos ven.

Con este episodio comienza a circular la historia de la presunta infiltración de los Illuminati en la masonería, un relato que servirá para conformar buena parte de la leyenda negra de los masones y que será responsable en gran medida de la persecución y el rechazo que la masonería ha sufrido en diversas épocas y lugares. En 1935, por ejemplo, el historiador Bernard Faÿ, un prolífico biógrafo de Benjamin Franklin, publicó *Revolución y masonería: 1680-1800*[1], un libro en el que a través de trescientas páginas se describe cómo el doble frente Illuminati-masonería habría sido el principal patrocinador de todas y cada una de las revoluciones del siglo XVIII: «La masonería encandiló a la nobleza y la utilizó para difundir propaganda encaminada a acabar con la propia nobleza. Respaldados por la aristocracia, la masonería predicó una igualdad que sería brutalmente impuesta en la nación mediante la Revolución francesa». Faÿ mantuvo a lo largo de los años una postura visceralmente antimasónica que le valió ser director de la Biblioteca Nacional de Francia durante la ocupación alemana. Desde ese puesto se dedicó aún con más ahínco a su campaña antimasónica, contando con la ayuda adicional de tener a su disposición importantes archivos masónicos que fueron tergiversados en más de trein-

---

1. Citado en Larry E. Tise, *The American Counterrevolution: A Retreat from Liberty, 1783-1800*, Mechanisburg, PA, Stackpole Books, 1998.

ta obras y hasta una película que llevaba por título *Fuerzas ocultas*.

La consecuencia directa de los esfuerzos de Faÿ y otros personajes cercanos fue la detención e internamiento en campos de exterminio de miles de masones de toda Europa. Afortunadamente, la historia de Faÿ tuvo un final, si no feliz, sí creemos que ajustado a la magnitud de sus pecados. En 1944 Bernard Faÿ fue detenido y encarcelado bajo los cargos de colaboración con el enemigo y crímenes de guerra. En diciembre de 1946 fue condenado a cadena perpetua y trabajos forzados por su campaña de propaganda antimasónica, que llevó directamente a la cámara de gas a multitud de inocentes.

¿Qué es la masonería?

Antes de nada, y para situar las cosas en su contexto, hagamos un somero repaso de lo que es la masonería.

Sin lugar a dudas, la mayor, la más antigua y la más controvertida de las asociaciones secretas (o discretas, como ellos prefieren que se denomine) que perviven en nuestros días es la masonería. Sin embargo, es curioso que sea la protagonista principal de incontables teorías de conspiración cuando a los masones no se les permite discutir de política o religión en las logias. Buena parte de esa controversia procede del desconocimiento que existe sobre la hermandad. Por ejemplo, académicos y estudiosos no consiguen ponerse de acuerdo en aspectos tan básicos como los orígenes, los propósitos y los medios de los que se vale la masonería para dar cumplimiento a sus fines. Es muy sintomático a este respecto que, dependiendo de la fuente que se consulte, los orígenes de la hermandad se sitúen en la Edad Media, el Antiguo Egipto o la mítica Atlántida.

El profesor Ricardo de la Cierva, historiador, investigador y una de las mayores autoridades en el estudio de la masonería, da a la hermandad un origen emparentado con el gnosticismo:

La masonería tiene una tesis fundamental: su esencia sólo puede ser comprendida por un masón. Esta tesis tiene un precedente en el siglo I después de Cristo, en los gnósticos, que buscaban la gnosis, el conocimiento profundo, y que afirmaban poder alcanzarlo sólo ellos. Ya el papa León XIII, en su encíclica *In eminenti*, explicaba que «la masonería es la actualización del paganismo antiguo y el gnosticismo». El gnosticismo nació como una reacción pagana contra el cristianismo, y se ha reproducido a lo largo de la historia hasta hoy. Se puede afirmar que la masonería es una organización que tiene como fin principal acabar con el cristianismo, implantar la secularización en la sociedad, y esto se puede ver en la lectura de los rituales masónicos[1].

A esto se suma el hecho de que, en determinados momentos y lugares, la francmasonería ha sido perseguida por el poder civil y eclesiástico, por lo que en esas ocasiones debió pasar a la clandestinidad y adoptar características de sociedad secreta, no dejando, o destruyendo, documentación u otros instrumentos que sirvieran para la reconstrucción histórica de aquellos períodos.

La francmasonería universal puede ser considerada más como un ideal que como una realidad unitaria, ya que a través de la historia han existido, y actualmente existen, diversidad de organizaciones masónicas y de tendencias doctrinarias que tienen puntos en común pero también notables diferencias. La francmasonería (del francés *francmaçonnerie*) o masonería es un movimiento cuya organización de base son las logias y que cuenta con diferentes corrientes doctrinarias, con las siguientes características[2]:

– Su finalidad oficial es el perfeccionamiento del ser humano.
– La fidelidad a los principios de libertad, igualdad y fraternidad.

1. «Masonería», *Alfa y Omega*, Madrid, 26 de abril de 2001.
2. Mario M. Pérez Ruiz, *La masonería: una introducción al tema*, Barcelona, Enrique Marín, 1996.

Adam Weishaupt, fundador de los Illuminati de Baviera. Pocos personajes han tenido en la historia visiones tan ambiciosas como la suya: un mundo con un único gobierno, libre de superstición e injusticia. (Archivo del autor.)

Johann Wolfgang von Goethe fue uno de los primeros en entregarse a la causa de Weishaupt y formó parte de la plana mayor de los Illuminati de Baviera.
(Archivo Arlanza.)

Ritual francmasónico, en
el siglo XVIII, para «recibir»
a los maestros de la logia.
(Archivo Arlanza.)

Reunión de una logia masónica, a finales del siglo XVIII,
en Viena, con la iniciación de un nuevo adepto,
que aparece en el centro con los ojos vendados.
Se cree que el personaje señalado en el extremo izquierdo
es el compositor Mozart, reconocido masón.
(Archivo Arlanza.)

Cartel de la primera representación de *La flauta
mágica* en el Freihaustheater de Viena, en 1791.
Es la ópera de Mozart en la que el espíritu Illuminati
queda más patente, ya que trata sobre la búsqueda
de las tres virtudes masónicas fundamentales:
la fuerza, la belleza y la sabiduría.
(Archivo Arlanza.)

La Reina de la Noche, protagonista
de *La flauta mágica*, en la escenografía
que Joseph Quaglio realizó para el estreno
en Múnich, en julio de 1793, de la ópera.
(Archivo Arlanza.)

Opus Illuminatus

La simbología Illuminati toma elementos de las grandes tradiciones esotéricas occidentales, como la propia masonería, la alquimia, la cábala y el hermetismo. (Archivo del autor.)

La influencia masónico-iluminista en la Revolución francesa constituye un hecho histórico difícilmente rebatible. En la imagen aparece la Declaración de los Derechos del Hombre y del Ciudadano coronada por el ojo en el triángulo. (Archivo Arlanza.)

El duque de Orléans, gran maestre de la masonería francesa, fue uno de los cabecillas que impulsó el estallido de la Revolución francesa. (Corbis/Cover.)

Sello masónico del siglo XIX, con la representación de los principales
símbolos de la masonería. (AISA.)

Beethoven fue introducido en el ideario iluminista por su primer maestro de música. De hecho, su cantata para el emperador José, compuesta en 1790, fue un encargo de los mismísimos Illuminati. (Archivo Arlanza.)

George Washington con su mandil
y paleta de masón. El nacimiento
de Estados Unidos puede
ser calificado como el resultado
de la aplicación práctica
de los ideales masónicos.
(Archivo Arlanza.)

Entre los cincuenta y seis firmantes de la Declaración de Independencia de Estados Unidos, sólo uno no era masón. (Corbis/Cover.)

Si alguien duda de la influencia de los Illuminati en el nacimiento de Estados Unidos, no tiene más que observar este primer proyecto de bandera, muy poco conocido. (Archivo del autor.)

En el Gran Sello de Estados Unidos nada está colocado al azar y su simbología entronca profundamente con las tradiciones masónicas e iluministas. (Archivo del autor.)

Una de las curiosidades del Gran Sello de Estados Unidos es que contiene la palabra «masón» perfectamente dispuesta en los vértices de una estrella de David. (Archivo del autor.)

Durante la presidencia de Franklin D. Roosevelt se puso
en el billete de dólar la imagen de la pirámide y el ojo,
símbolo Illuminati por excelencia. (Archivo Arlanza.)

El búho, otro de los elementos de la iconografía Illuminati, también figura en los billetes de dólar, tan escondido que apenas resulta perceptible sin la ayuda de una lupa. (Archivo del autor.)

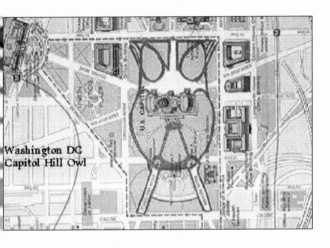

Otro lugar inesperado donde podemos encontrar la imagen del búho es en el particular diseño de los jardines que rodean el Capitolio de Washington. (Archivo del autor.)

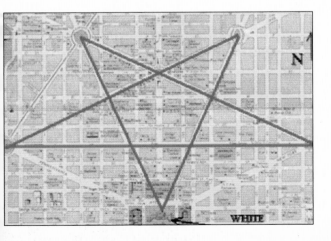

El urbanismo de Washington DC nos reserva una nueva sorpresa: frente a la Casa Blanca se dibuja un perfecto pentagrama, símbolo muy habitual en la iconografía Illuminati. (Archivo del autor.)

PROOFS
OF A
CONSPIRACY
AGAINST ALL THE
RELIGIONS AND GOVERNMENTS
OF
EUROPE,
CARRIED ON
IN THE SECRET MEETINGS
OF
FREE MASONS, ILLUMINATI,
AND
READING SOCIETIES.
COLLECTED FROM GOOD AUTHORITIES,
BY JOHN ROBISON, A. M.
PROFESSOR OF NATURAL PHILOSOPHY, AND SECRETARY TO THE
ROYAL SOCIETY OF EDINBURGH.

Nam tua res agitur paries cum proximus ardet.

THE FOURTH EDITION.
TO WHICH IS ADDED, A POSTSCRIPT.

NEW-YORK:
Printed and Sold by George Forman, No. 64, Water-Street,
between Coenties and the Old-Slip.
1798.

Autores como John Robinson y el abate Barruel son los principales difusores de la presunta conspiración Illuminati para hacerse con el poder mundial. (Archivo del autor.)

Tras la Primera Guerra Mundial, el presidente estadounidense Woodrow Wilson fomentó la creación de un poder internacional que garantizara la paz y que cristalizaría en la creación de la Sociedad de Naciones. (Archivo Arlanza.)

Primera sesión del Consejo de la Sociedad de Naciones, celebrada en París
el 16 de enero de 1920. Esta organización, ideada por Wilson, tenía dos misiones
–muy «iluministas»– que cumplir: mejorar el mundo en tiempos de paz
y evitar la guerra. (Archivo Arlanza.)

Una de las escasas imágenes que se conservan de las
ceremonias secretas que se celebran en Bohemian
Grove. Ésta procede de la reunión de 1909.
(Archivo del autor.)

La Sociedad Thule, germen esotérico del nacional socialismo alemán, ha sido relacionada con los Illuminati de Baviera, de quienes habría recibido una influencia más o menos residual en función de la bibliografía que se consulte. (Archivo del autor.)

En 1897 apareció un panfleto antisemita, titulado *Los protocolos de los sabios de Sión*, que posteriormente utilizaron los nazis para convencer al pueblo alemán de que los judíos dominaban los destinos del mundo. (Corbis/Cover.)

El magnate americano Henry Ford (sentado en uno de sus primeros prototipos, en una foto de 1946) fue el principal difusor de las teorías antisemitas de *Los protocolos* en Estados Unidos. (Corbis/Cover.)

Las SS, el cuerpo de élite de la maquinaria nazi, casi era una orden religiosa-militar basada en doctrinas ocultistas. (Archivo Arlanza.)

El famoso ocultista Aleister Crowley (1875-1947) era el líder de la Ordo Templi Orientis (OTO). Fue uno de los autores más prolíficos sobre la historia del ocultismo. (Corbis/Cover.)

Entrada a la logia Skull & Bones de la Universidad de Yale,
a la que han pertenecido y pertenecen algunos de los hombres
más poderosos e influyentes de Estados Unidos.
(Corbis/Cover.)

¿Contienen las películas de Walt
Disney símbolos ocultos
y elementos subliminales
de carácter Illuminati?
(Corbis/Cover.)

Según John Todd, ex satanista e
Illuminati, ciertas películas de
Hollywood, como *El exorcista*,
contienen mensajes cifrados de
carácter Illuminati. (AISA.)

En vida, Anton LaVey, líder de la Iglesia de Satán, fue un importante personaje público: artistas y políticos no hacían ascos a la hora de retratarse junto a él. Aquí junto a John Kerry, candidato a la presidencia de Estados Unidos en las elecciones de 2004, delante del sello de Bafomet. (Archivo del autor.)

La leyenda Illuminati ha alcanzado incluso al movimiento antiglobalización, en cuyas manifestaciones no es inusual encontrar alusiones a la presunta conspiración. (Archivo del autor.)

«Illuminati», de Steve Jackson Games, se ha convertido en uno de los juegos de mesa más innovadores y galardonados de la historia. Como vemos, la influencia de los Illuminati en la cultura popular sigue plenamente vigente. (Archivo del autor.)

El logotipo de la recién creada Information Awareness Office, encargada de fiscalizar las comunicaciones de los ciudadanos estadounidenses, no resulta demasiado tranquilizador. (Archivo del autor.)

Ni siquiera las corporaciones privadas se han visto libres del escrutinio de quienes ven por doquier la impronta de los Illuminati. Éste es el logo de la compañía cinematográfica Columbia Pictures. (Archivo del autor.)

Otro escudo que conserva ciertas reminiscencias con la simbología masónica es el de los servicios de inteligencia británicos, con su diminuto ojo en la parte superior del triángulo. (Archivo del autor.)

El escudo de la Gran Logia del Distrito de Columbia guarda cierta semejanza con el Gran Sello de Estados Unidos y en ambos el motivo del ojo cobra un especial protagonismo. (Archivo del autor.)

El búho también está presente en el logotipo del misterioso Bohemian Club, que cada año celebra una exclusiva acampada a la que acude lo más granado de la vida pública estadounidense. (Archivo del autor.)

Zbigniew Brzezinski fue el ideólogo de la Comisión Trilateral, el organismo privado que orienta la política internacional estadounidense.
(Corbis/Cover.)

El magnate David Rockefeller (arriba) y el príncipe Bernhard de Holanda (abajo) fueron los principales inspiradores del grupo de Bilderberg, que organiza reuniones anuales semisecretas de personas altamente influyentes. (Corbis/Cover.)

(Alberto Cuéllar/*El Mundo*.)

(Alberto Cuéllar/*El Mundo*.)

(Alberto Cuéllar/*El Mundo*.)

(Javi Martínez/*El Mundo*.)

(Alberto Cuéllar/*El Mundo.*)

De izquierda a derecha, Joaquín Almunia, Esperanza Aguirre, Jordi Pujol, Matías Rodríguez de Inciarte, Rodrigo Rato y Pedro Solbes. Son algunos de los españoles que han participado o participan en las reuniones del grupo de Bilderberg.

(Alberto Cuéllar/*El Mundo.*)

Donald Rumsfeld (derecha) y su ayudante Paul Wolfowitz son dos de los fundadores del PNAC, una organización cuya meta es promover el liderazgo global americano. (Corbis/Cover.)

Licio Gelli, líder de la logia P2. (Corbis/Cover.)

El reverendo Sun Myung Moon, fundador de la secta Moon y de uno de los imperios económicos privados más poderosos del planeta, celebra una ceremonia de matrimonio multitudinaria en el Madison Square Garden. (Corbis/Cover.)

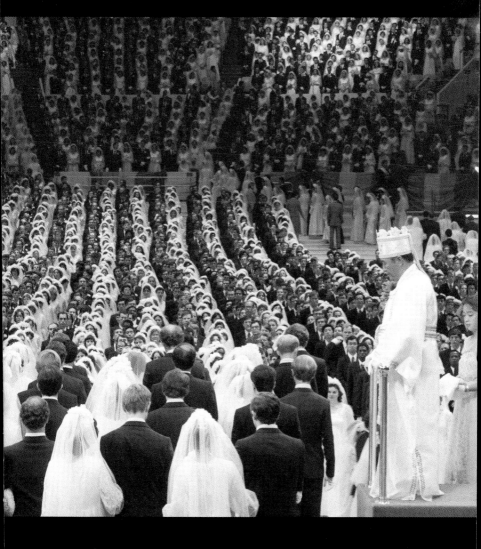

De izquierda a derecha, la secretaria de Estado Condoleezza Rice, el vicepresidente Dick Cheney, el presidente Bush y el secretario de Defensa Donald Rumsfeld, heraldos del Nuevo Orden Mundial. (Corbis/Cover.)

Los teóricos de la conspiración mundial achacan el apagón de Nueva York, que tuvo lugar el 14 de agosto de 2003, a los Illuminati, quienes lo habrían provocado para «celebrar» alguno de sus logros. (Corbis/Cover.)

- La utilización de símbolos basados en herramientas de la construcción.
- El ingreso mediante una ceremonia de iniciación.
- La organización jerárquica a través de un sistema de grados, entre los cuales están los de aprendiz, compañero y maestro, que son comunes a todos los sistemas masónicos.
- Su carácter reservado o discreto, cuando no directamente secreto.

Nacidos en sangre

En su libro *Nacidos en sangre*[1], John J. Robinson hace la sorprendente afirmación de que, en contra del criterio de los historiadores, los masones están en lo cierto cuando afirman descender directamente de los caballeros templarios. Según Robinson, los historiadores, que contemplan la filiación templaria de la masonería como una mera fantasía romántica, se han dejado llevar por sus prejuicios a la hora de pasar por alto determinadas evidencias que apuntarían en esta dirección. Es generalmente sabido y admitido que la acción papal en contra de los templarios nunca fue ejecutada en Escocia. Lo que parece ser que nadie ha hecho hasta el momento es analizar la historia de este país en busca de indicios de la transformación de los templarios escoceses en masones. Robinson sí se tomó este interés y fue recompensado con datos fascinantes que incluye en su obra.

Entre otras evidencias que presenta este autor, están las historias de misteriosos aliados que en su día auxiliaron a los patriotas escoceses en su lucha contra los ingleses, un enigma histórico que, si se considera la posibilidad de que estos aliados fueran antiguos templarios, queda completamente resuelto. Pero aún hay mucho más: viejas inscripciones en tumbas e iglesias,

1. John J. Robinson, *Born in Blood: The Lost Secrets of Freemasonry*, Nueva York, Evans & Company, 1989.

tradiciones y términos masones aparentemente crípticos pero que, contemplados a través del prisma de esta teoría, adquieren pleno sentido, etc. Todo contribuye a apoyar una historia en la que los templarios habrían sobrevivido en la clandestinidad en Escocia, adoptando diferentes formas y disfraces hasta reaparecer en el siglo XVIII como masones. El libro también establece un vínculo entre estos supervivientes de los templarios con la revolución que sacudió Inglaterra en 1381, centrándose en la especial saña que los sublevados mostraron para con los caballeros de la Orden de Malta. Según Robinson, Wat Tyler, el líder de los rebeldes, habría sido en realidad un agente de los templarios.

Más interesante para el tema que estamos tratando es la vinculación que el autor hace entre las ideas iluministas y los templarios supervivientes a través de la obra de sir Francis Bacon.

La versión más aceptada del origen de los francmasones es que éstos están emparentados con los constructores medievales de catedrales góticas. En efecto, estos constructores no sólo gozaban de unos privilegios que les permitían desplazarse entre distintas ciudades, y sobre todo disfrutar del permiso de asociación y de reunión secreta. Esto les permitió el ejercicio de las libertades de pensamiento y de expresión, bases para el desarrollo de unas concepciones que no coincidían necesariamente con las oficiales de la sociedad en que se hallaban inmersos, pero que guardaban, por seguridad, en el mayor secreto, dando origen a algunos de los avances más relevantes del pensamiento occidental. Con el declive de la construcción de las grandes catedrales y la propagación del protestantismo, los gremios de masones comenzaron a languidecer y, para sobrevivir, decidieron hacer un poco menos rígidas sus normas de admisión a la hora de recibir miembros que no pertenecieran al oficio. Con el tiempo, estos últimos se convirtieron en mayoría y los gremios perdieron su propósito original. Pasaron a ser fraternidades en las que la gente se reunía con el fin de hacer contactos de negocios y discutir las nuevas ideas que se propagaban en Europa.

La masonería moderna

El acta de nacimiento de la masonería moderna se situaría en fechas algo anteriores a la de los Illuminati, concretamente en 1717, con la unión en Londres de cuatro gremios para formar la Gran Logia Masónica, autodefinida como «liga universal de la humanidad». La nueva fraternidad pronto cruzó el canal y pasó a Francia, donde se fundó el Gran Oriente de Francia en 1736.

Algunos temas relevantes, sobre los cuales existen distintos puntos de vista (incluso entre los propios masones), son los contenidos de la filosofía o doctrina masónica, así como la historia de la masonería. Sobre estos y otros temas existen notables diferencias entre los masones porque éstos generalmente son formados dentro de una organización («Obediencia») y de una corriente doctrinaria específica («Rito») cuyos planteamientos pueden diferir marcadamente entre unos y otros. El rito es el que determina la corriente doctrinaria en que se inscriben las logias y obediencias masónicas: unos ritos se caracterizan por su religiosidad, otros tienen especial preocupación por los estudios esotéricos, otros son de carácter filosófico y otros presentan una marcada preocupación por lo social e incluso por lo político. Algunas logias, obediencias y ritos participan de más de una de las características señaladas.

Pese a estas diferencias, la masonería ha sido relacionada tradicionalmente con el pensamiento de izquierdas y suele estar en constante pugna con las religiones establecidas, en especial la Iglesia católica, que ha señalado como incompatible la pertenencia a la masonería y la condición de católico. Respecto a la relación entre masonería y pensamiento de izquierdas, Ricardo de la Cierva añade:

Yo hoy lo que veo innegable es una conexión entre la masonería y la Internacional socialista. En el libro de Jacques Mitterrand, primo hermano del ex presidente Mitterrand, masón y alto cargo del Partido Socialista de Francia, titulado *La política de los francmasones*, publicado en 1975, decía que, «así como en el siglo XVIII la

En España, la masonería se implantó con cierto retraso debido a la prohibición realizada por la Inquisición en 1738 y un edicto de Fernando VI en 1751. Sin embargo, antes de producirse la prohibición eclesiástica, el duque de Wharton, coronel inglés al servicio de la Corona española, fundó en 1728 la logia de Las Tres Flores de Lys o Matritense, la primera logia establecida fuera de las islas británicas.

Durante todo el siglo XVIII, la actividad masónica en España estuvo protagonizada por masones extranjeros desconocedores de la prohibición. La masonería se implantó en España con la invasión francesa de 1808. La supresión de la Inquisición en 1809 permitió la aparición de una serie de logias integradas por miembros del ejército francés y algunos afrancesados, que fundaron nueve logias en Madrid, Almagro y Manzanares agrupadas en la Gran Logia Nacional de España. Su relación con los invasores franceses le valió a la masonería la oposición de los sectores patrióticos, y su carácter reformista le supuso la enemistad de los tradicionalistas.

En 1812 las Cortes de Cádiz prohibieron de nuevo la masonería. Con el breve paréntesis del trienio liberal (1820-1823), fue de nuevo prohibida y perseguida hasta el triunfo de la revolución de 1868. Tras un período de relativa calma, en el que la masonería no puede terminar de sacudirse los recelos provocados por su leyenda negra, vuelve a ser declarada ilegal tras la Guerra Civil.

Fueron muchos los masones fusilados durante los primeros meses de la contienda. El general Franco sentía una especial aversión hacia esta organización (hay quien afirma que esta aversión era en realidad despecho por no haber sido admitido en ella), lo que le llevó a extremar su persecución con penas de cárcel de entre doce y veinte años para 2.300 personas por el delito de masonería, que era aplicado con carácter retroactivo. Prueba de hasta qué punto Franco se lo tomaba como un asunto personal es que escribió una serie de artículos sobre el tema para el diario *Arriba* con el seudónimo de Jakim Boor. Los noticiarios de la época llegaron incluso a difundir una supuesta entrevista entre el Caudillo y el tal señor Boor que, como era de esperar, se desarrolló en términos del máximo afecto y entendimiento.

> Tras la muerte del dictador, la mala prensa que pendía sobre la masonería hizo necesaria una sentencia del Tribunal Supremo para permitir su inscripción en el Registro Nacional de Asociaciones en 1979.

masonería equivalía a la igualdad y en el siglo XIX a la libertad, en el siglo XX la masonería equivale al socialismo de raíz marxista». Este libro desapareció de la venta a las pocas semanas[1].

Esta animadversión de las jerarquías religiosas hacia la masonería ha sido la fuente de incontables bulos que implicaban a la hermandad en la celebración de ritos paganos o satánicos. Los masones siguen sosteniendo que los únicos valores defendidos en las logias son los de tolerancia, caridad y hermandad, si bien no consiguen convencer a los más furibundos antimasones, que se siguen aferrando a la leyenda negra.

La «gran ofensa» de la masonería hacia los fundamentalismos de todas las religiones es su defensa a ultranza de la tolerancia hacia todas las religiones por igual, huyendo de cualquier dogmatismo a este respecto. Los primeros masones fueron protestantes ingleses y, por lo tanto, rechazaban el concepto de una Iglesia poseedora de dogmas de fe.

Con la Iglesia hemos topado

A pesar de esta oposición frontal entre catolicismo y masonería, el primer soberano que se unió y protegió a la fraternidad fue el emperador católico alemán Francisco I, y las primeras medidas contra la masonería fueron tomadas por gobiernos protestantes como los de Holanda en 1735 y Suecia en 1738. En Austria la masonería fue prohibida el 23 de enero de 1905, merced a una

1. «Masonería», *op. cit.*

ley que establecía que una asociación masónica, aunque establecida de acuerdo con la ley, «sería un miembro de una gran organización (internacional) [en realidad regida por los "Antiguos
Cargos", etc., según los principios generales y objetivos masóni-
cos], cuyos verdaderos reglamentos se mantendrían ocultos a las
autoridades civiles, de manera que no se puede controlar la actividad de los miembros».

La acción de la Iglesia está resumida en las declaraciones
papales en contra de la francmasonería desde 1738, entre las
cuales las más importantes son:

– Clemente XII, *In Eminenti*, 28 de abril de 1738.
– Benedicto XIV, *Providas*, 18 de mayo de 1751.
– Pío VII, *Ecclesiam*, 13 de septiembre de 1821.
– León XII, *Quo graviora*, 13 de marzo de 1825.
– Pío VIII, encíclica *Traditi*, 21 de mayo de 1829.
– Gregorio XVI, *Mirari*, 15 de agosto de 1832.
– Pío IX, encíclica *Qui pluribus*, 9 de noviembre de 1846.
– Pío IX, *Quibus quantisque malis*, 20 de abril de 1849.
– Pío IX, encíclica *Quanta cura*, 8 de diciembre de 1864.
– Pío IX, *Multiplices inter*, 25 de septiembre de 1865.
– Pío IX, *Apostolicæ Sedis*, 12 de octubre de 1869.
– Pío IX, *Etsi multa,* 21 de noviembre de 1873.
– León XIII, encíclica *Etsí nos,* 15 de febrero de 1882.
– León XIII, encíclica *Humanum genus*, 20 de abril de 1884.
– León XIII, *Ab Apostolici,* 15 de octubre de 1890.
– León XIII, *Præclara*, 20 de junio de 1894.
– León XIII, *Annum ingressi*, 18 de marzo de 1902.

La Iglesia ve a la masonería como un enemigo debido principalmente a su peculiar carácter no sectario y naturalista, en el
que perciben un menoscabo de la fe católica y cristiana, primero en sus miembros y, a través de ellos, en el resto de la sociedad, creando indiferencia religiosa e insumisión hacia la ortodoxia y la autoridad eclesiástica.

Para la Iglesia, los votos de secreto y de fidelidad a la masonería y a la obra masónica no implican ninguna obligación. Los juramentos son condenables, porque el propósito de la masonería es perverso y censurable, y el aspirante, en la mayoría de los casos, ignora la magnitud de la obligación que toma. Los verdaderos secretos de la masonería sólo pueden ser conspiraciones políticas o antirreligiosas.

La verdadera filosofía masónica, que tanto parece atemorizar a los jerarcas católicos, es el humanismo secular, una ideología basada en el racionalismo y el naturalismo. Según ella, la naturaleza está guiada por la razón. Los valores fundamentales son la libertad, igualdad y fraternidad, a través de los cuales se alcanzará el *novus ordo seculorum* (nuevo orden secular) que, por cierto, también aparece en la inscripción del emblema Illuminati que figura en el reverso de los billetes de dólar.

La masonería dentro de la masonería

Pero estos fines filantrópicos en nada impresionan a una verdadera legión de autores antimasónicos que afirman que la mayoría de los masones no tiene hoy ni la menor idea del verdadero significado de sus rituales y símbolos. No son en absoluto mala gente, sino en su gran mayoría buenos ciudadanos que ayudan a su comunidad y que están convencidos de pertenecer a una organización fundamentalmente humanitaria. A los iniciados no se les requiere que asciendan más allá del tercer grado de maestro masón. Saben que hay otros treinta grados si uno desea continuar, pero el proceso de la iniciación es aburrido y laborioso (puede necesitarse más de un año para alcanzar el tercer grado), así que los miembros, en su mayor parte, se conforman con permanecer donde están. Para la propia fraternidad es bueno que no continúen los adeptos, ya que es en los grados superiores donde se descubre la verdadera esencia de la masonería, un privilegio destinado sólo a unos pocos:

Los grados azules son solamente el umbral del pórtico del templo. Parte de los símbolos son mostrados allí al iniciado, pero éste es engañado intencionadamente y conducido a falsas interpretaciones. No se trata de que las entienda, sino de que crea que las entiende [...] la explicación verdadera está reservada para los adeptos, los príncipes de la masonería[1].

El general Albert Pike escribió estas palabras en su obra *Moral y dogma del Rito Escocés antiguo y aceptado de la francmasonería*, publicada en 1871. Cuando la publicó, Pike detentaba el título de comandante magnífico del Consejo Supremo del Rito Escocés en Washington DC. Suponemos que no era el propósito de su autor, pero este libro se ha terminado convirtiendo en una de las pruebas de cargo de los autores antimasónicos y, al mismo tiempo, es reverenciado por los grupos ocultistas de todo el mundo. Curiosamente, pocos masones lo han leído, y muchos menos lo han entendido. El libro trata de los orígenes ocultos de los símbolos, las iniciaciones y los rituales de la masonería. Es también un manual para la iniciación de los diferentes grados, que se encuentran detallados hasta el número 33.

Existe particularmente un pasaje que ha servido para emparentar a la masonería no sólo con los Illuminati, sino con algunos de los elementos luciferinos a los que hacíamos referencia en el capítulo anterior. Desde el primer grado, y en la iniciación, se incita con insistencia al masón a «¡buscar la luz!». El masón medio se define continuamente como un «buscador de la luz» y pasará su vida entera «dirigiéndose hacia la luz». Referente a esta luz que cada masón busca con impaciencia, Pike da una respuesta sorprendente: «¡Lucifer, el Portador de la Luz! ¡Nombre extraño y misterioso para bautizar a un espíritu de la oscuridad! ¡Lucifer el hijo de la mañana! ¿Es él quien lleva la luz, y con su

1. Albert Pike, *Morals and Dogma of the Ancient and Accepted Scottish Rite of Freemasonry*, Richmond, Virginia, L. H. Jenkins, 1923.

esplendor intolerable ciega a las almas sensuales, débiles o egoístas? ¡No lo dudéis!»[1].

Renacer ocultista

Según Pike, ocultar estas verdades constituye la esencia misma del misterio. Otros importantes masones lo han expuesto de forma semejante. Manly P. Hall, masón del grado 33 escribía:

> La francmasonería es una fraternidad dentro de una fraternidad [...]. Una organización externa que encubre a la fraternidad interna de los elegidos [...] es necesario establecer la existencia de estas dos órdenes interdependientes, una visible y otra invisible. La sociedad visible es una espléndida camaradería de hombres «libres y aceptados» dedicados a temas éticos, educativos, fraternales, patrióticos y humanitarios. La sociedad invisible es un secreto y la augusta de las fraternidades que dedican a miembros al servicio de un misterioso *arcannum arcandrum*[2].

En este sentido, los detractores de la masonería señalan que el renacimiento de las doctrinas ocultistas en el siglo XX se puede atribuir directamente a los masones: la Teosofía, el movimiento Nueva Era, el Satanismo, la magia cabalística, la Wicca... todos ellos parecen haber sido impulsados desde las logias y estos mismos autores no sólo se preguntan si en ello existe un propósito oculto, sino que aportan una impresionante lista de masones ocultistas:

– Arthur Edward Waite: escritor ocultista e historiador masónico.

1. *Ibid.*
2. Manly P. Hall, *Lectures on Ancient Philosophy: An Introduction to Practical Ideals*, Los Ángeles, California, Philosophical Research Society, 1984.

- El doctor Wynn Westcott: miembro de la *Societas Rosi-cruciana* y miembro fundador de la orden de la Golden Dawn (la sociedad mágica más influyente del siglo XIX y principios del XX).
- S. L. MacGregor Mathers: cofundador de la Golden Dawn.
- Aleister Crowley: cuya biografía ya hemos repasado en el capítulo 6.
- El doctor Gerard Encaussé (Papus): autor prolífico, profesor de Tarot y líder de la sociedad Martinista.
- El doctor Theodore Reuss: líder de la OTO.
- George Pickingill: principal brujo inglés del siglo XIX, líder de los «*covens* de Pickingill».
- Annie Besant: líder de la Sociedad Teosófica.
- Alicia Bailey: fundadora del Lucis Trust (antes Lucifer Trust), una de las organizaciones más señeras del movimiento Nueva Era.
- Charles W. Leadbetter: teósofo y divulgador de Krishnamurti, quien para muchos es un nuevo avatar de Cristo.
- Manly P. Hall: adepto rosacruz, autor y fundador de la Philosophical Research Society.
- Gerald B. Gardner: promotor del renacimiento moderno de la Wicca (brujería blanca de origen celta).
- Alex Sanders: autoproclamado «rey de las brujas» en Londres y uno de los líderes más influyentes de la Wicca después de Gardner.

Orden de Memphis Mizraim

A pesar de su relativa corta existencia, la Orden de Memphis Mizraim ha conseguido hacerse un hueco entre las sociedades esotéricas más importantes, y diferentes expertos la vinculan con la masonería, el iluminismo y el rosacrucismo, convirtiéndose en uno de los eslabones más sólidos que emparentarían a masones e Illuminati. El gran maestre de la orden, John Yarker (1833-

1913), afirmaba que se trataba de la más antigua de todas las logias masónicas y que guardaba antiguos secretos mágicos y esotéricos largo tiempo olvidados en otras ramas de la masonería. Según él, esta mayor profundidad esotérica quedaba de manifiesto en el gran número de grados de la orden, 97 frente a los 33 de la masonería del Rito Escocés. No obstante, el Rito de Memphis Mizraim no ha sido hasta ahora aceptado por la masonería regular.

Presuntamente, el Rito Egipcio de Mizraim nació en Milán (Italia) en 1805, de donde pasó a Francia en 1814. Años después, en 1862, apareció en Estados Unidos otro rito irregular masónico, el Rito de Memphis, al que se le otorgó por parte de sus seguidores el pomposo título de Antiguo y Primitivo Rito de la Masonería, dando lugar a la que sería conocida como Orden Oriental de Memphis. El 4 de junio de 1872, el ex masón John Yarker obtiene la patente para introducir el Rito de Memphis en el Reino Unido. Pero su tarea va mucho más allá y, por su cuenta y riesgo, se embarca en la fusión de ambos ritos para formar el Antiguo y Primitivo Rito de Memphis Mizraim.

La nueva orden paramasónica pronto va ganando adeptos y el 24 de septiembre de 1902 Theodor Reuss recibe el permiso de Yarker para introducir los 97 grados irregulares de Memphis Mizraim en Alemania. Reuss, por su parte, no se quedó atrás en lo de practicar el sincretismo masónico y, junto con Karl Kellner, refundió el rito con material esotérico de procedencia diversa (con gran influencia de los rosacruces) para dar lugar a la Ordo Templi Orientis, de la que ya hablamos en otro epígrafe.

La doble «A»

Una de las vinculaciones que se ha apuntado entre la masonería y los Illuminati se centra en una sociedad secreta a la que sólo se conoce por las siglas AA. Lo cierto es que ni tan siquiera aquellos autores e investigadores que han tratado el tema tienen demasiado claro los orígenes de este grupo, cuáles de las múltiples advocaciones presentes y pasadas de esta sociedad han sido verdaderas y cuáles meros montajes seudoesotéricos, y ni siquiera conocen el significado de estas dos letras y los dos símbolos[1] que las acompañan.

Existen decenas de rumores y leyendas sobre la AA, pero hay un período en el que su historia está aparentemente algo más documentada. A principios del siglo XX la Golden Dawn inglesa (una sociedad secreta paramasónica formada por intelectuales y artistas) tuvo en su seno una variante de este grupo. Hasta el grado 5.º, los iniciados de esta orden estaban en la Golden Dawn. Del grado 5.º al 8.º, los iniciados pasaban a la Orden Rosacruz. Y los últimos tres grados pertenecían a la Astrum Argentum (AA) o Estrella de Plata[2]. En los primeros grados, los iniciados se dedicaban al estudio de los viajes astrales, la cábala y otras disciplinas esotéricas. Los grados rosacruces (intermedios) estaban más centrados en la magia. Curiosamente, los últimos grados no existían hasta que McGregor Mathers, uno de los ideólogos de la orden, cayó en trance y contactó con los Superiores Desconocidos (la mítica Gran Logia Blanca).

Los miembros de la Golden Dawn que accedían a los últimos grados se centraban en el estudio de los estados alterados de conciencia y el desarrollo de la percepción. Esto se conseguía mediante cánticos, mantras, rituales, complicadas liturgias, drogas, joyas y símbolos como mandalas y pentagramas. Los adeptos, además, practicaban complejos ejercicios físicos y mentales. Su gran maestre era un misterioso personaje que respondía a las iniciales V.V.V.V.V. y que afirmaba que AA constituía el orden superior dentro de las fraternidades esotéricas.

Aunque existe cierto disenso sobre este tema, la mayor parte de los historiadores del ocultismo suele coincidir en que

---

1. Dos conjuntos de tres puntos formando sendos triángulos equiláteros.
2. Kenneth Grant, *Cults of the Shadow*, Nueva York, Samuel Weiser Books, 1976.

V.V.V.V.V. se corresponde con la frase latina *Vi Veri Vniversum Vivus Vici* («Por la fuerza de la verdad he conquistado el Universo»), uno de los nombres mágicos del ocultista y mago negro Aleister Crowley, del que ya hemos hablado en páginas precedentes. De hecho, se suele contar que buena parte de las enemistades que se granjeó Crowley en el mundo esotérico a lo largo de su vida proceden de esta época, ya que al parecer puso el listón excesivamente alto para los aspirantes, exigiéndoles –entre otras cosas– un dominio del yoga sólo al alcance de unos pocos. Curiosamente, el propio Crowley afirmaba que una de sus principales obras, *El libro de las mentiras*[1], contenía en uno de sus capítulos el secreto que vinculaba a masones e Illuminati, si bien siempre se negó a aclarar cuál era este capítulo. Muchos teóricos de la conspiración, en especial en Estados Unidos, identifican la AA con los Illuminati y con el satanismo. Y es posible que algo de esto sea cierto, porque justo en su época al frente de la Astrum Argentum, Crowley también se presentaba como cabeza visible de los Illuminati e incluso impulsó la publicación de una revista llamada *Equinox* que se definía como «revista de iluminismo científico». También llama la atención que su emblema favorito fuera precisamente el del ojo y el triángulo[2].

En la actualidad existen no menos de tres grupos que reclaman la legitimidad de ser la verdadera AA. Dos de ellos surgieron en los años setenta liderados respectivamente por Kenneth Grant y Michael Mota, mientras que el tercero, más reciente, tiene su sede en Internet[3] y basa su doctrina en las enseñanzas de Crowley. Por su parte, el historiador del ocultismo John Symonds sostiene que AA tendría su correspondencia con los Adeptos de Atlantis, un grupo que afirma descender ni más

1. Aleister Crowley, *op. cit.*
2. Israel Regardie, *The eye in the Triangle*, Phoenix, Arizona, New Falcon Press, 1970.
3. //ordoaa.wolfmagick.com.

ni menos que de los míticos supervivientes de la Atlántida, que tras la destrucción de su continente habrían colonizado el norte de Egipto, dando origen al hermetismo y a buena parte de la tradición esotérica de Occidente.

La Mesa Redonda

Los conspiranoicos actuales no renuncian ni mucho menos a vincular a los Illuminati con la masonería. A este respecto, últimamente suena con gran fuerza una sociedad secreta británica llamada La Mesa Redonda, creada en Londres a finales del siglo XIX por el magnate de los diamantes y masón Cecil Rhodes, el hombre que mediante dosis iguales de hábil manipulación y fuerza bruta se hizo con el control de Sudáfrica arrebatando el dominio de aquellas tierras a los nativos.

Rhodes puso a cada tribu en contra de las otras hasta que las guerras las destruyeron, permitiendo de este modo a los británicos tomar el control y a él convertirse en uno de los hombres más ricos del país. Si se medita es una situación muy parecida a la que aún hoy sigue sucediendo en diversos puntos de África. Según sus propias palabras, el propósito de Rhodes era muy similar al de los Illuminati: crear un gobierno mundial, en este caso controlado por los británicos. Se sabe que el magnate había tenido contactos con elementos masónicos cercanos al pensamiento iluminista a través de su pertenencia a una poco conocida sociedad secreta llamada Los Olímpicos.

La estructuración de La Mesa Redonda es muy similar a la de cualquier sociedad secreta. Existe un exclusivo núcleo dirigente denominado el Círculo de los Iniciados (o de los Electos) y un núcleo externo llamado la Asociación de los Ayudantes[1]. En la historia de Rhodes y su Mesa Redonda volvemos a encontrar como socios capitalistas a unos viejos conocidos de la conspira-

---

1. Jim Marrs, *op. cit.*

ción Illuminati, los Rothschild. Uno de los primeros miembros del Círculo de los Iniciados fue lord Victor Rothschild.

A su muerte en 1902, Cecil Rhodes dejó una importante partida de su testamento para fundar las Rhodes Scholarships (las becas de Rhodes) para que estudiantes extranjeros pudieran estudiar en la Universidad de Oxford –centro educativo que diversas teorías de la conspiración vinculan con los Illuminati– con todos los gastos pagados. Es casi como si estuviéramos hablando de una versión británica de los Skull & Bones. La proporción de estos estudiantes becados que regresan a sus países de origen y acceden a posiciones de poder en la política, la economía y los medios de comunicación es impresionante, comparada con la población estudiantil en general o incluso con la de aquellos que realizan estudios en prestigiosos centros extranjeros[1].

El dinero de Rhodes también sirvió para que la Mesa Redonda fuera adquiriendo un notable poder e influencia en aquellos países en los que operaba. En la actualidad, la Mesa Redonda es un verdadero laberinto de fundaciones, empresas, instituciones, bancos y establecimientos educativos cuya verdadera extensión y poder es difícil de determinar incluso para los expertos en el tema. Uno de los testimonios más valiosos de la forma de operar de esta organización lo tenemos de la mano del profesor Carroll Quigley, quien fuera mentor de Bill Clinton en la Universidad de Georgetown:

> Existe y ha existido desde hace una generación una red internacional anglófila que opera, en cierto modo, de la misma forma que la derecha radical piensa que actúan los comunistas. Yo conozco la forma de actuar de esta red porque la he estudiado durante veinte años y se me permitió, durante dos años, a principios de los sesenta, examinar sus documentos y archivos secretos. No tengo aversión hacia ellos ni hacia la mayoría de sus propósitos, habiendo estado durante gran parte de mi vida muy próximo tanto a ellos como a algunos de sus instrumentos... En general, la

1. El más famoso de estos estudiantes es Bill Clinton.

principal diferencia de opinión es que ellos desean permanecer en el anonimato, y yo creo que su papel en la historia es lo suficientemente significativo para ser dado a conocer[1].

El mismo Quigley es un personaje cuya filiación ha despertado no pocas polémicas. Mientras desde determinados sectores se le considera como un valiente denunciante de la conspiración criptoiluminista que amenaza con controlar el mundo, otros lo ven como el principal propagandista de esta misma conspiración[2], un lobo con piel de cordero que estaría presentando los planes de los Illuminati de una forma lo suficientemente descafeinada como para que resulte creíble, e incluso atractiva, para el lector.

La hermandad

Otros van mucho más allá e involucran a la masonería en conspiraciones de mayor calado, si cabe. El libro *La hermandad*[3], de Stephen Knight, añade nuevos elementos a la leyenda judeo-Illuminati-masónica que tantos réditos ha proporcionado a los conspiracionistas de todo pelaje y condición. En la primera parte del libro el autor reproduce por enésima vez los argumentos que exponen el presunto anticristianismo de la masonería, buscando una unión de todas las religiones según el modelo iluminista. No obstante, la segunda parte del libro es mucho más interesante en tanto que aporta elementos de los que nunca antes habíamos oído hablar.

1. Carroll Quigley, *Tragedy & Hope: A History of the World in Our Time*, Nueva York, MacMillan, 1966.
2. Tony Brown, *Empower the People: Overthrow the Conspiracy that Is Stealing Your Money and Freedom*, Nueva York, Perennial Currents, 1999.
3. Stephen Knigth, *The Brotherhood: The Secret World of the Freemasons*, Londres, Grenada, 1984.

Según Stephen Knight, además de los Illuminati, durante la guerra fría el servicio secreto soviético, el KGB, habría visto en la masonería el talón de Aquiles de Occidente; así que se infiltró en ella para influir en la vida política y económica de Estados Unidos y otros países. En su pugna con la Iglesia (un punto en común con los Illuminati), el KGB habría tenido un papel preponderante en la creación y desarrollo de la logia P2, que tantos quebraderos de cabeza diera a la Santa Sede. A través de la masonería y del inmenso poder que detenta en el Reino Unido, el KGB habría logrado introducirse en las más altas instancias de la administración y el gobierno británicos. Esta infiltración habría alcanzado hasta los servicios secretos (el MI5 y el MI6), convirtiendo a Gran Bretaña en el país de la OTAN que más espías infiltrados tuvo en toda la guerra fría.

No debemos olvidar que en Gran Bretaña la masonería y la monarquía son dos instituciones que tienen fortísimos lazos de unión. Tanto es así, que tradicionalmente el puesto de Gran Maestre de Inglaterra está reservado para el príncipe de Gales. La historia de Gran Bretaña, especialmente la de los últimos doscientos cincuenta años, ha estado notablemente influida por la hermandad, que se ha erigido en una suerte de «poder en la sombra» dentro de la vida pública británica. En nuestros días, la masonería, que en aquel país tiene unos trescientos cincuenta mil miembros activos, está en el punto de mira del gobierno laborista. Resuelto a quebrar el tradicional secretismo de la asociación, el primer ministro Tony Blair ha conminado a los policías y jueces masones a que revelen su afiliación. De no acceder voluntariamente, dicho gesto podría serles exigido por ley.

Blair no ha sido el primer inquilino de Downing Street en preocuparse por el exceso de poder que acumula la masonería en Gran Bretaña. De hecho, ésta era una inquietud que ya manifestó el antecesor de lord Salisbury en el cargo, Benjamin Disraeli, que era consciente de la peligrosa simbiosis entre la Corona inglesa y la masonería.

Knight también señala un hecho sabido que, visto a través

de este prisma, adquiere un nuevo significado: Scotland Yard es uno de los feudos principales de la masonería británica. Esto es algo que se sabe a ciencia cierta desde que saliera a la luz pública el llamado caso de los «seis de Birmingham». A mediados de los ochenta, seis ciudadanos de Birmingham fueron confundidos con miembros del Ejército Republicano Irlandés y condenados a duras penas de prisión. Los acusados siempre sostuvieron no sólo su inocencia, sino que habían sido sometidos a malos tratos y torturas en las dependencias policiales. En 1995, después de una revisión del juicio, resultaron exonerados de cualquier responsabilidad. Pero la investigación prosiguió y en marzo de 1997 se supo que desde el principio Scotland Yard conocía la inocencia de los acusados. Sin embargo, nadie hizo nada al respecto para descubrir el error de los funcionarios miembros de la masonería inglesa que habían realizado primero las detenciones. Sus hermanos de la orden –fiscales, jueces y abogados pertenecientes todos ellos a la misma logia– decidieron falsear las pruebas presentadas por la defensa y condenar a los acusados aun a sabiendas de su inocencia. El caso de los «seis de Birmingham» puso de manifiesto un secreto a voces desde los tiempos de Jack el Destripador: que la militancia en la masonería es una buena credencial para ascender en Scotland Yard, institución cuya cúpula, tradicionalmente, cuenta con un número de masones excepcionalmente alto.

Aferrándose a este hecho, Knight asegura que Scotland Yard actuó con premeditada negligencia a la hora de investigar el presunto suicidio en Londres de Roberto Calvi, uno de los personajes más prominentes del escándalo P2, al reconocer en el escenario de los hechos una serie de símbolos que constituirían una firma masónica del suceso: los bolsillos de Calvi estaban llenos de ladrillos y su cuerpo fue encontrado colgando de un puente, de forma que la marea, al subir, lo cubrió, una circunstancia de especial significado para aquellos que han pasado una iniciación masónica.

Incluso los más fervientes enemigos de la masonería han tenido reparos más que justificados a la hora de emplear en sus diatribas estos argumentos, en los que intuimos que hay más especulación –muy imaginativa, eso sí– que datos. Sin embargo, es cierto que recientes investigaciones sobre el sórdido asunto de la logia P2 apuntan a que el grupo jugaba a dos bandas y aceptaba por igual dinero de la CIA y del KGB, por lo que cabe la posibilidad de que después de todo Knight no anduviera tan descaminado.

CAPÍTULO 8

Comunismo iluminado

De todas las historias, rumores y leyendas que circulan sobre los Illuminati, pocas son tan sugerentes como la que los vincula con el nacimiento del comunismo. No se trata de que por enésima vez la misteriosa sociedad se vea involucrada en el origen de un movimiento revolucionario, sino que, además, los promotores de esta teoría la presentan como el ejercicio de ingeniería social más ambicioso jamás realizado, una actuación a escala planetaria cuyos frutos se estarían comenzando a ver precisamente en la época actual. Éste es un argumento empleado con notable frecuencia por la derecha estadounidense[1]; de hecho, la primera vez que se comienza a vincular públicamente a los Illuminati con el comunismo es en el seno del infame Comité de Actividades Antiamericanas del senador McCarthy[2].

A pesar de que las terribles purgas que en su día llevó a cabo Stalin tuvieron como una de sus principales víctimas a los masones rusos, no hay por menos que reconocer que en el germen que condujo al nacimiento del comunismo se encuentran implicadas algunas sociedades secretas cuyo papel ha sido considerado más o menos relevante en función del autor al que consultemos. Una de las principales fuentes se encuentra en el

1. Michael Lind, *Up From Conservatism: Why the Right is Wrong for America*, Nueva York, Free Press, 1997.
2. Leon Surette, *Pound in Purgatory: From Economic Radicalism to Anti-Semitism*, Illinois, University of Illinois Press, 2000.

carbonarismo, una sociedad secreta cuyo origen se remonta a los carboneros de los bosques del Jura. Al igual que la masonería nació de la transformación de los gremios de constructores medievales, el carbonarismo surgió de los carboneros de los bosques. Incluso hay no pocos autores que ligan directamente el origen de los carbonarios con los Illuminati[1].

Su máximo esplendor se vivió en la Italia de principios del siglo XIX. En 1820 ya había ramas del grupo operando en Polonia, Francia y Alemania. Su importancia llegó a ser tal que el mismísimo Alejandro Dumas les dedicó una novela, *Los mohicanos de París*, en la que se les presenta como siniestros conspiradores dispuestos a todo con el fin de subvertir el orden establecido. Sus normas estaban escritas en un volumen al que llamaban «la Biblia». Los carbonarios se llamaban unos a otros «buenos primos» y sus ceremonias, muy similares a las masónicas, tenían lugar en los bosques o en logias a las que llamaban «ventas», donde se iniciaba a los neófitos mediante una ceremonia que incluía el siguiente diálogo:

–¿Qué significa el azul?
–El humo del horno.
–¿Qué significa el negro?
–El carbón del hogar.
–¿Qué significa el rojo?
–El fuego del horno.
–¿Sois aprendiz de carbonero?
–Así lo creo y puedo hacer carbones con el consentimiento de mis maestros.

Ideológicamente, los carbonarios propugnaban un socialismo antiautoritario muy en la línea del iluminismo. En España hubo un pequeño brote de carbonarismo. Los carbonarios madrileños se reunían en reservados del Café de Malta, el Café de

1. Leticia Paoli, *Mafia Brotherhoods: Organized Crime, Italian Style (Studies in Crime and Public Policy)*, Nueva York, Oxford University Press, 2003.

San Sebastián y la Fontana de Oro, inmortalizada por Benito Pérez Galdós[1]. En Italia, ciertas ventas carbonarias terminaron mezclándose en clanes de carácter mafioso, especialmente en la región de Calabria.

Tesis

Nada en la visita triunfal que Mijaíl Gorbachov realizó a Estados Unidos hace dos semanas sugiere que se trate de un político que ha abandonado el poder. Los americanos [...] le recibieron con ovaciones [...]. El motivo de su visita a Estados Unidos ha sido el de recaudar fondos y hacer contactos para [...] la Fundación Gorbachov, aunque también ha servido para conocer las opiniones de un estadista cuyos pronunciamientos han tenido repercusiones en todo el mundo. La tesis que defendió deriva directamente de su propia perestroika: el mundo entero precisa de un cambio y una reorientación [...] Gorbachov se vio forzado a admitir que la teoría socialista falló y que el comunismo fracasó. Pero, para él, el futuro próximo ofrece una alternativa entre capitalismo y comunismo[2].

Aquella admisión del que fuera líder de la Unión Soviética hizo reflexionar a muchos, que sacudieron la cabeza con cierta incredulidad, sobre hasta qué punto las cosas habían cambiado en el mundo. Sin embargo, los familiarizados con la historia de los Illuminati sacudían la cabeza por otro motivo. Ellos sabían muy bien a qué se refería Gorbachov cuando proponía para un futuro próximo «una alternativa entre capitalismo y comunismo». Si nos detenemos a analizar la afirmación de Gorbachov, vemos que ésta lleva implícita la existencia de tres sistemas de gobierno: dos actualmente constituidos (capitalismo y comunismo) y uno aún por venir.

1. Ernesto Milá, *Historia mágica de las dos Españas*. En prensa.
2. «A chat with the Corbatchers», *Time*, 25 de mayo de 1992, p. 51.

Cuando fundó sus Illuminati, Weishaupt tenía como modelos a jesuitas y masones, pero no contaba con un diseño táctico para alcanzar su «nuevo orden mundial». Había muy buena voluntad, pero nada parecido a una estrategia definida para la tan ansiada erradicación de todos los gobiernos establecidos del mundo occidental. Sin embargo, en 1823, un profesor alemán de filosofía llamado Hegel aportaría sin querer esa fórmula, el diseño táctico necesario para llevar a buen puerto tan magna empresa.

La Edad de la Razón supuso una auténtica rebelión intelectual contra la autoridad de la Iglesia. Filósofos alemanes como G. W. F. Hegel, Johan Gottlieb Fichte y Immanuel Kant inspiraron a las generaciones futuras con la idea de que el ser humano no necesita encadenarse al dogma religioso y la tradición. Existían algunas diferencias de matiz entre estos revolucionarios del pensamiento, si bien el fondo de su mensaje era muy similar. Kant, que supo sintetizar las corrientes empirista y racionalista de la filosofía moderna, consideraba que todo conocimiento partía de la experiencia, mientras que Fichte y Hegel partían de una postura mucho más espiritual o idealista, considerando que la razón era «la luz del Señor» y no hacían ascos a manejar conceptos a priori tan etéreos como «intuición» o «amor».

Fichte, que influyó en el pensamiento de Hegel, era un masón con una notable afinidad con los planteamientos de los Illuminati. El propio Hegel, según diversos autores, podría haber pertenecido a los Illuminati, si bien no existen pruebas concluyentes al respecto. Fuera o no miembro de la Orden, la filosofía de Hegel era fruto del mismo clima intelectual que propició su nacimiento y posterior evolución.

El intento de Hegel por conseguir una interpretación racional de la esencia humana, el sistema hegeliano, se basaba en la reconciliación de los opuestos y en la consideración del universo como un todo sistemático. Se trata de un esfuerzo titánico que ni Hegel, ni sus discípulos hasta el día de hoy han conseguido completar satisfactoriamente. Es la riqueza y la complejidad del pensamiento de Hegel lo que ha hecho que sea interpretado de formas tan distintas como la de Hitler o la de Marx. Hegel pretendía casar al Estado y a Dios en el altar de la filosofía. Afirmaba que «lo universal se encuentra en el Estado» y que «el Estado es la divina idea tal y como existe en la tierra... Debemos por tanto adorar al Estado como una manifestación de la divinidad en la tierra».

La existencia en la sociedad de un determinado tipo de gobierno, al que llamaremos tesis, provocaría la aparición de una forma de gobierno opuesta a la de esa sociedad, que Hegel llamó antítesis. Tesis y antítesis, lógicamente, comenzarían a luchar una contra otra, pues siendo sistemas completamente opuestos, conllevarían visiones igualmente opuestas del mundo. Si tesis y antítesis luchan durante un período de tiempo lo suficientemente prolongado sin que ninguno de los bandos consiga acabar con el otro, esa batalla tendrá como resultado el que ambos bandos adopten un modo híbrido de sociedad, que Hegel llamó síntesis.

Una guerra constante, o la amenaza de ésta, era la clave. Hegel teorizó que «el conflicto conduce al cambio, y el conflicto planificado lleva al cambio planificado». Sus teorías pronto se hicieron populares en toda Europa, provocando encendidos debates en las principales universidades del continente. En la Universidad de Berlín se fundó una sociedad secreta de carácter Iluminista y hegeliano llamada el Doctor Club, a la que en 1836 se unió el joven Karl Marx para, según el propio ideario del club, denunciar los Evangelios cristianos como «fantasías humanas fruto de determinadas necesidades emocionales»[1].

1. Jim Marrs, *op. cit.*

Con el paso del tiempo, la fascinación del mundo académico por Hegel se fue templando, pero fueron muchos los que vieron en sus teorías el plan de batalla perfecto para los más variados propósitos. Vamos ahora a definir los planteamientos de Hegel en función a su proximidad a los propósitos de los Illuminati de Weishaupt. La tesis era el sistema original predominante en Europa a finales del siglo XVIII. Se trata de un sistema caracterizado por la iniciativa privada en el campo económico, la monarquía o la democracia en el terreno de la política y el pensamiento judeocristiano en lo tocante a la religión. Sin embargo, en 1776 no había ningún sistema alternativo que constituyera una antítesis adecuada para que, de la pugna de ambas, surgiera la tan ansiada síntesis. Claro que eso, en principio, no debería constituir un problema, puesto que si el sistema no surge espontáneamente, siempre se le puede ayudar.

En 1846, «flotaba en el ambiente una sensación de cambio sin precedentes, un cambio que se extendería hasta las mismas fronteras de la Iglesia y cambiaría su propia existencia en múltiples aspectos [...]. Dos años más tarde, un cuerpo selecto de iniciados secretos, llamado la Liga de los Doce Justos de los Illuminati, financió a Karl Marx para que escribiera su *Manifiesto comunista* [...]»[1].

Marx nació en 1818 en Tréveris, Alemania, hijo de Heinrich y Henrietta Marx, ambos descendientes de un antiguo linaje de rabinos. No obstante, y debido al agrio clima de antisemitismo que se respiraba en la Alemania de la época, tanto Marx como su padre fueron bautizados. Estudió Derecho en la Universidad de Bonn y pronto se implicó en la elaboración de trabajos relacionados con la realidad social, colaborando en el *Rheinische Zeitung*, publicación de la que pronto llegó a ser

1. Piers Compton, *op. cit.*

redactor jefe. Fundó también el *Deutsch-französische Jahrbücher*, revista franco-alemana de la que fue director, de corta vida. En 1842 Karl Marx comenzó a escribir propaganda revolucionaria para la Liga de los Justos, con el objetivo de causar un espíritu de malestar. En 1843 Marx se casa y se muda a París, que en aquellos días es un hervidero de agitación política. En 1844, en colaboración con Friedrich Engels, y bajo la supervisión de la Liga, Marx comenzó a escribir el *Manifest der Kommunistichen Partei* conocido comúnmente como *Manifiesto comunista*, que apareció a principios de 1848[1]. Más adelante, la Liga de los Justos cambió su nombre por el de Liga de los Comunistas.

La antítesis quedó formalmente establecida cuando Karl Marx publicó su *Manifiesto comunista* en 1848. En él se recogen los diez puntos necesarios para la creación de un Estado comunista:

– Abolición de la propiedad privada.
– Un impuesto sobre los ingresos de carácter progresivo o graduado.
– Abolición de todas las herencias.
– Confiscación de todas las propiedades de disidentes y emigrantes.
– Creación de un banco central monopolístico de capital estatal que controle el crédito.
– Centralización de todas las comunicaciones y el transporte.
– Control estatal de los medios de producción.
– Titularidad estatal de todo el capital.
– Intercalar industria y agricultura y distribuir gradualmente la población para ir desdibujando la distinción entre entornos urbano y rural.
– Educación pública gratuita para todos los niños.

1. Gary Allen, *Nadie se atreve a llamarlo conspiración: el gobierno mundial al descubierto*, Barcelona, Asociación Cultural Editorial Ogeda, 2003.

La anterior lista parece calcada de otra similar elaborada en su día por los iluminados de Baviera para indicar los elementos que deberían conformar su sociedad ideal.

En 1848 Marx se traslada a Colonia, donde organiza un nuevo diario: *Neue Rheinische Zeitung*. Su nueva publicación alcanza un éxito inmediato en el contexto de una época de fuerte sentimiento social y compromiso revolucionario. En consecuencia, es prohibido por el gobierno renano. Marx consigue eludir la prisión y decide establecerse en Londres. Es entonces cuando se dedica a la escritura de una de sus obras fundamentales, *El capital*, que elabora en las salas de lectura del Museo Británico. Mientras él trabajaba, la Liga Comunista se enzarza en una larga serie de disputas internas que van dejando a Marx progresivamente aislado, hasta que regresa a la escena con motivo de la Primera Internacional.

Pero al margen de la indudable importancia de Marx en la historia del pensamiento, todavía hay muchos que se empeñan en ver en su obra el reflejo de la masonería. El autor cristiano Gary Kah afirma haber descubierto ese secreto en el transcurso de una investigación sobre libros y manuscritos masónicos de carácter oculto[1], que le llevó a establecer una ligazón histórica entre el movimiento Nueva Era, la masonería, los Illuminati, los rosacruces, los caballeros templarios, el gnosticismo, la cábala y, por encima de todos ellos, las antiguas religiones de Egipto y Babilonia. En el complejo entramado de relaciones que propone, el marxismo nacería directamente en el seno de la masonería iluminista. Los Illuminati habrían creado el comunismo como un opuesto directo a la tesis, para que la teoría de Hegel se pudiera cumplir. El comunismo propone una economía en la que el Estado sea el único propietario de los medios de producción y el

---

1. Gary Kah, *En route to global occupation*, Lafayette, Huntington House Publishers, 1992.

ANARQUISTAS ILUMINADOS

Parece ser que los principales teóricos del anarquismo como Mijaíl Bakunin (1814-1876) y Pietr Alexievich Kropotkin (1842-1921) no fueron en absoluto inmunes al hechizo iluminista. Las ideas de Bakunin en nada habrían desagradado al mismísimo Adam Weishaupt. Defendió la abolición de toda autoridad, del Estado y de la propiedad privada.

Aunque pudiera parecer que los anarquistas eran refractarios a cualquier temática espiritual, no es así; de hecho muchos de ellos expresaban abiertamente su simpatía hacia la figura del Ángel Caído, el Dios de la Luz de los Illuminati. Así, en *Dios y el Estado*, Bakunin escribe: «Yahvé había prohibido expresamente que tocaran los frutos del árbol de la ciencia. Quería que en el hombre, privado de toda conciencia de sí mismo, permaneciese un eterno animal, siempre de cuatro patas ante el Dios eterno, su creador, su amo. Pero he aquí que llega Satanás, el eterno rebelde, el primer librepensador y el emancipador de los mundos. Avergüenza al hombre, de su ignorancia, de su obediencia animal; lo emancipa e imprime sobre su frente el sello de la libertad y de la humanidad, impulsándolo a desobedecer y a comer del fruto de la ciencia».

Max Nettlau, el principal historiador del anarquismo, en su obra *La anarquía a través de los tiempos* recoge también estas simpatías de los anarquistas: «Los pensadores anarquistas integrales de esos antiguos tiempos, si los hubo, son desconocidos, pero es característico que todas las mitologías han conservado la memoria de rebeliones, e incluso de luchas nunca terminadas, de una raza de rebeldes contra los dioses más poderosos. Son los Titanes que dan el asalto al Olimpo. Prometeo desafiando a Zeus, las fuerzas sombrías que en la mitología nórdica provocan "el crepúsculo de los dioses", es el Diablo que en la mitología cristiana no cede nunca y lucha a toda hora y en cada individuo contra el buen Dios, es ese Lucifer rebelde que Bakunin respetaba tanto, y muchos otros. Si los sacerdotes, que manipulaban esos relatos tendenciosos en el interés conservador, no han eliminado esos atentados peligrosos a la omnipotencia de sus dioses, es que las tradiciones que tenían por base han debido estar tan arraigadas en el alma popular que no se han atrevido a ello y sólo se contentaron con desnaturalizar los hechos, insultando a los rebeldes, o bien han imaginado más tarde interpretaciones fantásticas para intimidar a los creyentes, sobre todo la mitología cristiana con su pecado original, la caída del hombre, su redención y el juicio final, esa consagración y apología de la esclavitud de los hombres».

único con capacidad de decidir lo que será producido; propone el ateísmo como religión y la dictadura del proletariado en el terreno político. Es la oposición más perfecta imaginable a todo cuanto imperaba hasta entonces.

Que los comunistas celebren el 1 de mayo como el día del nacimiento de su movimiento revolucionario es para muchos una prueba de su vinculación con los Illuminati. Pero en la iconografía comunista existen otros elementos que llaman la atención de los más suspicaces, como el hecho de que utilicen como insignia el pentagrama (la estrella de cinco puntas), un símbolo esotérico asociado con el luciferismo. Tampoco sería casualidad que los comunistas se llamen a sí mismos «rojos» y empleen este color como símbolo. Esto provendría de los Rothschild, grandes protectores de los primeros comunistas, cuyo apellido, traducido literalmente, quiere decir «escudo rojo».

Tan pronto como Karl Marx y Friedrich Engels publicaron el *Manifiesto comunista,* los Illuminati, sus aliados y sus peones se habrían dispuesto a establecer un escenario en el que tesis y antítesis pudieran escenificar su enfrentamiento. El principal requisito para que el plan fuera efectivo era que una gran nación abandonase su sistema tradicional de gobierno para abrazar el de la antítesis. Dado que Estados Unidos se perfilaba como el líder indiscutible del sistema de tesis, resultaba imprescindible que la antítesis estuviera radicada en un país de características similares, con un gran territorio y recursos naturales y humanos prácticamente inagotables. La nación perfecta para cumplir ese papel era Rusia.

En este sentido, existe una correspondencia muy especial que se conserva en la biblioteca del Museo Británico en Londres: se trata de las cartas cruzadas en el siglo XIX entre Albert Pike y Giuseppe Mazzini, dos cualificados miembros de la cúpula masónica y presuntos Illuminati. En una carta dirigida a Mazzini con fecha del 15 de agosto de 1871, Pike le comunica que debía generarse una guerra mundial para permitir a los iluminados derrocar el poder de los zares en Rusia y transformar este país en la fortaleza del comunismo. Las divergencias provocadas por los agentes de los iluminados entre los imperios británico y alemán, así como la lucha entre el pangermanismo y el paneslavismo, se debían aprovechar para fomentar esta guerra. Una vez concluida, se debía edificar el comunismo y utilizarlo para destruir otros gobiernos y debilitar a las religiones.

A finales del siglo XIX el movimiento revolucionario agregó a su nómina, cada vez más abultada de miembros, a Vladímir Ilich Ulianov, que cambió su nombre a Nicholai Lenin. Él sería quien, al mando de los bolcheviques, organizados de forma muy similar a la de los clubes jacobinos de la Revolución francesa[1], causaría el derrocamiento del zar en Rusia y la Revolución de 1917. Banqueros europeos y americanos financiaron a estos comunistas.

Personajes de la talla política de Winston Churchill han creído firmemente en esta relación de los Illuminati con los comunistas, como lo atestigua un artículo que escribiera el 8 de febrero de 1920 en el *Illustrated Sunday Herald*:

> Desde los días de Espartacus (Adam Weishaupt) a Karl Marx, a los de Trotsky, Bela-Kuhn, Rosa Luxemburgo, y Emma Goldman, esta conspiración mundial ha estado creciendo de forma

---

1. Cleon Skousen, *The Naked Communist*, Nueva York, Buccaneer Books Inc., 1994.

constante. Ha desempeñado un papel completamente identificable en la tragedia que supuso la Revolución francesa. Ha sido la fuente de la que han bebido todos y cada uno de los movimientos subversivos del siglo XIX; y ahora, por último, esta pandilla de las más extraordinarias personalidades de los bajos fondos de las grandes ciudades de Europa y América ha agarrado al pueblo ruso por el pelo, y han llegado a ser prácticamente los amos indiscutibles de ese enorme imperio[1].

Y es que existen múltiples indicios que ligan la Revolución rusa con conspiraciones que se remontan mucho más allá de la Primera Guerra Mundial: «Uno de los mayores mitos de la historia contemporánea es que la Revolución bolchevique en Rusia fue un levantamiento popular de las masas empobrecidas contra la odiada clase dirigente de los zares»[2]. Desde luego, fue el pueblo quien puso la justa ira que consiguió deponer al gobierno zarista. Pero hace falta más que ira para poner en marcha una revolución. Hace falta dinero: un dinero que fluyó hacia Rusia desde los despachos de grandes financieros alemanes, británicos y estadounidenses, que sufragaron la difusión de una ideología que teóricamente era contraria a sus intereses.

En enero de 1917 León Trotsky vivía en Nueva York escribiendo como reportero para el diario *The New World,* de ideología comunista. Trotsky, cuyo verdadero nombre era Liev Davidovich Bronstein, estaba siendo investigado por agentes británicos que sospechaban de él como posible espía alemán desde su estancia en Viena antes de la guerra. Estados Unidos era la última parada de un largo periplo que comenzó cuando tuvo que huir de su Rusia natal, al estar involucrado en una primera intentona revolucionaria.

1. D. Griffin, *Fourth Reich of the Rich: Revised from the Missing Dimension in World Affairs, First Printing 1976,* Oregón, Emissary Publications, 1978.
2. G. Edward Griffin, *The Creature from Jekyll Island,* Westlake Village, American Media, 1994.

Su primer refugio fue Francia, donde el gobierno, molesto por su actitud subversiva, le había invitado a abandonar el país. Pero fue en Estados Unidos donde descubrió algo que no pudo menos que sorprender al revolucionario. Importantes financieros de Wall Street, la sede mundial del capitalismo, estaban interesados en financiar una revolución en Rusia. Se trataba de banqueros de la talla de Jacob Schiff, cercano a la familia Rothschild, Eliu Root, abogado de Paul Warburg, o lord Alfred Milner, uno de los fundadores de La Mesa Redonda. Cada uno de ellos habría donado no menos de veinte millones de dólares, según una investigación llevada a cabo por el Congreso estadounidense en 1919.

En 1915 se creó la American International Corporation, una organización de la que se sospecha que su principal propósito era financiar una revolución en Rusia. Su consejo de administración contaba con representantes de los más importantes clanes financieros estadounidenses: los Rockefeller, los Rothschild, los Du Pont, los Kuhn, los Loeb, los Arriman... y como artista invitado George Herbert Walter, el bisabuelo del presidente Bush. Desde luego, en aquella época la flor y nata del capitalismo no parecía demasiado asustada ante la expansión del comunismo internacional, tal vez porque a través de esos millones de dólares esperaban controlar el movimiento revolucionario. Ésta es la única explicación más o menos razonable para un comportamiento tan extraño.

De ser así no les podría haber salido peor la jugada. El triunfo de los revolucionarios en Rusia en 1918 y en China en 1949 propagó entre las masas trabajadoras de todo el planeta el grito de «¡trabajadores del mundo, uníos!», llevando al corazón del capital, la banca, la industria y el comercio un oscuro temor hasta aquel día desconocido, y que marcaría indeleblemente la historia del siglo XX.

El 27 de marzo de 1917 –apenas unos días antes de la entrada de Estados Unidos en la Primera Guerra Mundial– León Trotsky dejaba el país a bordo de un barco. No iba solo. Le acompañaban más de tres mil revolucionarios financiados por los banqueros de Wall Street. En un discurso pronunciado poco antes de dejar Nueva York, Trotsky sentenció: «Regreso a Rusia para derrocar al gobierno provisional y detener la guerra con Alemania».

Incidente diplomático

Cuando el barco que transportaba a los revolucionarios hizo una escala en Halifax, Nueva Escocia, el gobierno canadiense, temeroso de que Trotsky tuviera éxito en su empeño y la retirada rusa de la guerra permitiera a los alemanes emplear todos sus recursos contra el resto de sus enemigos, decidió inmovilizar el buque.

Sin embargo, el coronel House, uno de los consejeros más cercanos al presidente estadounidense Wilson, intervino ante sir William Wiseman, jefe del servicio secreto británico, para que se permitiera zarpar al barco. De esta forma comenzó un tira y afloja diplomático en el que los estadounidenses, incomprensiblemente, se colocaban de parte de los revolucionarios. El 21 de abril de 1917, apenas un mes después de la entrada de Estados Unidos en la guerra, el almirantazgo británico ordenaba la puesta en libertad de Trotsky y su tripulación. El propio presidente Wilson había otorgado de forma excepcional un pasaporte estadounidense al revolucionario, quien de esta forma pudo proseguir su viaje hacia Rusia.

Tras una intentona revolucionaria en 1905, muchos disidentes rusos como el propio Trotsky se habían visto obligados a exiliarse en diferentes países extranjeros. Uno de ellos era Vladímir Ilich Lenin, un intelectual revolucionario que había adaptado elementos tomados del pensamiento de Hegel, Fichte, Ruskin y Marx a la realidad soviética. En 1917, tras años de sucesivos intentos reformistas, el zar fue obligado a abdicar como consecuencia de unos graves incidentes ocurridos en San

Petersburgo que, según algunos, habían sido incitados por agentes británicos. En febrero de 1917 empiezan las huelgas y manifestaciones, que son reprimidas con violencia, si bien surge un importante problema: el ejército se niega a disparar; es más, se une a los manifestantes, confraternizando con ellos en los soviets de obreros y soldados.

Del mismo modo que Trotsky parte desde Estados Unidos financiado por los banqueros de Wall Street y con un pasaporte norteamericano en el bolsillo, Lenin también abandona su exilio. Lenin, líder indiscutible de los bolcheviques, escribió desde Zúrich las llamadas *Cartas desde lejos*, en las que invitaba a la dirección bolchevique a constituir una milicia obrera y preparar de inmediato la revolución proletaria. Al ver que no le hacían caso, lo único que le quedaba era regresar rápidamente a Rusia. Como los aliados le negaban los visados, tuvo que llegar por territorio alemán. Lenin y sus acompañantes, ciento cincuenta revolucionarios curtidos en la intentona de 1905, viajarían en un tren sellado en el que llevaban más de cinco millones de dólares para financiar su revolución. Los alemanes pensaban que Lenin se convertiría en un factor más de desorganización que facilitaría su victoria militar. La derecha rusa utilizaría esto contra Lenin y los bolcheviques, acusándolos de espías alemanes.

En mayo, recién llegado Trotsky a su destino, se funda el Partido Comunista, con el propio Trotsky y Lenin como dirigentes. Como el 25 de octubre se reunía el Congreso de los Sóviets, la insurrección se fijó para la noche del 24. Esa noche se detuvo a toda la oficialidad que no reconociera la autoridad del Comité Militar Revolucionario, se ocuparon las imprentas, los puentes, los edificios oficiales, se establecieron controles en las principales avenidas y se apoderaron del teléfono y del telégrafo. Petrogrado estaba en manos de los soldados y obreros revolucionarios al mando del soviet. Todo ocurrió en trece horas. A las 10 de la mañana del 25 de octubre todo había terminado.

Sólo quedaba en poder del gobierno su propia sede, el Palacio de Invierno, que estaba sitiado desde hacía días. Los *junkers*, cadetes militares que defendían el recinto, resistían tenazmente los bombardeos. Al final, el Palacio se rindió en la madrugada del 26 de octubre, tras un asalto conjunto de marinos, soldados y obreros. El gobierno provisional, que se había reunido para organizar la resistencia en la capital, fue detenido. Lenin fue declarado presidente y Trotsky ministro de Asuntos Exteriores.

Poco tiempo después de la firma de la paz, comienza la guerra civil de «rojos» contra «blancos», con el levantamiento de la Legión Checoslovaca: unos cincuenta mil hombres con mandos franceses. En poco tiempo llegan al Volga. Ante el éxito de la operación, los aliados deciden intervenir, con el objetivo de ahogar la revolución y restaurar el régimen.

En el norte desembarca un destacamento anglo-francés con unos cuarenta mil hombres; en Vladivostok, cien mil japoneses; en el sur, el general zarista Denikin organiza un ejército de voluntarios con material y suministros británicos, la guardia blanca; los franceses se apoderan de Odessa, Ucrania y Crimea; los ingleses se hacen con los pozos petrolíferos del Cáucaso y el Don. Entran en la batalla tropas norteamericanas, polacas, alemanas y serbias.

La situación es desesperada. Los bolcheviques organizan el ejército rojo al mando de Trotsky, que resiste durante los treinta meses que dura la contienda. Finalmente, la oleada revolucionaria que agita Europa y los éxitos militares de los rojos hacen que se firme un nuevo armisticio.

Pero la paz aún tardaría en llegar. Tras el armisticio, la ciudad de Petrogrado fue escenario de graves convulsiones sociales, que comenzaron en los círculos obreros de esa localidad, extendiéndose muy pronto a los marineros de la flota del Báltico, que fueron en su día punta de lanza durante el levantamiento soviético. El 28 de febrero de 1921, la tripulación del acorazado *Petropavlosk* emitió una resolución en la que se formulaban las reivindicaciones de la tropa naval, resolución que sería aprobada al día siguiente en el curso de una asamblea de toda la guarnición de Cronstadt[1].

Los principales puntos del programa aprobado eran la reelección de los sóviets, la libertad de palabra y de prensa para los obreros, la libertad de reunión, el derecho a fundar sindicatos, y el derecho de los campesinos a trabajar la tierra del modo que ellos deseasen. Reivindicaciones, todas ellas, fieles al más puro ideario soviético. Los marineros de Cronstadt no se sublevaban contra la causa revolucionaria, sino contra el régimen totalitario del Partido Comunista. De hecho, uno de los párrafos de la resolución, cuyo elocuente título era *Por qué luchamos*, decía lo siguiente:

> Al efectuar la Revolución de Octubre la clase obrera esperaba obtener su libertad. Pero el resultado ha sido un avasallamiento mayor de la persona humana... Cada vez ha ido resultando más claro, y ello es hoy una evidencia, que el Partido Comunista ruso no es el defensor de los trabajadores que dice ser, que los intereses de éstos le son ajenos y que, una vez llegados al poder, no piensan más que en conservarlo.

Dólares y represión

El 2 de marzo, Lenin y Trotsky denunciaban el movimiento de Cronstadt y lo calificaban de «conspiración blanca», para acto seguido ordenar la provisión de una fuerza de cincuenta mil hombres que, al mando de Tukhatcchevski, salió para aplastar la revuelta. En la noche del 17 al 18 de marzo, tras

1. «The Kronstadt Rising», de George Katkov, aparecido en el número 6 de los *St. Anthony's Papers, Soviet Affairs,* es con toda seguridad el mayor estudio sobre este tema.

encarnizados combates, la expedición punitiva penetró en la ciudadela rebelde defendida por cinco mil marinos y aplastó la insurrección. De entre los supervivientes, una parte fueron fusilados y el resto trasladados a los campos de concentración de Arkanguélsk y Kholmogory. La revuelta de Cronstadt, había declarado Lenin durante el X Congreso del PCUS celebrado en marzo de 1921, «es más peligrosa para nosotros que Denikin, Yudenitch y Koltchak [jefes de la contrarrevolución] juntos».

Las voces disidentes fueron prontamente silenciadas y la represión y el gulag se convirtieron en instituciones consustanciales al Estado bolchevique. Así, en 1925, la cifra oficial de fusilados por el régimen marxista se elevaba a 1.722.747, de los cuales un 75 % eran obreros, campesinos y soldados. Esa cifra no recogía las ejecuciones sumarias ni las muertes ocurridas en las prisiones, y mucho menos aún las masacres colectivas. Según otro recuento –igualmente oficial– elaborado por el propio régimen leninista, en 1922 había 825.000 personas internadas en los campos de concentración de Kholmo, Kem, Naryn, Mourmane, Tobolsk, Portaminsk y Solovski. Al final de la época estalinista, el balance total de víctimas, incluidas las ocasionadas por las hambrunas provocadas artificialmente, arrojaba una cifra que oscila, dependiendo de las estimaciones, entre los 35 y los 55 millones de muertos.

A pesar de todas estas dificultades, el gobierno revolucionario terminó floreciendo en gran medida gracias a una inagotable ayuda exterior que fluía hacia Rusia. Una de las mejores fuentes de información sobre el origen de la financiación de los bolcheviques es el libro *Zarismo y revolución*[1], escrito por el general Arséne de Goulevitch, uno de los líderes de los rusos blancos más importantes y fundador en París de la Unión de Pueblos Oprimidos. Goulevitch, aunque cierta-

1. Arséne de Goulevitch, *Tsarisme et révolution (du passé à l'avenir de la Russie)*, París, A. Rediré, 1931.

mente no es imparcial, sí nos ofrece información de primera mano sobre lo sucedido en aquellos días. En su obra hace notar lo siguiente:

> Los principales proveedores de fondos para la revolución, sin embargo, no fueron ni los millonarios rusos ni los bandidos armados de Lenin. El verdadero dinero procedía de ciertos círculos británicos y americanos que desde hacía mucho tiempo venían prestando su apoyo económico a la causa de la Revolución rusa.
>
> El papel más importante en los acontecimientos que habrían de suceder en Rusia fue desempeñado por el riquísimo banquero norteamericano Jacob Schiff, algo que hasta ahora sólo había sido parcialmente revelado pero que ya no es ningún secreto.

Y cita más tarde al general Aleksandr Nechvolodov:

> En abril de 1917, Jacob Schiff declaró públicamente que la Revolución rusa había triunfado gracias a su apoyo económico. En la primavera del mismo año, Schiff comenzó a patrocinar a Trotsky... Simultáneamente, Trotsky y compañía estaban siendo financiados por Max Warburg y Olaf Aschberg, del banco Nye de Estocolmo.

Una inversión muy rentable

Schiff gastó millones en derrocar al zar y más millones aún en acabar con el gobierno provisional de Kerensky. Mandó sumas ingentes de dinero a los bolcheviques, pese a conocer a la perfección su carácter virulentamente anticapitalista, aunque parece ser que todo este dinero constituyó más una inversión que una donación desinteresada. Según Goulevitch:

El señor Bakhmetiev, el último embajador de la Rusia imperial en Estados Unidos, nos contó que los bolcheviques, después de la victoria, transfirieron, entre los años 1918 y 1922, 600 millones de rublos en oro a Kunh, Loeb & Company, la empresa de Schiff.

El propio Schiff siempre negó públicamente su participación en la Revolución bolchevique, si bien ésta era sobradamente conocida por los servicios de inteligencia de la época. Éste fue uno de los argumentos que hizo que el bolchevismo fuera considerado como una conspiración judía, algo que tuvo como efecto colateral que el tema de la financiación de la Revolución rusa se convirtiera en tabú si uno no quería ser acusado de antisemitismo. Pruebas posteriores han demostrado que los fondos de los bolcheviques procedían de un grupo de financieros que, aparte del propio Schiff, incluía a Morgan y Rockefeller. Existen documentos que demuestran que la banca Morgan puso como poco un millón de dólares en las arcas de los revolucionarios.

Por su parte, el clan Rockefeller se embarcó en una ambiciosa campaña de relaciones públicas para conseguir mejorar la deteriorada imagen de los revolucionarios ante la opinión pública. Para ello, contaron con uno de sus agentes más eficaces, Ivy Lee, considerado el padre de las relaciones públicas modernas, quien puso en juego todo su talento para presentar a los comunistas como un grupo de idealistas incomprendidos que luchaban valientemente contra la injusticia y en beneficio de toda la humanidad.

Al igual que Schiff, Rockefeller obtuvo enormes beneficios de su ayuda a los soviéticos, entre los que destaca la concesión a la Standard Oil del 50 % de los yacimientos petrolíferos del Cáucaso. En 1944, desde la propia Unión Soviética se reconocía que más de dos tercios de las infraestructuras industriales soviéticas habían sido construidas gracias al capital estadounidense.

Este ingente flujo de ayuda jamás se detuvo, y en los momentos de mayor tensión entre la Unión Soviética y Estados Unidos se llegaron a utilizar complejos sistemas de ingeniería financiera para que el capital norteamericano continuara fluyendo hacia Rusia legalmente y sin levantar sospechas. Incluso en los peores momentos de la guerra fría, los norteamericanos vendieron productos agrícolas a precios irrisorios a la Unión Soviética, en los años en que las cosechas en este país eran especialmente malas.

Una guerra no tan fría

En 1967, con la guerra fría en su punto más álgido, las empresas International Basic Economy Corporation y Tower International Inc., ambas pertenecientes a la esfera de influencia de los Rockefeller, comenzaron a operar en la Unión Soviética. Tal vez ello explique por qué David Rockefeller, el magnate capitalista por excelencia, pasó unas vacaciones en la Unión Soviética en 1964 y cómo es posible que el 6 de enero de 1968 la Agencia Reuters informase de que Nelson Rockefeller era el candidato preferido por el gobierno soviético para la nominación como candidato presidencial del Partido Republicano[1]. Se ha afirmado que los Rockefeller llegaron a influir directamente en la política exterior estadounidense hacia la Unión Soviética, a través de su pupilo Henry Kissinger, en especial en la época en que éste fue secretario de Estado.

En aquellos días, la política de Estados Unidos hacia los países comunistas dio un giro inesperado. China y la Unión Soviética recibieron créditos por valor de miles de millones de dólares. La tecnología norteamericana comenzó a estar disponible para los soviéticos, y los diplomáticos y empresarios estadouni-

1. Frank Capell, «Henry Kissinger: Soviet Agent», *Criminal Politics Magazine*, New Jersey, 1992.

denses comenzaron a firmar contratos y acuerdos, muchos de ellos secretos, para la construcción de factorías y el suministro de maquinaria, equipos, ingenieros y técnicos, no sólo a China y la Unión Soviética, sino también a otros países del bloque comunista.

Mientras todo esto sucedía, nadie pensó que el avieso Iosif Stalin llegaría a la cúspide del poder supremo. Un campesino pobre de la Georgia soviética, el único de cuatro hijos que sobrevivió a la infancia, era un soñador solitario. Nacido como Iosif Visarionovich Dzhugashvili, cambió su nombre a Stalin, «hombre de acero», durante sus días de juventud como revolucionario comunista. Cuando Lenin se hizo el primer mandatario de la Rusia comunista, Stalin se movió discretamente a su sombra, hasta que el reverenciado líder enfermó en 1921. Mientras hombres brillantes como León Trotsky se llevaban la palma, el astuto georgiano consolidó su poder y tendió trampas a sus rivales. Finalmente, Lenin se alarmó: trató de evitar que Stalin se volviera una amenaza para la propia revolución y en su lecho de muerte dictó una advertencia secreta contra el «poder ilimitado» del que fuera su mano derecha.

Pero el joven Stalin estaba preparado para luchar por el poder y mató a sus oponentes, incluyendo a Trotsky, al morir Lenin en 1924. La concentración de Stalin en la intriga política era tal que excluía cualquier afecto humano. Cuando su primera mujer murió, dijo: «Con ella ha muerto mi último sentimiento cálido». Para no verse interferido por ningún vínculo afectivo, envió a su pequeño hijo a vivir con unos parientes. Su segunda esposa le dio dos hijos, pero al poco tiempo, desilusionada por sus políticas represivas y sus crueldades, se suicidó. Cuando su hijo mayor también intentó suicidarse, Stalin se burló de él por fallar. Prisionero de los alemanes en la Segunda Guerra Mundial, el sufrido hijo mayor al saber que su padre no lo incluyó en un intercambio de presos corrió a una de las cercas eléctricas del campo de prisioneros y se lanzó hacia ella para morir electrocutado.

Todo ello no fue impedimento para que entre el 4 y el 11 de febrero de 1945 Stalin se convirtiera, junto a Winston Churchill y Franklin Delano Roosevelt, en uno de los tres hombres que se repartieron el mundo reunidos en el balneario de Yalta.

CAPÍTULO 9

Paranoia Illuminati

La paranoia, que cada día se intenta combatir desde las consultas de los psiquiatras y que ha producido muertes, asesinatos masivos y genocidios diversos, no cede terreno en nuestro moderno mundo de tecnologías y comunicación; por el contrario, las utiliza para difundirse. Ni qué decir tiene que la paranoia alrededor de la secta de los Illuminati es especialmente intensa.

El primer aporte decisivo para la histeria fue, aparte de las obras de Robinson y Barruel, abundantemente citadas en este libro, la obra de un iluminista anticlerical que se hacía llamar Leo Taxil y cuyo verdadero nombre era Gabriel Jogand-Pages. Ateo militante, Taxil se propuso tenderle una trampa al clero mediante una novela por entregas titulada *El diablo en el siglo XIX*, en la que exponía sus invenciones como si fuesen acontecimientos verídicos y que escribió con la ayuda de su amigo Karl Hacks.

En su folletín, Taxil denunciaba una vasta conspiración satánica a nivel mundial, con sede en Charleston (Virginia), cuyas ramificaciones llegaban a lugares tan pintorescos como Calcuta o Montevideo. El jefe de esta trama habría sido el general confederado Albert Pike, un personaje real que ya ha aparecido también en este libro. El retrato de Pike que se hace en la obra de Taxil nos lo presenta como una suerte de supervillano de cómic que se comunicaba con Lucifer mediante una radio-pulsera, viajaba a Sirio asiduamente como cualquier contactado y, como si fuera el Dr. Maligno, mantenía un laboratorio oculto bajo el peñón de Gibraltar, donde se elaboraban armas bacteriológicas de destrucción masiva que habrían sido la envidia del mismísimo Saddam Hussein.

Para completar su engaño, Taxil simuló ser uno de los muchos Illuminati arrepentidos a los que nos hemos referido hasta ahora y confirmó su conversión al catolicismo. Para decorar su conversión, Taxil inventó la existencia de una tal Diana Vaughan, que por supuesto jamás existió, de la que afirmaba que era hija del diablo y a la que los masones adoraban. Los viajes de Diana Vaughan no tenían nada que envidiar a los del propio Taxil, ya que la ficticia princesa de los masones afirmaba por boca de su portavoz que había llegado a pasear por los canales marcianos en compañía del demonio Asmodeo. Lo más curioso del asunto es que en el Congreso Anti-Masónico celebrado en Trento (Italia) en 1896, con la asistencia de treinta y seis obispos, cincuenta delegados episcopales y unos setecientos delegados más, este personaje salió victorioso tras «haber demostrado más allá de toda duda la real existencia de Diana Vaughan».

Su acercamiento a la Iglesia fue tan convincente que Taxil desconcertó a sus propios colegas, quienes lo acusaron de haberse vendido al Vaticano. Gracias a este «sincero» fervor, Taxil logró seducir a los sectores más reaccionarios de la Iglesia, que le consiguieron una entrevista con León XIII. La culminación de la farsa de Taxil llegó cuando en 1897 él mismo convocó una asamblea donde, públicamente, reconoció la farsa y admitió que le había tomado el pelo hasta al mismísimo Papa de Roma. Lo más curioso de este incidente fue la reacción de algunos sectores de la Iglesia, que franquearon a Taxil la entrada a los aposentos papales y emitieron proclamas según las cuales la «mano negra» de los Illuminati había obligado al pobre Taxil a retractarse bajo amenazas.

Daño colateral

La sátira de Taxil tuvo un efecto colateral indeseable cuando el mismo año en que el francés convocaba una conferencia de prensa para jactarse de su impostura, aparecían *Los protocolos de los sabios de Sión*, el panfleto antisemita que inspiraría a los nazis. Era un texto falsificado que había sido elaborado para justificar el clima de antisemitismo que comenzaba a planear sobre Europa.

Más que los diarios de Hitler o el hombre de Piltdown, *Los protocolos de los sabios de Sión*[1] son, con seguridad, el mayor fraude histórico de todos los tiempos. No debemos olvidar que, precisamente, *Los protocolos* han sido la fuente perenne en la que se han basado quienes han querido convencer al pueblo de que los judíos (y con ellos los Illuminati) controlan los destinos del mundo con un maquiavélico plan para apoderarse del planeta y esclavizar a todos los no hebreos. Incluso el magnate estadounidense Henry Ford, que tenía una fotografía de Hitler sobre la mesa de su despacho, escribió un extenso libro en cuatro volúmenes titulado *El judío internacional*[2], con el que pretendía demostrar a través de diversos ejemplos la veracidad de *Los protocolos*.

En diciembre de 1901, un oscuro personaje conocido por el alias de Serguéi Nilus tradujo al ruso unos textos que en conjunto se titularon *Los protocolos de los sabios de Sión*. Si tuviéramos que encontrar un antecedente remoto de las ideas que difundía este libro, habría que buscarlo en nuestro viejo conocido Agustín Barruel. A pesar de ser el tatarabuelo de la conjura judeomasónica que tanto entusiasmaba al general Franco, el abate Barruel no mencionaba expresamente a los judíos en su obra. Éstos entrarían a formar parte de la teoría de la conspiración Illuminati pergeñada por Barruel a partir de una carta que éste recibe en 1806 firmada por un tal J. B. Simonini, un oficial retirado del ejército que en esos momentos residía en Florencia.

Así nacía el primer mito judeofóbico de la modernidad: la conspiración judía mundial. *Los protocolos* afirmaban que los

---

1. *www.aztlan.org/protocolos.htm* es una de las incontables páginas web en que se encuentran recogidos *Los protocolos*.
2. Henry Ford, *International jew*, Los Ángeles, Gerald L. K. Smith, 1960.

judíos, como fase preparatoria para lo que debería ser una revolución a escala mundial, se estaban ocupando de soliviantar lo más posible a los ciudadanos en contra de sus dirigentes políticos y económicos.

En la Rusia imperial era práctica común intentar colocar a los chamanes, brujos o magos favoritos de duques y condesas lo más cerca posible del trono del zar. De esta forma, la gran duquesa Isabel allegó al zar un oscuro personaje del que actualmente sólo conocemos su seudónimo: Serguéi Nilus. Decidido a aprovechar en su favor las paranoias del zar, le presentó ciertos documentos pretendidamente secretos que, al parecer, probaban la existencia de una conspiración contra su gobierno. Con un malestar público innegable tras la humillante derrota militar sufrida frente a Japón, hubo quien pensó que exacerbar el odio hacia los judíos era una jugada política rentable. Tal vez por ello la guerra civil rusa se caracterizó porque ambos bandos cometieron actos de antisemitismo igualmente deleznables.

Odio en cadena

Durante el Tercer Reich, *Los protocolos* fueron profusamente reeditados, convirtiéndose en un verdadero best seller. En poco tiempo, el renombre de *Los protocolos* fue tal que condujo a que los principales periódicos británicos redactaran amplias reseñas al respecto, que fueron en primera instancia por rotativos tan prestigiosos como *The Times*[1].

Durante la década de los veinte, *Los protocolos* encontraron su principal patrocinador en Estados Unidos en la figura del magnate Henry Ford[2]. En la cúspide de su carrera empresarial fun-

---

1. Es de justicia reconocer que posteriormente *The Times* fue uno de los primeros medios de Europa en señalar que el documento era claramente fraudulento.

2. Neil Baldwin, *Henry Ford and the Jews. The Mass Production of Hate*, Nueva York, Public Affairs, 2001.

dó un pequeño periódico en Detroit, el *Dearborn Independent*, que usó para difundir su propaganda antisemita, acusando a los judíos a través de sus páginas de ser los instigadores de los grandes males de la humanidad. En diversas oportunidades, Ford declaró que existían dos Wall Street: uno positivo, encabezado por la antisemita Banca Morgan, y otro destructivo y que debería ser erradicado, el liderado por los banqueros de origen judío.

Uno de los principales colaboradores de Ford en esta empresa fue Boris Brasol, un inmigrante ruso miembro de la organización antisemita Los Cien Negros. En Rusia, *Los protocolos* fueron utilizados en un intento de legitimar el poder de la oligarquía, acusando a los judíos de ser la fuerza oculta tras los disturbios y la agitación social. Para Ford, en cambio, *Los protocolos* eran la clave para entender los rápidos cambios que la industrialización había impuesto en la sociedad estadounidense tras la guerra civil. Culpaba a los judíos no sólo del aumento de la inmigración o del éxito del movimiento obrero, sino también del creciente poder del gobierno federal y de dirigir el país desde Wall Street. Ni siquiera Cristóbal Colón se libraba de las diatribas de Henry Ford, que denunciaba que su expedición a través del Atlántico había sido un complot judío.

Resultaba lógico que, con tales planteamientos, Ford terminase estableciendo relación con la Alemania nazi. El primer contacto conocido entre Ford y el movimiento nacionalsocialista se produjo en 1921, cuando el ideólogo nazi Dietrich Eichart entra en contacto con la compañía Ford para la adquisición de maquinaria agrícola. Los empleados de la compañía son quienes ponen en contacto por vez primera a Eichart y Henry Ford, que decide apoyar financieramente el nuevo movimiento hasta el punto de que el *New York Times* y el *Berliner Tageblatt* acusan a Ford de ser el principal patrocinador de la revolución nacionalista de 1923, cuyo fracaso cuesta a Hitler dos años de prisión... Pero el apoyo de Ford a Hitler no fue solamente material. Su libro *El judío internacional* se convertiría en una de las principales fuentes de inspiración del futuro dictador a la hora de escribir su obra *Mein Kampf*.

En 1928 Ford une su factoría alemana al *holding* de la compañía química I. G. Farben. En 1941, a raíz de la movilización general del ejército alemán y el reclutamiento de todos los hombres disponibles, la producción de la planta alemana de Ford sufrió un descenso considerable, por lo que se empezó a utilizar mano de obra esclava y prisioneros de guerra, algo expresamente prohibido por la Convención de Ginebra. La planta comenzó a ser ocupada por prisioneros de guerra franceses, rusos, ucranianos y belgas.

En Japón, *Los protocolos* también hicieron estragos. Llegaron a la tierra del Sol Naciente en 1917. Tras la Revolución bolchevique, un contingente de tropas niponas traba contacto en la parte oriental del imperio ruso con grupos de rusos blancos. Así, son muchos los soldados y oficiales japoneses que regresan a casa con su ejemplar de *Los protocolos*. Ellos serán los que, sin quererlo, plantarán la semilla de la conspiración judía en suelo nipón. Como vimos en otros casos, como el alemán, el ruso o el estadounidense, en cada lugar al que era trasplantado, el mito de *Los protocolos* reflejaba los miedos y obsesiones locales.

Aunque resulte difícil de creer, en períodos históricos tan recientes como la dictadura militar que castigó a la Argentina durante los años setenta, se llevaron a cabo persecuciones a miembros de la comunidad judía por sospecharse su presunta vinculación a los Sabios de Sión. Ejemplo de ello es el caso del periodista Jacobo Timerman[1], apresado, torturado y profusamente interrogado por este motivo. También existe un conocido anexo sudamericano de *Los protocolos* escrito por el profesor Walter Beveraggi, denominado «Plan Andinia», que pretende revelar el siniestro plan de los judíos para conquistar la Patagonia chileno-argentina[2].

1. Jacobo Timerman, *Preso sin nombre, celda sin número*, Nueva York, Random House, 1981.
2. El artículo «Vacaciones en la Tierra Prometida», de la revista nacionalsocialista chilena *Pendragón* (núm. 9, 1997), es una pequeña joya a este respecto, en la que se da a entender que los mochileros israelíes que visitan el sur de Chile forman parte del «Plan Andinia».

Para hacernos una idea de hasta qué punto se han llegado a cargar las tintas sobre los Illuminati, baste decir que se les ha llegado a culpar del primer asesinato de la historia: el de Caín contra su hermano Abel. Este episodio bíblico ya ha sido en más de una ocasión objeto de interpretaciones de lo más peculiar, como cuando el autor Henry Bailey Stevens adujo que se trataba de un vil acto de propaganda de los carnívoros contra los vegetarianos[1]. Según este planteamiento, Caín representaría al buen salvaje del que nos hablaba Rousseau, el ser humano agrícola y pacífico que se alimentaba de lo que extraía de la tierra con el sudor de su frente. Abel, el ganadero, representaría a la humanidad comedora de carne, culpable, según este autor, de todos los males que aquejan a la humanidad, incluidas las guerras, la esclavitud y la delincuencia. El mito bíblico sería para Stevens la plasmación de los continuos intentos de difamación sufridos por los buenos vegetarianos, por naturaleza pacíficos y poco dados al crimen y a la violencia (bueno, Hitler era vegetariano, pero siempre hay una oveja negra, ¿verdad?).

En lo tocante a los Illuminati, la interpretación del mito es igualmente pintoresca y procede en esta ocasión de John Steinbacher. Según este autor, Caín no sería fruto de la unión de Adán y Eva, sino de ella con la serpiente. Este Caín reptiliano habría sido el primer fundador de los Illuminati, cuyo objetivo primordial sería corromper y esclavizar a la humanidad. Según Steinbacher, el peor complot de los Illuminati contra la humanidad habría sido la creación de los bancos centrales y las agencias tributarias. Amén a eso.

Igualmente remotos son los antecedentes a los que se remonta Hawthorne Abendsen (muy probablemente un seudónimo)[2] para ofrecernos su espeluznante teoría feminista de conspiración

---

1. Henry Bailey Stevens, *The Recovery of Culture*, Nueva York, Harper & Brothers, 1949.

2. Hawthorne Abendsen es el nombre de un personaje de la novela de Philip K. Dick, *El hombre en el castillo*.

sobre el patriarcado: en *Dentro del «club de los hombres». Secretos del patriarcado*[1] sitúa su origen en las sociedades secretas de cazadores, todos ellos hombres, que se habrían formado en el Neolítico. En la Edad del Bronce, con el desarrollo de la civilización, estas sociedades tribales se habrían ido amalgamando para dar como resultado las actuales sociedades secretas, como el Priorato de Sión y los Illuminati. Estas sociedades, y muy concretamente el Priorato de Sión, custodiarían dos grandes secretos:

1. El dios de judíos, musulmanes y cristianos sería el mismo que se apareció a Abraham bajo el nombre de Al-Shaddai («el Señor de las Batallas»). Dicho de otra forma, las tres religiones monoteístas estarían rindiendo culto a un dios guerrero como Ares u Odín, una divinidad sedienta de sangre que ama la guerra y conduce a la humanidad por el camino de la destrucción. La adoración a este ser implica el ejercicio de la guerra, así como los sacrificios de animales y –por qué no– humanos. Las representaciones posteriores del «dios del amor» constituirían un deliberado fraude para confundir al pueblo.

2. El culto masculino a Al-Shaddai implicaría rituales homosexuales y una vasta conspiración para mantener a las mujeres como ciudadanos de segunda clase.

El Anticristo

Tradicionalmente, el Anticristo es considerado por el cristianismo como un personaje que habrá de aparecer en los días finales del Apocalipsis para confundir a un gran número de seres humanos, a los que llevará a la condenación eterna. Sin embargo,

---

1. Hawthorne Abendsen, *Inside the «Men's Club»*, A-Albionic Research & Consulting, Ferndale, Michigan.

la doctrina católica establece que no tiene por qué tratarse de una persona concreta, sino que el Anticristo podría ser cualquier cosa, una organización, una corriente ideológica o incluso una serie de acontecimientos concatenados.

Históricamente, el Anticristo ha sido identificado con un gran número de personajes históricos, dependiendo de la adscripción política, las filias y las fobias de aquel que enunciaba la acusación. Así, Nerón, Lucero, Aleister Crowley (en realidad en este caso era él mismo quien afirmaba serlo), Hitler, Stalin, Bill Gates, Mickey Mouse, los pitufos, el recientemente fallecido Yasser Arafat, Jimmy Carter, la Iglesia católica (por parte de los protestantes), el protestantismo (por parte de los católicos), el comunismo, Inglaterra, Saddam Hussein, Osama bin Laden, las Tortugas Ninja, los masones y, cómo no, los Illuminati han sido señalados como anticristos.

En *Nombrando al Anticristo*[1], el profesor Robert Fuller señala cómo los estadounidenses tienen una más pronunciada tendencia a señalar presuntos anticristos que cualquier otro pueblo a lo largo de la historia. Posiblemente, eso se deba al protagonismo de las metáforas bíblicas en la vida cotidiana aportado por los predicadores, en especial en las comunidades rurales.

Alguien que nunca ha estado en las listas de anticristos pero que figura en casi todas las de Illuminatus es Ludwig van Beethoven. Curiosamente, ésta no es una idea que hayamos extraído de alguna oscura página web sobre temas de conspiración, sino de la obra de uno de los principales biógrafos del compositor, el musicólogo Maynard Solomon[2]. Los argumentos de Solomon son serios, sólidos y documentados. El autor huye de cualquier morbo o sensacionalismo, ya que sólo le interesa la pertenencia de Beethoven a los Illuminati como un elemento adicional para

---

1. Robert Fuller, *Naming the Anticrist. History of an American Obsession*, Oxford University Press, 1995.
2. Maynard Solomon, *Beethoven*, Villaviciosa de Odón, Javier Vergara (ed.), 1985.

comprender mejor su obra. Solomon señala en la biografía del compositor que una de las mayores influencias que el genial sordo recibió a lo largo de su vida fue la de Christian Gotlob Neefe, su primer maestro de música y, a la sazón, uno de los personajes de mayor peso dentro de la orden de los Illuminati. En una ocasión Beethoven escribió a Neefe: «Si alguna vez me convierto en un gran hombre, usted también compartirá mi éxito»[1].

De hecho, parece ser que la primera gran obra de Beethoven, la *Cantata para la muerte del emperador José*, compuesta en 1790, fue un encargo de los mismísimos Illuminati a través del cual pretendían honrar al emperador José de Habsburgo como defensor de la razón y enemigo de la superstición, en especial después de que clausurase por decreto todos los colegios religiosos de Austria, sustituyéndolos por colegios públicos. La mayoría de los amigos más cercanos a Beethoven eran masones y/o Illuminatus, una influencia que se aprecia a lo largo de toda su obra, desde este primer trabajo hasta, por lo menos, la *Fantasía coral*, escrita en 1808.

Mucho más peculiar es la visión de Beethoven que nos ofrece la feminista Susan McClary, para quien la *Novena sinfonía*, universalmente aceptada como un himno a la concordia y la unidad no es sino la expresión de una fantasía de violación, llena de «violencia fálica».

Yo, robot

El ya desaparecido autor Meter Beter no sólo creía con inquebrantable fe que los Illuminati controlan el mundo a través de una compleja conspiración mundial, que englobaría desde el comunismo a la banca internacional, sino que va un paso más lejos que ningún otro teórico de la conspiración al afirmar que el KGB, asistido por los Illuminati, ha secuestrado a un gran nú-

1. *Ibid.*

mero de políticos y otras personalidades estadounidenses sustituyéndolos por androides. Para él, el intento de asesinato de Ronald Reagan habría sido uno de esos «cambiazos». Reagan, en realidad, habría muerto como consecuencia del atentado y habría sido sustituido por uno de estos robots. De estar todavía con vida no sabemos lo que Beter habría dicho del extraño aparato/mochila/bulto que pudimos ver adosado en la espalda de George Bush en sus debates electorales con John Kerry.

Bastante menos extravagantes, aunque igualmente llamativos que los planteamientos de Meter Beter son los de la John Birch Society, una popular organización norteamericana de extrema derecha (en Estados Unidos se les considera simplemente de derechas, pero qué se puede esperar de un país donde la izquierda es el Partido Demócrata) que ha tomado a los Illuminati como una de sus bestias negras particulares. La teoría de conspiración que han desarrollado es única, ciertamente elaborada y probablemente contenga más elementos de verdad de los que la mayoría estaríamos dispuestos a admitir. Parte de esta teoría la expresábamos en el capítulo anterior, ya que los miembros de esta organización creen que tanto el capitalismo como el comunismo son parte de la misma conspiración, desarrollada y controlada por unos misteriosos personajes a los que denominan *insiders*, una escisión de los Illuminati fundada por Cecil Rhodes y su Mesa Redonda, que habría ido maniobrando hasta hacerse con el control de diversos resortes que les permiten manipular a voluntad la opinión pública mundial.

La teoría de los Birch se fundamenta en gran medida en el testimonio del doctor Bela Dodd, miembro en su día del Partido Comunista de Estados Unidos y posteriormente furibundo luchador contra el comunismo[1]. Según Dodd, cuando militaba

---

1. Ejemplo de un curioso fenómeno que también se da en nuestro país, donde algunos de los líderes de opinión más recalcitrantes y talibanes de la derecha militaron en su día en organizaciones de extrema izquierda. Debe ser por aquello de que los extremos se tocan.

La extrema derecha estadounidense ha tomado a los Illuminati como un objetivo al que atacar y a algunas de sus figuras más destacadas –como Texe Marrs, Pat Robertson o Jack T. Chick– se las implica en teorías tanto o más descabelladas que las expuestas en este capítulo. Sin ir más lejos, los tres citados sostienen que los Illuminati, aparte de ser los causantes del desempleo, el origen del sida, el cambio climático y la práctica totalidad de las guerras desde el siglo XVIII hasta nuestros días, fueron los constructores de la «Cara de Marte», una gigantesca formación rocosa que se encuentra en la superficie marciana y cuya sorprendente semejanza con un rostro humano ha abierto toda suerte de especulaciones sobre su presunto origen artificial. Estos autores sostienen que los Illuminati serían los descendientes de una antigua raza de constructores de pirámides que tras un desastre natural habrían colonizado la Tierra.

También hay quien culpa a los Illuminati, por ejemplo, del asesinato del presidente Kennedy. En la imprescindible antología de lo bizarro *Cultura del Apocalipsis* (publicada en España por la editorial Valdemar), James Shelby Downard expone una elaborada y sorprendente teoría de cómo los masones iluminados no sólo habrían ejecutado el magnicidio, sino que, además, lo habrían hecho de tal forma que sería un elaborado sacrificio ritual repleto de símbolos ocultos.

en el Partido Comunista sus órdenes no procedían de Moscú, sino de tres multimillonarios cuyas oficinas se encontraban en las torres Waldorf de Nueva York: «Creo que la conspiración comunista es apenas una rama de una conspiración mucho mayor... Y podéis estar seguros de que intentaré descubrir quién es quien realmente controla las cosas»[1]. La otra fuente de inspiración de los Birch es *Tragedia y esperanza*, obra del profesor Carroll Quigley, al que ya hemos mencionado en el capítulo 7.

1. *www.thetruthseeker.co.uk/article.aso?ib=591.*

Otro apartado es el de quienes atribuyen a la Orden Illuminati orígenes muy anteriores a los reales, algo que, como veremos más adelante, ha reportado importantes réditos en el terreno de la ficción. Giordano Bruno (1548-1600) fue filósofo, matemático y astrónomo y sus ideas anticiparon muchas de las tesis de la ciencia moderna. Ordenado sacerdote en 1572, su pensamiento era revolucionario para la época, ya que Bruno defendía que la religión debía ser entendida como una ley destinada al gobierno de las masas incapaces de regirse por la razón y es por ello que los teólogos no deben entrometerse en la vida de los filósofos, del mismo modo que los filósofos respetarán el trabajo de los teólogos en su tarea de gobierno de las masas populares. La función de la religión es, pues, meramente civil.

Respecto a sus tesis cosmológicas, destacan la idea de la infinitud del universo entendida como expresión de la infinita potencia de Dios, así como la descripción de las estrellas celestes como soles rodeados de planetas parecidos a la tierra. Sus tesis le llevaron a morir en la hoguera en el Campo dei Fiori (Roma) el 16 de febrero de 1600. Pero la historiadora Frances Yates va más allá al afirmar que Bruno fue ejecutado por un total de dieciocho cargos entre los que se incluía la práctica de la magia negra y uno especialmente relevante para el asunto que ya hemos tratado en este libro: la organización de sociedades secretas opuestas al Vaticano[1]. Según Yates, Giordano Bruno podría haber sido el verdadero fundador de los Illuminati, la masonería o los rosacruces, o es posible que de las tres sociedades secretas. A fin de cuentas, las enseñanzas de Bruno estaban teñidas de un importante barniz ocultista, algo en absoluto infrecuente en los científicos y filósofos de la época.

Otro de los antecedentes remotos del iluminismo a los que

1. Frances Yates, *Giordano Bruno y la tradición hermética*, Barcelona, Ariel, 1994.

se cita como fundadores secretos es John Dee (1527-1608), un notable matemático británico, astrónomo, astrólogo, geógrafo y asesor personal de la reina Isabel I. Dee intentó aunar los mundos de la ciencia y la magia. Dee nació en Londres, hijo de una familia galesa cuyo apellido derivaba del término gaélico *du* («negro»). Acudió a la Chelmsford Chantry School, y entre 1543 y 1546 al College de St. John, en Cambridge. Tras una espectacular carrera académica, se convirtió en consejero de la reina Isabel en 1558, de quien fue el hombre de confianza en materias astrológicas y científicas. Desde ese puesto, luchó para la creación de un Imperio británico, término que él fue el primero en utilizar. Además, Dee fue quien escogió la fecha para la ceremonia de coronación de la reina.

A partir de 1582, Dee se dedicó en cuerpo y alma al ocultismo, del que estaba convencido que podría reportar grandes beneficios al género humano. Habría sido en aquel período, que le llevó a un prolongado peregrinaje por toda Europa, cuando Dee habría plantado la semilla que germinaría en el nacimiento de los Illuminati.

La batalla de Ruby Ridge

El famoso arquitecto Richard Buckminster Fuller también cree en los objetivos Illuminati, aunque su teoría es bastante más optimista que la de otros autores. Según sus propias teorías tecnosociológicas, el advenimiento de Internet supondrá un progresivo proceso de lo que él denomina «desoberanización», esto es, de gradual descentralización del poder, que hará imposible el triunfo de cualquier conspiración totalitaria como la atribuida a los Illuminati.

Pero la mayoría de las teorías de conspiración que incluyen a los Illuminati no son tan optimistas, y algunas de ellas han tenido finales dramáticos, como el protagonizado por Vicky Jordison. Nacida en 1949 en el seno de una familia cristiana estadounidense, desde su juventud Vicky se convirtió en una lectora obsesiva de la Biblia, libro en el que buscaba significados ocultos. En 1971 se casó con Randy Weaver, y juntos formaron una familia cristiana y conservadora más, como tantas otras en Estados Unidos. Sin embargo, el carácter visionario de Vicky, y en especial su obsesión con la conspiración de los Illuminati, comenzó a influir directamente en la vida de la pareja. En un versículo del capítulo 24 del Evangelio de Mateo Vicky, que seguía buscando mensajes ocultos en los textos bíblicos, encontró la confirmación de que la batalla final entre el Anticristo y las «fuerzas del Bien» tendría lugar en 1987[1].

La paranoia de la pareja fue en incremento y ambos decidieron mudarse a Ruby Ridge, cerca de la frontera canadiense, donde esperarían el fatídico 1987, año en el que las fuerzas del Anticristo y los Illuminati comenzarían su persecución de los cristianos. Como suele suceder en este tipo de planteamientos paranoicos, cuando pasó el fatídico 1987 sin que sucediera nada, ello no mermó en absoluto la fe del matrimonio Weaver. Simplemente recalcularon la fecha, hicieron acopio de más víveres y siguieron esperando con la confianza que les daba el saber que si bien ellos podían haberse equivocado, la Biblia era infalible. Así siguieron las cosas hasta que Randy cometió un error fatídico. Como estaba necesitado de dinero, vendió una escopeta de cañón recortado a un personaje que, en realidad, trabajaba para la policía. Se trataba del mismo agente que unos meses antes había reunido pruebas para acabar con La Orden, un grupo neonazi extremadamente violento que se financiaba a través de atracos a bancos. Saber que los federales estaban tras su pista precipitó la paranoia de los Weaver, que inmediatamente asumieron que los Illuminati iban por fin a por ellos, así que se atrincheraron y se dispusieron a defender con su vida su pequeño trozo de montaña.

1. Jess Walter, *Every Knee Shall Bow*, Nueva York, Harper Collins, 1995.

Así comenzó un asedio de dieciocho meses. Los federales pensaban que la casa de los Weaver era la guarida de un grupo de terroristas nazis, mientras que éstos estaban convencidos de ser mártires que combatían a las fuerzas del Anticristo y los Illuminati. Se desencadenó la tragedia: Vicky murió al ser alcanzada por un disparo mientras sostenía a su bebé en los brazos. Otro hijo de la familia, de catorce años de edad, cayó también abatido por las balas. Ni siquiera el perro de los Weaver se libró del celo de los agentes federales y fue igualmente muerto. Finalmente terminó la pesadilla y el FBI y la ATF, agencias responsables del asalto, fueron exculpadas de cualquier cargo criminal, si bien los Weaver supervivientes fueron indemnizados por el gobierno estadounidense con más de tres millones de dólares.

Un conflicto cósmico

Phillip Campbell Argyle-Stuart[1] se lleva la palma en cuanto a aportar una teoría de conspiración original sobre los Illuminati. Según este peculiar autor, todos los problemas de la humanidad derivan de un conflicto milenario entre las razas semítica y nórdica (un planteamiento que resultará familiar a quienes hayan estudiado las fuentes teóricas del nazismo). Sin embargo, lo que dota de especial originalidad a la teoría de Campbell es afirmar sin el menor atisbo de sonrojo que ambas razas tienen un origen extraterrestre.

La historia no tiene desperdicio para el guión de una película de ciencia ficción. Los khazars, una tribu que se convirtió al judaísmo en la Edad Media, serían en realidad una maligna hibridación de seres humanos y extraterrestres procedentes de Vulcano. Este «Vulcano» no sería el planeta entre Mercurio y el

---

1. Phillip Campbell Argyle-Stuart, *High IQ Bulletin*, vol. 4, núm. 1, Colorado Springs, 1970.

Sol cuya existencia defendieron los astrónomos del siglo XIX, ni –para decepción de los seguidores de la serie *Star Treck*– el planeta natal de Mr. Spock, sino un planeta de igual tamaño que la Tierra que ocuparía su misma órbita pero que se encontraría al otro lado del Sol, por lo que siempre estaría oculto a nuestra vista. Estos judíos de Vulcano estarían desarrollando una eterna conspiración contra el ser humano cuyo principal elemento es... lo han adivinado: los Illuminati. Por su parte, los buenos nórdicos habrían obtenido su rubicundo aspecto mediante su hibridación con los nativos de Saturno, que, como todo el mundo sabe, son buena gente inspirada por las más elevadas intenciones.

Sin abandonar los reinos interplanetarios, nos encontramos con un libro extraño hasta para un campo tan poco convencional como el de la ufología. Se trata de *La cifra secreta de los ufonautas*[1], de Allen Greenfield. En este desconcertante volumen se pretende demostrar que el mismo lenguaje cifrado es utilizado tanto en determinados casos de presunto contacto con extraterrestres como en mensajes canalizados por médiums, en los rituales de la masonería y en el enigmático *Liber Al*, escrito por Aleister Crowley en 1904. Cuando todos estos mensajes son descifrados al modo que lo hacían los cabalistas medievales, revelan que los «iluminados» llevan interactuando con el fenómeno ovni a lo largo de toda la historia de la humanidad, y han entrado en contacto con seres a los que denomina «ultraterrestres».

La militarización del espacio por parte de los sicarios de los Illuminati centra buena parte de las preocupaciones de los conspiranoicos obsesionados por el tema Illuminati. Existe incluso una carta apócrifa, firmada por unos autodenominados «maestros ascendidos», en la que se advierte de los aviesos propósitos de los Illuminati, con George Bush a la cabeza, en este sentido:

---

1. Allen Greenfield, *The Secret Cipher of the Ufonauts*, Georgia, Illuminet Press, 1994.

Hoy Bush Jr. desveló los planes de su programa espacial hacia la Luna y Marte [...]. Los Maestros Ascendidos de la Luz han sostenido dos reuniones con los jefes superiores de los Illuminati en las últimas semanas. Los Bienamados Maestros Ascendidos Saint Germaine y Sananda se presentaron de improviso en una reunión de las trece familias Illuminati hace algo más de una semana [...]. Los Bienamados Maestros Ascendidos Saint Germaine y Sananda también se presentaron de improviso en una reunión de los funcionarios del régimen Illuminati Bush. De nuevo, en el espíritu de diplomacia, los Maestros Ascendidos le ofrecieron al régimen Bush la opción de cooperar.

Una de las teorías más demenciales de este calibre es la de David Icke, quien ha vendido muchos libros donde sostiene no sólo que los Illuminati gobiernan al mundo, sino que nos han vendido a los draconianos, unos reptiles inteligentes llegados de otra dimensión. Sin embargo, ni Icke ni Greenfield ni Campbell ni los Maestros Ascendidos han dicho la última palabra en cuanto a conspiraciones cósmicas relacionadas con los Illuminati. Ese honor le corresponde a Donald Holmes, que, yendo un paso más allá que los historiadores neonazis, que afirman que el Holocausto fue una invención de los aliados y sus cómplices judíos, afirma que la Segunda Guerra Mundial en su totalidad no fue sino un elaborado fraude. Sí, habéis leído bien: la Segunda Guerra Mundial, el más atroz ejemplo hasta el día de hoy de la capacidad destructiva del ser humano, nunca tuvo lugar. En su libro *La conspiración de los Illuminati*[1], presenta a la orden como dueños de un inmenso poder que se extiende a todos los gobiernos del globo y al control de la totalidad de los medios de comunicación. Mediante efectos especiales, informes periodísticos falsificados, trucos de ilusionismo y otros medios, los Illuminati habrían escenificado la contienda mundial para que el ser humano se horrorizara de su propia capacidad de destrucción, tomara el camino del pacifismo y se entregara a la construcción de un mundo mejor.

1. Donald Holmes, *op. cit.*

Pero el que crea que ya ha escuchado todas las teorías extravagantes existentes sobre los Illuminati se equivoca. De hecho, este tipo de historias daría de por sí para llenar otro volumen más o menos del mismo tamaño del que ahora tiene en sus manos. En los últimos años, Internet se ha convertido en terreno abonado para este tipo de paranoias. Buen ejemplo de ello son las páginas en las que se habla de una presunta implicación de Walt Disney en oscuros experimentos de control mental llevados a cabo por los Illuminati. Para los defensores de esta hipótesis, Walt Disney y el imperio económico que lleva su nombre son un verdadero lobo con piel de cordero que, tras una fachada de impecable corrección, ha corrompido hasta lo más profundo el corazón de los estadounidenses en nombre de los Illuminati.

Fundamentalmente, este tipo de historias proceden de elementos integristas cristianos que ven en la obra de Disney una amalgama de ocultismo y brujería disfrazados de pureza. Son los mismos que, por ejemplo, han abogado –y en algunas ocasiones lo han conseguido– por la exclusión de los libros de Harry Potter de las bibliotecas públicas, en especial las de los colegios. Estos detractores no sólo centran sus iras en la producción directa de los estudios Disney, sino que también se ensañan con las obras de otras empresas cinematográficas con capital de esta multinacional como Miramax, Touchstone o Hollywood Pictures.

Además, ven en los parques temáticos de Disney una abominación que pretende erradicar a Dios del corazón de los hombres, sustituyéndolo por una vana ilusión. El caballo de batalla favorito de quienes sostienen esta peculiar tesis es la película *Fantasía,* que consideran poblada de toda suerte de símbolos ocultos y de elementos subliminales, y muy especialmente la parte de la película en que el ratón Mickey hace de «aprendiz de brujo». Otra película donde el celo de los integristas cristianos ve el sello satánico de los Illuminati es *Bambi.* La cartelera Illuminati se completa con *Aladino* (por el genio) y *La bruja nova-ta* (sobran comentarios).

Hay quien ve en los mismos orígenes del imperio Disney una conspiración. El 18 de noviembre de 1928 se estrenaba en un pequeño cine de Nueva York el primer corto de Disney, *Steamboat Willie,* sin ninguna promoción anticipada o publicidad. Asombrosamente, el *New York Times, Variety* y el *Herald Tribune* publicaron al día siguiente inmejorables críticas del film. ¿Casualidad? ¿Los críticos de estos prestigiosos medios se pusieron todos de acuerdo para acudir aquella noche al minúsculo cine donde tuvo lugar la proyección? Nada de eso. Eran los Illuminati los que habían decidido promover a Walt Disney para convertirlo en un elemento de referencia y distraer a la gente de la grave crisis económica que sufría el país.

Entre los conspiranoicos más activos en esta «tendencia Disney» de la conspiración Illuminati se encuentra el doctor Fritz Springmeier, que escribió en su día *Las familias de los Illuminati*[1]. No sólo denuncia que los Illuminati están a punto de injertarnos a cada uno un microchip para manejarnos mejor (algo que ya estaba profetizado en la Biblia), sino que se ocupa de rastrearlos en la literatura, la música y el cine. En la página web de la Red de Patriotas Americanos enseña que Hitler, Frank Baum (el autor de *El mago de Oz*), el telepredicador Billy Graham y Elvis Presley eran Illuminatus adoradores de Satán. Ha escrito verdaderas guías pormenorizadas de los mensajes satánicos subliminales en *El mago de Oz, Alicia en el País de las Maravillas* y *El Señor de los Anillos.*

El apagón de Nueva York

El 14 de agosto de 2003, un gran apagón eléctrico (el mayor de la historia de Norteamérica) dejó a oscuras a Nueva York y De-

---

1. Fritz Springmeier, *Blood Lines of the Illuminati*, La Vergne, Spring Arbor, 1998.

troit, en Estados Unidos, y a Toronto y Ottawa, en Canadá. A día de hoy no se ha dado ninguna explicación cien por cien satisfactoria a este suceso, lo que ha servido para estimular la ya de por sí sobreexcitada imaginación de determinados teóricos de la conspiración que han achacado el apagón a causas de lo más variopinto, desde pruebas de armamento secreto (una explicación no tan descabellada como pudiera parecer a primera vista) hasta la intervención directa de los ubicuos Illuminati. Estos conspiranoicos mantienen que los Illuminati (entre cuyos miembros se encontrarían los dueños y directivos de las principales compañías de abastecimiento energético del planeta) usan estos apagones a modo de «celebración» de importantes objetivos cumplidos. Vamos, algo así como los fuegos artificiales, pero al contrario. Este peculiar modo de celebración se habría empleado en diversos países y diversas ocasiones. Por ejemplo, cuando en abril de 1995 George Bush padre visitó Chile, un corte de luz afectó a la mitad de las regiones del país, incluyendo la capital. Medio Chile quedó a oscuras. El hecho, como de costumbre, jamás fue explicado racionalmente.

Esta historia se remontaría al 1 de agosto de 1972, cuando John Todd Collins, presunto Gran Druida del Consejo Illuminati de los 13, reconvertido después al cristianismo para revelarnos esta valiosa información, habría recibido a través de la embajada británica en Washington unas cartas selladas, escritas por Guy Rothschild, en las que, entre otras cosas, se decía: «Hemos encontrado una persona que creemos es el hijo de Lucifer. Creemos que con sus poderes y nuestro dinero podremos por fin llevar a cabo nuestros planes».

Pero la historia, digna del guión de una de esas películas de terror sobre el Anticristo, no termina ni mucho menos aquí. Esa noche, después del aquelarre del Sabbath, que ningún Illuminati de pro debe perderse, Philip von Rothschild anunció ante el Consejo de los 13 en el Casino Building de San Antonio el plan maestro de los Illuminati a partir de 1980. Las indicaciones son muy concretas. Su discurso terminaba con esta indicación:

«Cuando veáis apagarse las luces de Nueva York, sabréis que nuestro objetivo se ha conseguido».

El 9 de noviembre de 1977 se produjo un gran apagón en Nueva York, que afectó a ocho estados, sin que se diera tampoco en esta ocasión una explicación razonable para ello (en esta ocasión, las mentes más calenturientas decidieron culpar a los ovnis). Sin embargo, ésta no era la gran señal anunciada, que habría de producirse a partir de 1980. Lo de 1977 debió ser la celebración de un logro previo importante, pero no del cumplimiento del objetivo final, que tiene directa relación con la creación de un gobierno mundial bajo la autoridad del «Hijo de Lucifer»: el Anticristo.

Este tipo de teorías han sido seguidas por autores muy populares en Estados Unidos como Myron Fagan, Bill Cooper y Jim Keith, ex miembro de la Cienciología. Tanto Cooper, líder de una milicia armada que murió en un tiroteo, como Ken Adachi pensaban que los Illuminati habían creado el sida para reducir la población mundial en unos mil millones de personas.

Capítulo 10

Los Illuminati hoy

La leyenda Illuminati se ha extendido hasta nuestros días y son muchos los estudiosos que, desde perspectivas más o menos serias, apuntan a una pervivencia de la orden –o al menos del plan iluminista– en nuestros días. La diferencia sustancial entre los Illuminati actuales y los de la organización fundada en 1776 por Adam Weishaupt radicaría en que el plan actual de los Illuminati originales estaría siendo sustentado por una serie de organizaciones semipúblicas, y en absoluto esotéricas, que bajo la fachada de grupos de estudio, comités asesores y foros de discusión serían las herederas directas de las sociedades secretas de los siglos XVIII y XIX.

Bilderberg

Un ejército de guardias armados forma un impenetrable cordón alrededor de un lujoso hotel. No hay huéspedes, la totalidad del establecimiento ha sido reservada con meses de antelación. La dirección del hotel ha mimado cada detalle, en especial la gran sala de reuniones donde se encerrarán a cal y canto los representantes de lo más selecto de la élite mundial. Banqueros, políticos, directores de medios de comunicación y empresarios de todo el mundo desfilan en una verdadera procesión de limusinas negras en dirección al recinto. El día se ha levantado nublado, lo que da al cortejo de automóviles un aspecto levemente fúnebre.

Por su parte, los agentes de seguridad, aportados por varios servicios secretos occidentales, contemplaban la escena con el frío recelo profesional que les caracteriza. Una escueta nota de prensa explica que el acto consiste en un encuentro informal para «discutir las relaciones atlánticas en una época de cambio». Todo está perfecto, en su punto. La reunión del grupo Bilderberg puede dar comienzo...

El grupo Bilderberg es una asociación internacional de personas altamente influyentes que celebra reuniones anuales de carácter semisecreto. Su nombre proviene del hotel Bilderberg, en Holanda, donde tuvo lugar la primera reunión del grupo[1] en 1954. Pero ese nombre es una mera convención para hablar de ellos, ya que fuera del grupo nadie sabe cómo se denominan a sí mismos. Ésta es una táctica muy común entre las sociedades secretas de nuevo cuño, ya que resulta muy complicado hablar de algo que ni siquiera tiene nombre. Los principales inspiradores de esta asociación fueron David Rockefeller y el príncipe Bernhard de Holanda, dos viejos conocidos de los teóricos de la conspiración.

Los orígenes del grupo Bilderberg los podemos encontrar en la guerra fría. La drástica división en bloques movió a los poderes fácticos del planeta a emprender una serie de maniobras ocultas en aras de mantener la situación mundial bajo control. Así lo explicaba en 1964 el senador estadounidense Jacob Javits, ante un comité del Congreso convocado para estudiar al grupo: «Los países del mundo occidental sienten la necesidad de una más apretada colaboración para proteger sus valores éticos y morales». Lo que el senador pretendía decir con este eufemismo era que había que parar los pies a los comunistas a cualquier precio. Había mucho en juego, ni más ni menos que el mantenimiento de la supremacía oligárquica de Estados Unidos, Canadá y la Europa occidental en el concierto mundial. Fue en ese

1. Jon Ronson, *Extremistas: mis aventuras con los radicales*, Barcelona, Ediciones del Bronce, 2003.

momento cuando el príncipe Bernhard de Holanda comenzó a difundir una idea a la vez sencilla y revolucionaria:

> Si pudiéramos llegar a un acuerdo de partida, el resultado sería, sin lugar a dudas, no una utopía, sino una Europa extremadamente sana y fuerte. Llegados a este punto podríamos integrar a Estados Unidos en la comunidad económica. Ello podría ser el inicio de un gran tratado de libre comercio que se extendiera por todo el mundo. De esta forma, cuanto más libre comercio tengamos, más difíciles les será a los nuevos países de África y Asia vivir en el aislamiento y la autarquía.

Los que vigilan a los gobiernos

Estos planteamientos sirvieron para inspirar a Joseph Retinger, un veterano de la diplomacia norteamericana que, según se decía, tenía tantos contactos e influencias en las altas esferas mundiales que le bastaba hacer una llamada telefónica para cenar con el presidente de Estados Unidos. Él también tenía un sueño: imaginaba un mundo en paz, regido por una gran organización supranacional, inmune a cualquier tipo de ideología. La organización con la que fantaseaba Retinger lo controlaría todo, especialmente las políticas económicas y militares. Los Estados seguirían existiendo, pero su poder se encontraría restringido por la tutela del grupo, cuya fuerza radicaría precisamente en el desconocimiento que tendría la opinión pública respecto a su verdadera naturaleza. En otras palabras, la plasmación de las ideas de Retinger significaría la institución de ese gobierno en la sombra que presuntamente intentaban poner en funcionamiento los Illuminati. Con tales planteamientos, era lógico que Bernhard y Retinger congeniasen. Juntos dieron forma a lo que más tarde sería conocido como grupo Bilderberg.

El propósito declarado del grupo Bilderberg es alcanzar un mejor entendimiento entre Europa y América del Norte (todos los invitados proceden de estos dos continentes) a través de una serie de encuentros informales entre individuos de gran influencia en la sociedad. Se dice que aquellos que acuden a las reuniones del Bilderberg lo hacen a título estrictamente particular, privados de cualquier tipo de representatividad oficial, sea cual sea el cargo que ocupen. Ésa, al menos, es la teoría. Sin embargo, todos y cada uno de ellos han sido cuidadosamente escogidos por el comité organizador, que envía invitaciones a no más de cien personas, precisamente en virtud de los puestos que ocupan. Son los elegidos para unirse en una serie de deliberaciones secretas cuyo fin último es la preservación de la hegemonía occidental en el mundo. El lugar donde se celebra la reunión (cada año uno distinto) y la lista de participantes son datos accesibles al público, pero el contenido de los encuentros se mantiene en el más absoluto secreto.

Entre los participantes se cuentan los presidentes de los mayores bancos del mundo, expertos en defensa y política internacional, directivos de grupos de comunicación, ministros, presidentes, miembros de casas reales, financieros, políticos. Para hacernos una idea de qué tipo de perfil se requiere, diremos que a algunas de las últimas reuniones han asistido el secretario de Defensa estadounidense Donald Rumsfeld, el banquero David Rockefeller, Henry Kissinger, la reina Beatriz de Holanda y también algunos de los personajes más relevantes de la vida pública española.

De hecho, llama poderosamente la atención cómo un acontecimiento de esta importancia, que reúne todos los años a jefes de Estado, políticos y líderes económicos muy destacados, nunca aparece recogido como noticia en ningún medio de comunicación, lo que nos puede dar una idea del tremendo poder del grupo para ocultar su propia existencia al grueso de la opinión pública.

La nómina de «bilderbergers» es sorprendente en cuanto a cantidad y calidad. Por ello, la revista *The Economist* escribió hace unos años que «cuando alguien hace escala en Bilderberg, ya llegó». La frase tiene especial sentido si se tiene en cuenta que

Bill Clinton y Tony Blair asistieron a las cumbres poco antes de convertirse en los gobernantes de sus respectivos países. También son sonadas las gestiones de Kissinger para convencer a Berlusconi de la importancia de que el *bilderberger* Renato Ruggiero fuese nombrado ministro de Exteriores. El último secretario general de la OTAN, Jaap de Hoop Scheffer, también ha asistido a las reuniones del club.

Nombres españoles

El absoluto secreto que rodea a las reuniones del grupo ha provocado que surja a su alrededor una buena cantidad de teorías conspiratorias. Quienes asisten se justifican diciendo que este secreto es una herramienta para que puedan hablar libremente, sin estar presionados por lo que pueda pensar la opinión pública de sus manifestaciones, lo que sirve para que hagamos una interesante reflexión: si esto es así, no cabe duda de que nuestros dirigentes dicen unas cosas en público y manifiestan otras muy distintas cuando nadie les está escuchando. Por ello, no es de extrañar que este silencio haya sido interpretado por los teóricos de la conspiración como síntoma de que sus reuniones encierran algún propósito oculto. Es más, son muchos los que ven en el grupo Bilderberg una tapadera de los mismísimos Illuminati.

Según los expertos en Bilderberg, el club funciona según el sistema de círculos concéntricos tan utilizado en gran número de sociedades secretas. El núcleo interno de esta asociación es su comité directivo, el Steering Committee, compuesto por unas cuarenta personas. Éstas escogen a los invitados de la edición del año en curso según la agenda temática prevista. La norma más o menos establecida es que cada uno de los miembros del comité directivo invite a otras dos personas. En total, unas ciento cincuenta personas como máximo.

Así pues, dependiendo del prisma ideológico que se aplique, podemos considerar al grupo Bilderberg como:

– Un inofensivo club de debate para políticos, financieros y académicos de primera línea internacional.
– Uno de los grupos de presión de mayor poder de cuantos operan en el planeta, capaz de influir en decisiones del más alto nivel.
– Una sociedad secreta que opera estrictamente en función de sus propios intereses.

España ha sido en una ocasión sede de un encuentro del club. En 1989, Felipe González dio la bienvenida al grupo en el balneario pontevedrés de La Toja. En aquella ocasión estuvieron presentes el ex secretario general de la OTAN Lord Carrington, el ministro de Asuntos Exteriores austríaco Franz Vranitzky, Jesús de Polanco y Miguel Boyer.

Entre los españoles que han pasado por Bilderberg en alguna de sus ediciones cabe citar a Esperanza Aguirre, el financiero Jaime de Carvajal y Urquijo, Rodrigo Rato, Pedro Solbes, Matías Rodríguez Inciarte, Joaquín Almunia y Jordi Pujol.

En cualquier caso, en la lista «oficial» no están todos los asistentes, sino que siempre hay algún «espontáneo», como Colin Powell, secretario de Estado de Estados Unidos, quien en la reunión celebrada en Versalles en 2003 recaló para informar sobre los progresos en el Iraq ocupado. Asimismo, algunos *bilderbergers* solicitan que sus nombres permanezcan en el anonimato.

Broederbond

Este tipo de grupos semiocultos también ha tenido su importancia a nivel local en determinados países. La Broederbond es un ejemplo perfecto y la citamos más por su carácter ilustrativo que por su importancia a nivel internacional. Se trata de una sociedad secreta sudafricana fundada en 1918, formada exclusivamente por personas de raza blanca y a la que se accedía tras una ceremonia iniciática cuyo significado va más all de una simple fraternidad y que se constituye en un pacto sellado, excluyente y absolutamente nacionalista, de gran semejanza con el K. K. K. estadounidense o con los postulados hitlerianos de la supremacía racial del hombre ario. Durante más de cuatro décadas, la sociedad secreta conocida como Broederbond ha controlado los destinos de Sudáfrica como un virtual gobierno en la sombra[1]. Hasta la liberación de Nelson Mandela, cada jefe de Estado sudafricano y casi todos los miembros de sus gabinetes, así como jueces, policías, personalidades académicas y militares han pertenecido a esta sociedad esotérica que cuenta en su haber no sólo con la creación del siniestro *apartheid*, sino también con su mantenimiento durante más de cincuenta años.

Esta doctrina, calificada como «nacionalismo purificador» por sus defensores, suponía que una minoría de cuatro millones y medio de blancos europeos debía dominar a toda la población africana de veinticuatro millones de habitantes, organizando la economía de la nación para la explotación de sus enormes riquezas minerales, sobre la base de una mano de obra barata, sumisa y sin beneficios sociales. Ya en 1925, el general Hertzog, fundador de la fraternidad, decía:

> Los europeos deben mantener un nivel de vida que corresponda a las exigencias de la civilización blanca. La civilización y los estándares de vida siempre van de la mano. Por lo tanto, un blanco no puede subsistir con el salario de un nativo porque eso significaría que él tiene que renunciar a su propio estándar de vida y adoptar el estándar de vida de un nativo[2].

Pero no estamos en absoluto hablando de un grupo de racistas radicales cegados por su fanatismo. Cuando la Broeder-

1. *Philadelphia Inquirer*, 28 de enero de 1990.
2. General Hertzog, *The Rise of Afrikanerdom*, Berkeley, University of California Press, 1975.

bond consideró que el *apartheid* ya no era un sistema viable en Sudáfrica, fueron ellos los que patrocinaron y supervisaron las negociaciones del presidente De Klerk con la mayoría negra para llegar a la actual situación de poder compartido.

Estas conversaciones habrían comenzado a finales de la década de los años ochenta, cuando la sociedad sudafricana vivía sus mayores momentos de convulsión y los miembros de la Broederbond se reunían en secreto con los dirigentes de los grupos clandestinos negros para buscar una salida a la situación que acabara con el baño de sangre que estaba tiñendo de luto a ambos bandos. En aquellos días, el jefe de la sociedad secreta era el profesor J. P. de Lange, quien llegó a la conclusión de que el mantenimiento de aquella situación desencadenaría una guerra civil que habría acabado con Sudáfrica como país.

En la actualidad, la sociedad tiene un frente visible llamado Afrikanerbond, que se describe a sí misma en su propia página web[1] como una asociación destinada a defender los intereses de los blancos sudafricanos.

CFR

A pesar de todo lo que hemos mencionado hasta ahora, el poder de otras sociedades secretas empalidece cuando echamos un vistazo a otro grupo al que han terminado perteneciendo desde su creación todos los presidentes estadounidenses de las últimas décadas junto a los miembros de sus gabinetes, la mayor parte de los componentes del legislativo, del cuerpo diplomático y de los presidentes de los mayores bancos y empresas del país; un grupo que, según muchos analistas, es el verdadero gobierno en la sombra de Estados Unidos. El Consejo de Relaciones Exteriores (Council of Foreign Relations, CFR) es una organización que desde 1922 publica una influyente revista: *Foreign Affairs*.

1. *www.afrikanerbond.org.za.*

En 1917, Edward Mandell House, uno de los asesores más cercanos al presidente estadounidense Woodrow Wilson, reunió en Nueva York a más de un centenar de los personajes más relevantes de la vida política y económica norteamericana para tratar en profundidad cómo deberían encauzarse las relaciones exteriores internacionales de Estados Unidos tras la Primera Guerra Mundial. De esa reunión nació una declaración conocida como los «Catorce Puntos», que el presidente presentó al Congreso el 8 de enero de 1918. Wilson proclamaba en ella el fin de la época de las conquistas y de la diplomacia secreta y proponía la construcción de un nuevo mundo basado en la justicia, en los derechos de los gobernados y en la seguridad de las naciones.

Estos grandes principios se concretaban en catorce puntos que establecían principios generales (tratados conocidos por el público, libertad de navegación, supresión de las barreras económicas...) e incluían propuestas concretas territoriales sobre Rusia, Francia, Bélgica, Italia, Austria-Hungría, los Balcanes, el Imperio turco o Polonia. El punto decimocuarto proponía la clave de la construcción diplomática de Wilson: la constitución de una Sociedad de Naciones (el embrión de la actual ONU) que garantizara la paz en un futuro. Los catorce puntos suponían una propuesta más benevolente que los objetivos de guerra diseñados por los gobiernos de Francia e Inglaterra. Éste es el motivo por el que Alemania y Austria-Hungría, ante la irreversible derrota a la que se veían abocados, se dirigieron a Wilson a principios de octubre de 1918 para abrir negociaciones, tomando como base la propuesta del presidente norteamericano. Gracias a ello, la firma del armisticio se hizo tomando como base los Catorce Puntos. No obstante, Francia impuso algunas medidas que hicieron que los tratados de paz difirieran en algunos aspectos importantes de la propuesta wilsoniana.

En 1921 un grupo de personajes notables de las finanzas y la política estadounidenses –dirigido por Edward Mandell House y aconsejado por Woodrow Wilson y Lionel Curtis, éste en calidad de representante del gobierno de Gran Bretaña– se reunió en París para diseñar una estrategia con el fin de «educar» a los americanos en la necesidad de implicarse de forma más activa en los asuntos internacionales, venciendo su natural tendencia al aislacionismo. El resultado fue la creación del Institute of International Affairs, organización compuesta por dos ramas: una en Londres, la Royal Institute of International Affairs (RIIA)[1], y la otra en Nueva York, que fue el ya citado CFR, que se creó oficialmente el 29 de julio de 1921. Según la página web[2] de esta publicación, la fundación del CFR se debe a:

> varios participantes estadounidenses en la Conferencia de Paz de París, que decidieron que había llegado el momento de que un número cada vez mayor de ciudadanos particulares estadounidenses se familiarizaran con las crecientes responsabilidades y obligaciones internacionales de Estados Unidos.

El *verdadero poder*

De hecho, los miembros del CFR, más que «familiarizarse con las responsabilidades y obligaciones internacionales de Estados Unidos», actualmente son quienes dictan y controlan esas responsabilidades. Tanto es así, que hoy día es casi imposible acceder a un puesto político de relevancia –incluida la Casa Blanca– sin ser miembro del CFR, una institución que no aparece recogida ni en la legislación ni en la Constitución estadounidense y cuyos miembros no son elegidos de manera democrática. No es una sociedad secreta propiamente dicha; su existencia es públi-

1. También conocido como Chatham House Study Group (Grupo de Estudio Chatham House), la RIIA era públicamente reconocida como una de las instituciones que asesoran al gobierno británico en temas de política exterior. Organizaciones similares vieron la luz en París y Hamburgo. Véase Robert Anton Wilson, *op. cit.*

2. *www.foreignaffairs.org.*

ca y notoria, pero no por ello deja de ser un club privado y exclusivo que tiene prácticamente secuestrado el poder político en Estados Unidos[1].

Los tres mil doscientos asientos del CFR pronto fueron ocupados por lo más granado de la oligarquía estadounidense. Sin embargo, poco sabríamos de este grupo y sus actividades de no ser por el sorprendente libro *Tragedia y esperanza*[2], escrito por el doctor Carroll Quigley, el que –como ya dijimos– fuera mentor de Bill Clinton en la Universidad de Georgetown. En su libro, un texto de más de mil trescientas páginas, escrito con rigor académico y exhaustividad enciclopédica, Quigley hace importantes revelaciones de primera mano sobre el papel del CFR y otras organizaciones similares en la vida política estadounidense.

Según Quigley, el control real de estas organizaciones lo detentan las grandes dinastías financieras de Europa y Estados Unidos, que las utilizan para extender su poder desde el ámbito económico al político. Los préstamos que la banca internacional hace a los gobiernos en momentos de crisis ya le aseguran una importante influencia sobre muchos gobiernos. El papel de las organizaciones como el CFR sería utilizar esa influencia «sugiriendo» determinados cursos de acción, con la pretensión de ser apenas un grupo asesor independiente.

En 1946, la Fundación Rockefeller invirtió ciento cuarenta mil dólares en patrocinar a un equipo de historiadores para que redactaran la crónica de cómo entró Estados Unidos en la Segunda Guerra Mundial. Se trataba de contrarrestar la versión de los historiadores revisionistas que, como ya hemos visto, afirmaban que el pueblo estadounidense, completamente opuesto a la participación de su país en la contienda, había sido

1. H. Shoup y William Minter, «Imperial brain trust: the council on foreign relations and U.S. foreign policy», *Monthly Review Press*, Nueva York, 1977.

2. Carroll Quigley, *op. cit.*

hábilmente manipulado por la administración Roosevelt, bajo la influencia del CFR. Este y otros ejemplos históricos parecen dar la razón a quienes ven en el CFR un grupo de poder ilegítimo que manipula cínicamente la política internacional de Estados Unidos.

Pero si el CFR es un grupo tan poderoso e influyente, ¿cómo es que no hemos oído hablar hasta ahora de él? La respuesta a esta pregunta aparece de inmediato en cuanto se echa un vistazo con cierto detenimiento a la lista de miembros del grupo. Al revisar esa lista descubrimos que las personas clave que controlan el negocio de la información en Estados Unidos son miembros del grupo: presidentes, altos ejecutivos y/o directores de los servicios informativos de CBS, NBC, ABC, la radiotelevisión pública, Associated Press, *The New York Times*, *Time Magazine*, *Newsweek*, *Washington Post* y otros importantes medios de comunicación en los que nunca, pase lo que pase, se publica la más leve referencia a la organización o sus actividades[1]. Pero aun en el hipotético caso de que alguno de estos periodistas decidiera hacer honor a su profesión y revelara informaciones acerca de lo que sucede en los encuentros del CFR, existe la llamada «regla de no atribución» que impide a los miembros comentar fuera de la organización las opiniones y argumentos que se hayan vertido en sus reuniones.

La regla de no atribución, unida a la impresionante lista de nombres que jalona la nómina del CFR y su vinculación con el imperio Rockefeller, ha llevado a los conspiracionistas, tanto de izquierdas como de derechas, a sentir una más que justificada desazón hacia el CFR. Para ellos, el CFR y sus grupos afines haría ya tiempo que tomaron al asalto la política estadounidense y, desde esa plataforma, pretenderían extender su Nuevo Orden Mundial al resto del planeta.

---

1. Robert Gaylon Ross, *Who's Who of the Elite: Members of the Bilderbergs, Council of Foreign Relations, Trilateral Commission, and Skull & Bones Society*, San Marcos, Texas, Ross International Enterprises, 1995.

Por iniciativa de David Rockefeller, figura emblemática del capitalismo estadounidense, nacía hace algo más de treinta años –en julio de 1973– la Comisión Trilateral (CT). Cenáculo de la élite política y económica internacional, ese club exclusivo de altos dirigentes desató muchas controversias, sobre todo en sus comienzos[1]. La Comisión ha sido señalada como el máximo exponente de las sociedades secretas de nuevo cuño, capaces de impulsar las políticas internacionales hacia intereses muy alejados de lo que desean o les conviene a las poblaciones de los distintos países. La idea de lo que más tarde sería la Comisión Trilateral fue esbozada y sugerida a Rockefeller por Zbigniew Brzezinski, por aquel entonces catedrático de estudios rusos en la Universidad de Columbia. En 1970 escribía lo siguiente:

> Se necesita un nuevo y más amplio enfoque: la creación de una comunidad de naciones desarrolladas que pueda hacer frente con efectividad a los más grandes desafíos que afectan a la humanidad. Un consejo en el que estuvieran representados Estados Unidos, Europa Occidental y Japón, con reuniones periódicas de los jefes de gobierno y una pequeña maquinaria a su servicio, podría ser un buen comienzo[2].

Ese mismo año, Brzezinski publicaba un curioso libro titulado *Entre dos épocas: el papel de América en la era tecnotrónica*[3]. En sus páginas exponía postulados que parecían confirmar las peores sospechas de los antiglobalistas, declarando cosas como que la «soberanía nacional ya no es un concepto viable».

1. *Le Monde Diplomatique* dedicó varios artículos a ese tema en la década de los setenta. Véanse particularmente Claude Julien, «Les sociétés libérales victimes d'elles-mêmes», y Diana Johnstone, «Une stratégie trilatérale», *Le Monde diplomatique*, París, marzo de 1976 y noviembre de 1976, respectivamente.

2. Zbigniew Brzezinski, *La révolution technétronique*, París, Calmann-Levy, 1970.

3. Zbigniew Brzezinski, *Between Two Ages: America's Role in the Technotronic Era*, Harmondsworth, Penguin Books, 1978.

También explicaba que una organización del estilo de la Comisión Trilateral resultaba perfecta para la consolidación del Nuevo Orden Mundial, aclarando que «el objetivo de crear una comunidad de naciones desarrolladas es menos ambicioso como meta que un gobierno mundial, y es más accesible».

En abril de 1972, Brzezinski presentó su plan ante los miembros de otro de los grupos secretos de influencia más importantes del planeta, el grupo Bilderberg, cuyos miembros se reunían aquel año en la localidad belga de Knokke-Heist. En 1973 nace la Comisión Trilateral, contando entre sus filas con un buen número de personalidades norteamericanas, aparte de destacados miembros europeos como el editor de *The Economist*, Alistair Burnet, y el entonces vicepresidente de la Comisión Europea, Raymond Barre. Con tan poderosos patrocinadores, no es de extrañar que la Comisión Trilateral pronto adquiriera una merecida fama de influir crucialmente en las decisiones de gobiernos de todo el planeta.

Distinguidos ciudadanos

La Comisión Trilateral se propuso desde entonces convertirse en un organismo privado de concertación y de orientación de la política internacional de Estados Unidos, Europa y Japón. Su carta fundacional así lo expone:

> Centrada en el análisis de los temas principales a que deben hacer frente Estados Unidos, Europa del Oeste y Japón, la Comisión se consagra a desarrollar propuestas prácticas para una acción conjunta. Los miembros de la Comisión reúnen a más de doscientos distinguidos ciudadanos provenientes de las tres regiones y comprometidos en diferentes áreas[1].

1. El número de los admitidos en el seno de la Comisión Trilateral fue posteriormente ampliado, y hoy en día la organización comprende más de trescientos miembros, muchos de ellos pertenecientes también al CFR y/o grupo Bilderberg.

Brzezinski fue director ejecutivo de la Trilateral hasta 1976, cuando el presidente Carter le designó asesor presidencial para asuntos de seguridad nacional. Se creía que la Comisión Trilateral estaba vinculada de alguna forma con el Partido Demócrata, algo que quedó claramente desmentido al descubrirse que importantes figuras republicanas también militaban en esta organización, entre ellas el ex director de la CIA y futuro presidente George Bush. Pero los sucesivos nombramientos de trilateralistas por parte de Carter para ocupar puestos clave en la administración iban levantando suspicacia e indignación en la opinión pública, algo que culminó con la designación de Paul Volcker, presidente de la Trilateral y miembro del CFR, y el grupo Bilderberg, como cabeza de la Reserva Federal, el todopoderoso banco central estadounidense. El senador y candidato presidencial Barry Goldwater expresó la inquietud de buena parte de la clase política cuando escribió: «Lo que realmente desean los trilateralistas es la creación de un poder económico mundial superior a los gobiernos políticos de las naciones y/o estados implicados. Como creadores y gerentes de este sistema, ellos manejarían el mundo»[1].

Durante su campaña para la nominación presidencial de 1980, Ronald Reagan se convirtió en el abanderado de la cruzada antitrilateralista, prometiendo incluso una importante investigación pública sobre la infiltración de la Trilateral en el gobierno del país. Sin embargo, una vez en la Casa Blanca, Reagan –seguramente arrepentido de su anterior dureza con estos grupos– designó para diversos altos cargos a veintiocho miembros del CFR, diez del grupo Bilderberg y otros diez de la Comisión Trilateral, si bien tales muestras de arrepentimiento pudieron no ser suficientes. Apenas dos meses después, Reagan salvaba milagrosamente la vida en un atentado que habría colocado a George Bush en el despacho oval antes de tiempo. No deja de ser sospe-

---

1. Barry Goldwater, *With no Apologies*, Nueva York, William Morrow & Co., 1979.

choso que el frustrado homicida fuera John W. Hinckley, hijo de un petrolero tejano íntimo amigo del propio Bush.

A los que duden de que una reducida oligarquía es la que realmente gobierna en Estados Unidos tal vez este dato les sorprenda. De los treinta y siete presidentes anteriores a Jimmy Carter, dieciocho –o veintiuno, según otras fuentes– eran parientes no demasiado lejanos[1]. O, lo que es lo mismo, la mitad de los presidentes estadounidenses de la historia ha sido familia. Varios apellidos constituyen el punto de anclaje de estas sorprendentes relaciones familiares, entre ellos algunos de los correspondientes a las familias más poderosas de Estados Unidos: los Astor, Roosevelt, Coolidge, Tyler, Taft, Van Buren, Delano o Truman. Esta curiosa circunstancia queda explicada por la marcada endogamia de la élite estadounidense, que hace que todas estas familias se hayan ido entrelazando a través de una intrincada red de matrimonios.

Exceso de democracia

No era la primera vez que el nombre de Bush se veía relacionado con la muerte violenta de un presidente. Su teléfono, bajo la etiqueta de «Poppy» –un apodo familiar de Bush que conocía muy poca gente–, apareció en la agenda del geólogo George DeMohrenschildt, amigo de Lee Harvey Oswald, el presunto asesino del presidente Kennedy. También existe un informe del FBI de 1963 en el que se menciona a un tal «George Bush de la CIA», referente a las reacciones de la comunidad cubana en Estados Unidos ante la muerte de Kennedy. Son muchos los investigadores que esperan que, según se vayan desclasificando más documentos respecto a este tema, irán apareciendo más referencias al papel de ese «George Bush de la CIA» en este escabroso asunto.

Las innegables relaciones entre las más altas magistraturas

1. Neal Wilgus, *op. cit.*

del poder estadounidense y la existencia de organizaciones privadas como la Comisión son hechos que han causado y causan justificada desazón en amplios sectores tanto de la izquierda como de la derecha estadounidense. Los grandes medios de comunicación estadounidenses rara vez mencionan a la Comisión Trilateral. Esta falta de información se acrecienta debido al carácter extremadamente confidencial que tienen las deliberaciones del grupo, más propio de una sociedad secreta que de la inofensiva ONG que pretenden ser.

Una de las últimas y llamativas peculiaridades que ha caracterizado a la Comisión Trilateral en los últimos años ha sido su fobia hacia el movimiento antiglobalización. Las reuniones de 2001 y 2002 sirvieron de marco para que el director general de la Organización Mundial del Comercio (OMC), Mike Moore, proclamara devotamente las virtudes del libre cambio y dedicara las peores descalificaciones a los activistas antiglobalizadores. Según Moore: «Es imperativo recordar una vez más las pruebas contundentes que muestran que el comercio internacional refuerza el crecimiento económico»[1]. Una vez más, se ponía de manifiesto la aversión que los miembros de la Trilateral sienten por los movimientos populares, a los que consideran como una suerte de factor incontrolable, de grano de arena que puede hacer peligrar el funcionamiento de las complejas maquinarias de relojería política que diseñan. Ese sentimiento ya había sido expresado en el célebre informe de la Comisión Trilateral sobre la gobernabilidad de las democracias, redactado por Michel Crozier, Samuel Huntington y Joji Watanuki[2], en el que estos tres autores venían a señalar los peligros inherentes a un «exceso de democracia» en el que los ciudadanos sean libres para protestar contra medidas de política internacional como guerras o solicitar nuevos derechos civiles.

1. Mike Moore, *The multilateral trading regime is a force for good: defend it, improve it,* Reunión de la Comisión Trilateral del 11 de marzo de 2001.
2. Michel Crozier, Samuel Huntington y Joji Watanuki, *The crisis of democracy: report on the governability of democracies to the Trilateral Commission,* New York University Press, 1975.

Gran Logia Alpina

La Gran Logia Alpina es, con diferencia, la logia masónica más importante de Suiza, lo que le ha valido el dudoso honor de merecer las atenciones de un buen número de conspiracionistas antimasones, que la ven como uno de los grupos secretos más influyentes del mundo. Afirman que esta organización domina las finanzas mundiales a través de los bancos que dirigen en Zúrich y Ginebra. También se cree que es a ellos a los que se refería el antiguo primer ministro británico cuando hablaba de un misterioso grupo al que llamaba los «gnomos de Zúrich», a los que atribuía un poder superior al de todos los gobiernos de Europa juntos. También se ha especulado en diversas ocasiones con una relación entre la Gran Logia Alpina y la logia P2 italiana, implicada en el escándalo de la banca vaticana. Esto es especialmente notorio en el best seller de David Yallop *En nombre de Dios*[1], en el que se afirma que miembros del colegio cardenalicio eran en su día miembros de la Gran Logia Alpina, la logia P2 o ambos grupos y conspiraron para asesinar a Juan Pablo II, algo en lo que, según este autor, habrían tenido éxito.

Es posible que la verdad sobre el escándalo de la banca vaticana fuera en realidad mucho más prosaica y se tratase de una oscura trama de blanqueo de dinero a escala mundial, en la que fondos de diversas procedencias (Mafia, narcotráfico, servicios secretos, dictaduras de diversos países) entraban por un extremo para salir por el otro completamente limpios y –nunca mejor dicho– con todas las bendiciones.

Nuevo Orden Mundial

A pesar de lo que se cree comúnmente, la primera vez que se utilizó este término no fue en la esfera política, sino en la reli-

1. David Yallop, *op. cit.*

giosa. Bahá'u'lláh, el profeta fundador de la fe Bahá'í, empleó por primera vez este término en 1873. En la actualidad, el término «Nuevo Orden Mundial» se refiere a la creencia, especialmente extendida entre los grupos de la extrema derecha estadounidense, pero no exclusiva de éstos, de que Naciones Unidas y otras fuerzas conspiran en la sombra para el establecimiento de un gobierno mundial. Esta creencia se funda, entre otras cosas, en el empleo de esta expresión por parte de determinados políticos. Como ocurre en *Ángeles y demonios*, del escritor Dan Brown, son muchos los que sostienen que esta conspiración está promovida por agentes de Satán y tiene en realidad un trasfondo religioso. Como no podía ser menos, los principales sospechosos de estar detrás del Nuevo Orden Mundial son los Illuminati, quienes estarían acaparando en la sombra amplias parcelas de poder desde las cuales favorecer el establecimiento de este gobierno planetario. De hecho, los hay que van aún más lejos y afirman que este gobierno mundial ya se ha establecido de forma encubierta, siendo los gobiernos nacionales una mera fachada de una instancia secreta de poder incalculable[1].

Sin embargo, los Illuminati, siendo los más populares, no son ni mucho menos los únicos sospechosos de encontrarse detrás de esta colosal conspiración. Judíos, comunistas, la Comisión Trilateral, el grupo Bilderberg y hasta los extraterrestres han sido identificados como los titiriteros que manejan los hilos del Nuevo Orden Mundial.

Pero no son las únicas teorías de conspiración que circulan sobre este tema. También es muy popular en Estados Unidos la creencia en que el último paso de este complot es el mantenimiento de este Nuevo Orden Mundial por la fuerza de las armas, utilizando tropas estadounidenses y de Naciones Unidas

---

1. Victor Thorn, *The new world order exposed: how a cabal of international bankers is deliberately trying to undermind America*, Arizona, Dandelion Books, 2002.

para subyugar a aquellos países que no se plieguen a las exigencias de los conspiradores, siendo las últimas intervenciones militares en Oriente Medio o la antigua Yugoslavia prueba de ello. Para estos teóricos de la conspiración, el establecimiento del Nuevo Orden Mundial supondrá:

– La abolición de los derechos a la propiedad privada y a la tenencia de armas.
– Todos los procesos electorales, nacionales y locales serán supervisados por la ONU.
– La Constitución estadounidense será reemplaza por la Carta de Naciones Unidas.
– Sólo se permitirá la existencia de determinadas religiones (las mayoritarias).
– La escolarización en el domicilio quedará prohibida y Naciones Unidas supervisará todos los planes de estudio.
– Se creará una red de campos de internamiento para confinar a quienes no acaten el Nuevo Orden Mundial.

Todo para el pueblo pero sin el pueblo

La posible vinculación con los Illuminati del entramado de organizaciones que hemos repasado es materia para la especulación de conspiracionistas de todo pelaje. No obstante, lo que parece indudable es que estamos ante una manifestación de despotismo ilustrado de nuevo cuño en la que los poderosos velarían por nuestro bien pero tolerando muy pocas intrusiones por parte de la voluntad popular. Mientras instituciones como la Comisión Trilateral, el CFR o los Bilderberg continúen operando con la libertad que lo hacen, expresiones como soberanía popular o democracia tendrán un significado real ciertamente limitado. Estamos ante un nuevo patriciado, un nuevo poder del que nada se dice, pero cuya influencia se extiende lenta e inexorablemente sobre el mundo.

LOS VERDADEROS ILLUMINATI

Fuera de especulaciones más o menos truculentas, lo cierto es que en la actualidad existen sociedades esotéricas que reclaman para sí abiertamente la herencia y el nombre de los Illuminati. Entre éstas, la más importante se encuentra precisamente en España.

En 1995, Gabriel López de Rojas funda en Barcelona la Orden Illuminati, tras contactar con miembros de los Illuminati de Estados Unidos y recuperar, después de una importante investigación, el Rito de los Iluminados de Baviera de Adam Weishaupt con sus trece grados de iniciación:

      I. Noviciado
     II. Iluminado Minerval
    III. Iluminado Menor e Iluminado Mayor
         Caballero Masón   IV. Aprendiz
                               V. Compañero
                           VI. Maestro
         Iluminado Dirigente   VII. Soberano Príncipe
                                   de la Rosacruz
                          VIII. Caballero Kadosh
                           IX. Soberano Gran Inspector
                                 General
     X. Sacerdote Iluminado
    XI. Príncipe Iluminado
   XII. Mago Filósofo
  XIII. Hombre Rey

Los Illuminati de Rojas hicieron suyo igualmente el credo igualitario y libertario de los Illuminati bávaros y sus enseñanzas más iniciáticas. La Orden Illuminati tuvo un crecimiento lento hasta 1999, salpicado de todo tipo de dificultades para su fundador. No obstante, a partir de este año comenzó a crecer y extenderse fuera de España.

La Orden Illuminati, hoy, está ubicada en más de una decena de países y entre los que se autotitulan sucesores de los Illuminati bávaros la rama española se ha ganado un lugar de honor por su fidelidad al modelo original.

Organizaciones no gubernamentales, movimientos populares y partidos políticos, como los Verdes alemanes, denuncian esta situación y organizan movilizaciones y actos de protesta contra estos nuevos mandarines. No hace falta ser adivino para predecir que este tipo de enfrentamientos se van a hacer más frecuentes y agrios durante los próximos años. Según se vayan haciendo evidentes las actuaciones de esta élite mundial, se producirán reacciones populares en contra, que a su vez traerán consigo represiones más o menos violentas. No se trata de jóvenes airados o extremistas radicales, sino de hombres y mujeres concienciados que saben que en la actualidad las políticas del Banco Mundial o la Organización Mundial del Comercio tienen un impacto negativo sobre la vida de millones de personas de todo el planeta. Personas normales y corrientes que, como sucedió en España el 13 de marzo de 2004, tras la catástrofe del *Prestige* o en los días previos a la intervención española en la invasión de Iraq, decidieron hacer oír su voz, mientras el gobierno les acusaba de «pancarteros».

Capítulo 11

¿Un gobierno mundial para el siglo XXI?

Buena parte de la leyenda Illuminati actual se vertebra, como hemos visto, en la presunta amenaza de un complot a nivel universal para establecer un gobierno mundial dirigido desde la sombra por la orden. Independientemente de la credibilidad que se le dé a esta afirmación, cabe señalar que en la actualidad, y lejos de cualquier teoría conspirativa, existen diversos esfuerzos reales, de muy variado signo ideológico, que pretenden culminar con el establecimiento de un gobierno mundial. Bueno será que los repasemos y que tengamos en cuenta, a pesar de que no se mencione este hecho en el texto, que en todos y cada uno de los casos que repasaremos a continuación –se trate de la ONU, los sectores más radicales del Partido Republicano estadounidense o la Internacional Socialista– indefectiblemente han surgido voces que los han acusado de formar parte de la magna conspiración Illuminati.

Tras el colapso del imperio soviético y el fin de la guerra fría, la idea del gobierno mundial está siendo objeto en Occidente de un culto cada vez más extendido. Los defensores de la nueva Cosmópolis, que se reparten a partes iguales entre la derecha y la izquierda, sostienen que un poder global es la única alternativa no sólo a la guerra, el terrorismo y la anarquía internacional, sino incluso a la destrucción del planeta y la extinción de la especie, víctima de su propia desidia ecológica. Y, a la vez, reclaman una reforma radical de Naciones Unidas que legitime a esta institución como fuerza internacional capaz de instaurar una «justicia global»[1].

1. Danilo Zolo, *Cosmópolis: perspectiva y riesgos de un gobierno mundial*, Barcelona, Paidós, 2000.

Aún hoy existen muchos obstáculos que superar para permitir la institución de un gobierno mundial. Ninguno de ellos, sin embargo, es fundamental o insuperable. En los sistemas occidentales que presentan la libertad individual como uno de sus valores fundamentales, el temor a una pérdida de la misma constituye uno de los obstáculos fundamentales; por otra parte, los sistemas no-occidentales, que tienden a demonizar lo que ellos consideran la anarquía individualista que caracteriza a Occidente, recelan del gobierno mundial por miedo a que los poderes de esta parte controlen indebidamente las instituciones. Desde la religión también hay abundantes escépticos del gobierno mundial, ya que se interpretan las escrituras religiosas como una profecía de la conquista del planeta por las fuerzas del mal.

A pesar de esta oposición, existen intelectuales –y algunas religiones como la Bahá'í– que sueñan con un nuevo orden mundial, de carácter pacífico, donde la fuerza no tenga cabida y reine la justicia en las relaciones internacionales; por ejemplo, planteándose la acción global contra agresores o violadores de los tratados internacionales de desarme y proporcionando un mundo más seguro donde las libertades básicas y los derechos individuales y nacionales estuvieran garantizados. El inconveniente actual más importante es la aversión del gobierno de Estados Unidos a renunciar a cualquier parcela de su poder, casi omnímodo, en beneficio de Naciones Unidas.

Esta reluctancia se podría superar mediante una reforma en profundidad de Naciones Unidas que le diera a esta institución una mayor solvencia en la administración del derecho internacional. A pesar de que los progresos son lentos, muchos siguen esperanzados con esta idea. Existen organizaciones de activistas, tales como el Movimiento Federalista Mundial, que continúan promoviendo este ideal entre los gobiernos nacionales e intentan constantemente ampliar la plantilla de sus miembros.

El Movimiento Federalista Mundial (WFM) es una organización de carácter global que cuenta tanto con miembros individuales como con organizaciones asociadas en todo el planeta.

La secretaría internacional del WFM se encuentra en Nueva York, en la sede de Naciones Unidas. Fundado en 1947 en Montreux, Suiza, el movimiento reúne a organizaciones e individuos consagrados a la causa de un orden mundial justo basado en la acción de Naciones Unidas. El WFM tiene estatus de órgano consultivo del Comité Económico y Social en Naciones Unidas. Actualmente cuenta con veintitrés organizaciones miembros y dieciséis organizaciones asociadas, y tiene entre treinta mil y cincuenta mil militantes.

El WFM hace un llamamiento para que la humanidad llegue al final del imperio de la fuerza, creando un mundo gobernado a través del imperio de la ley. Este objetivo sería alcanzado por una serie de instituciones consolidadas y democráticas que tendrían poderes plenarios. Los federalistas mundiales apoyan la creación de estructuras globales democráticas, elegidas por la gente y con poderes ejecutivos. Abogan por un gobierno del mundo basado en los principios del federalismo. El federalismo mundial pretende la división de la autoridad internacional en agencias separadas, que representarían a los actuales cuerpos judiciales, ejecutivos y parlamentarios[1].

El 1 de febrero de 1992 el rotativo *The Sun Chronicle* recogía la siguiente noticia:

> La ONU lidera el Nuevo Orden Mundial.
> Fue una extraordinaria imagen del Nuevo Orden Mundial como lo vislumbró el presidente Bush: los americanos, rusos, chinos y otros líderes mundiales trabajando codo con codo, trabajando juntos... Se dedicaron a construir el nuevo mundo sobre el fundamento de unas Naciones Unidas renovadas [...]. El Consejo de Seguridad está dando inicio a un nuevo esfuerzo por mantener la paz mediante la aplicación de la diplomacia preventiva. Eso significa evitar que las crisis se conviertan en guerras, al suplir tropas a una fuerza del Consejo de Seguridad, con el propósito de mantener la paz y la seguridad.

1. *www.wfm.org.*

Los actuales defensores de la conspiración Illuminati han considerado a la ONU, desde su misma fundación, como un instrumento para hacer efectivo el ambicionado proyecto de los iluminados respecto de un gobierno mundial. Esta pretensión pasaría necesariamente por que la ONU dispusiera de un ejército permanente que le sirviera para dar fuerza ejecutiva a sus disposiciones. El 20 de agosto de 1990, sólo semanas después de la invasión de Kuwait, el ideólogo del Nuevo Orden Mundial y padre de la Comisión Trilateral, Zbigniew Brzezinski, escribió una columna de opinión titulada «The Persian Gulf: why we are really there» («El Golfo Pérsico: por qué estamos allí realmente»):

> Es oportuna una respuesta internacional, y por esa razón Naciones Unidas han adoptado su posición de condena [...]. Si la comunidad internacional [...] puede lograr la expulsión de Iraq [...] establecerá una importante lección y dará al mundo un ejemplo encomiable de cooperación internacional en la primera crisis importante de esta era tras la guerra fría. Establecerá un importante precedente para el futuro.

Brzezinski destacaba en su texto la idea de que la ONU estaba impulsando una iniciativa de cooperación internacional y que este esfuerzo iba a dar como resultado la formación de un ejército permanente. En la edición de la revista del CFR, *Foreign Affairs*, correspondiente a la primavera de 1991, figura un artículo titulado «The UN in a New World Order» («La ONU en un Nuevo Orden Mundial»), en el que se defiende de manera enérgica que la guerra del Golfo demostró claramente la necesidad de un ejército permanente bajo el control de la ONU:

> Por tanto, sería deseable cierta capacidad de la ONU para realizar estas funciones [de una respuesta militar en caso de crisis]... El Consejo de Seguridad debe ser capaz de movilizar una fuerza para servir bajo el mando de la ONU para propósitos policiales. Esa capacidad sería virtualmente indispensable en un orden mundial emergente. No debe perderse la oportunidad de lograrlo.

No todos los intentos de establecer un gobierno a nivel planetario tienen a la ONU como protagonista. Se rumorea que el recién reelegido presidente de Estados Unidos, George W. Bush, podría en algún momento de su segundo mandato sorprender al mundo con un movimiento político espectacular y sin precedentes que supondría, de hecho, dar los primeros pasos para el establecimiento de un gobierno mundial, eso sí, encabezado por Estados Unidos. Esta curiosa historia tiene su origen en un documento de trabajo elaborado por los asesores presidenciales en política exterior, en el que, en vista de las acusaciones de unilateralismo que están actualmente afrontando los estadounidenses, se recomienda una serie de soluciones que no podemos por menos que calificar como «originales».

Como medida más revolucionaria, el documento contempla la posibilidad de agregar al gobierno de Estados Unidos, por primera vez en la historia, a personalidades extranjeras de prestigio, que se hayan distinguido por su capacidad de liderazgo y por su amistad con el país norteamericano. Lejos de ser meras figuras decorativas, estos personajes tendrían importantes responsabilidades a su cargo. Los designados ostentarían técnicamente el cargo de altos asesores, pero simbólicamente serían algo mucho más importante: el embrión de un gobierno mundial (un gobierno imperial, en este caso) con capital en Washington.

José María Aznar, ex presidente del gobierno de España, a quien su apoyo incondicional a las posturas de política exterior de la administración Bush le costó una amplia contestación popular y muy probablemente la derrota electoral de su partido, reúne todas las condiciones necesarias para ser uno de los primeros «cónsules» de Bush, y podría ya haber sido consultado sobre sus intenciones de incorporarse al proyecto si, finalmente, éste es puesto en marcha. Al parecer Bush estaría encantado con la idea, si bien se trata de una iniciativa difícil de concretar, ya que existen problemas jurídicos y constitucionales que habría que resolver primero. Tampoco se conoce exactamente cuál sería el cargo oficial de los elegidos para tan alto honor, pero lo más probable es que se incorporasen como asesores del máximo nivel, con rango similar al que anteriormente detentara la todopoderosa Condoleezza Rice.

El proyecto, aunque se mantiene en secreto y nunca ha sido expuesto públicamente, no es novedoso y constituye uno de los puntos comunes de los teóricos del Partido Republicano y los elementos cercanos a la Fundación Nuevo Siglo Americano. De hecho, una idea similar fue barajada durante las administraciones de Reagan y Bush padre, si bien se decidió archivar el tema en espera de un momento más oportuno, tal vez como el actual.

La reunión de las Azores habría sido probablemente el momento en el que se comenzó a reconsiderar esta vieja idea. Los defensores de este planteamiento sostienen que los beneficios no serían tan sólo de puertas afuera, sino también de cara a los propios estadounidenses, que de esta manera tendrían un aliciente adicional para vencer su tradicional tendencia al aislacionismo e implicarse más en los asuntos mundiales. Pero la intención preferente de los que mantienen la oportunidad de esta medida sería proyectar de cara al exterior la imagen de un gobierno mundial bajo el liderazgo estadounidense. Una idea que entra en perfecta consonancia con lo planteado desde los sectores más influyentes de la derecha estadounidense.

Nuevo orden imperial

El 3 de noviembre de 2002, la Agencia Central de Inteligencia estadounidense procedió a la ejecución de seis personas que viajaban en un automóvil por el desierto de Yemen. La CIA utilizó un misil Hellfire guiado por láser y lanzado desde un avión espía no tripulado, un Predator. Según la CIA, una de esas personas era Caed Senyan al-Harthi, dirigente de Al Qaeda. Oficialmente, Washington aseguró que el gobierno de Yemen había autorizado el ataque, algo que no fue confirmado por los yemenitas. Dos días después, el 5 de noviembre, el gobierno de Mauricio llamó a su embajador en la ONU, Jagdish Koonjul, que a la sazón ocupaba uno de los diez escaños rotativos del Consejo de Seguridad. Washington se había quejado ante Mauricio de las reticencias de Koonjul ante el proyecto de resolución sobre Iraq presentado por Estados Unidos y Gran Bretaña. La economía de Mauricio depende en gran medida de la exportación de productos textiles a Estados Unidos.

Estos dos casos muestran hasta qué punto está dispuesto el gobierno de Washington a interferir en la condición soberana de otros estados. El incidente en Yemen causó reacciones airadas por parte de los países árabes, y fue comparado con la política de asesinatos selectivos aplicada por el gobierno de Israel. El contrapunto fue la satisfacción mostrada por colaboradores del secretario de Defensa Donald Rumsfeld, que llegaron a comentar que esto no era sino un anticipo de lo que vendrá. El ataque en Yemen implica «un extraordinario cambio de umbral» para las acciones militares estadounidenses, comentó uno de ellos al diario *The Washington Post*. No olvidemos que, durante la presidencia de George Bush padre, el gobierno de Estados Unidos se arrogó el derecho de arrestar en otros países a sospechosos de delitos graves, sin consentimiento del gobierno anfitrión, una doctrina que, aunque desautorizada por el Departamento de Estado, fue llevada a la práctica en el caso del general Noriega, para cuya detención se invadió Panamá.

El gobierno de Bush ha enfatizado, y demostrado con sus actos, su oposición a cualquier sistema de gobierno mundial en el que instituciones multilaterales puedan afectar la soberanía de Estados Unidos. La alternativa que Washington propone es un orden internacional en el que Estados Unidos detente el puesto de árbitro supremo. El ex secretario de Estado George Shultz, quien estuvo al frente de la diplomacia estadounidense durante el gobierno de Ronald Reagan, fue el primero en expresar su decisión de mantener la total superioridad militar de Estados Unidos en el mundo, en un discurso pronunciado ante graduados de la academia militar de West Point, en Nueva York, en junio de 2002. Este discurso no debe ser echado en saco roto, ya que Shultz ejerce una fuerte influencia sobre el sector más duro de la administración Bush, y en especial sobre la secretaria de Estado Condoleezza Rice.

El especialista francés en política internacional Pierre Hassner afirmó en su día que la verdadera doctrina de Bush es: «Total soberanía para nosotros y total intervención en los asuntos de todos los demás»[1].

Heraldos del Nuevo Orden

Si queremos saber de primera mano qué es lo que se trama en la cocina del Nuevo Orden Mundial, resulta de obligada lectura un libro[2] publicado por una poco conocida pero sumamente influyente asociación denominada Project for the New American Century (Proyecto para el Nuevo Siglo Americano). El PNAC fue fundado en 1997 por, entre otros, el actual vicepresidente Dick Cheney, el secretario de Defensa Donald Rumsfeld y su mano derecha, Paul Wolfowitz, así que, por sorprendentes que nos parezcan sus planteamientos, no tenemos más remedio que asumirlos como cercanos a la sensibilidad del actual gobierno estadounidense. El grupo se define a sí mismo como una «organización cuya meta es promover el liderazgo global americano».

El PNAC, que como otros prestigiosos *think tanks* ha adquirido la categoría extraoficial de asesor del gobierno estadounidense, habla abiertamente de Estados Unidos como cabeza del Nuevo Orden Mundial. Esta organización invita a los esta-

---

1. Jim Lobe, «EE.UU. Hacia un nuevo orden mundial imperial», *InterPress Service*, 9 de noviembre de 2002.
2. «Project for the New American Century», *Statement of Principles*, 3 de junio de 1997.

dounidenses a «abrazar la causa de la dirección americana», al tiempo que el gobierno de Estados Unidos crea «un orden internacional favorable a nuestra seguridad, a nuestra prosperidad y a nuestros principios». Cínicamente se defiende la utilización de los acontecimientos del 11 de septiembre de 2001 para manipular emocionalmente a la opinión pública, utilizando la compasión, la rabia y el miedo de la población para garantizar la ayuda americana al proyecto del Nuevo Orden Mundial e «impulsar una nueva era de internacionalismo americano».

El PNAC tampoco tiene ningún reparo en manifestar abiertamente su animadversión hacia Europa. Admiten, incluso, que la administración Bush era al principio «hostil hacia la nueva Europa». La organización se permite utilizar un lenguaje jactancioso a la hora de tratar esta cuestión: «Los líderes americanos deben comprender que apenas tienen nada por lo que sentirse constreñidos, esa Europa no es realmente capaz de obligar a Estados Unidos», porque los «americanos son lo bastante poderosos como para no necesitar temer a los europeos». Según los ideólogos del PNAC, Estados Unidos ha comprendido que «Europa ha sido militarmente débil desde hace mucho tiempo, pero su debilidad había sido ocultada hasta hace muy poco».

El Proyecto para el Nuevo Siglo Americano critica la búsqueda de la paz de las naciones europeas –al menos de la mayoría de ellas– como muestra de «debilidad». Atribuyen al pueblo americano todo el mérito de la construcción de la nueva Europa una vez finalizada la Segunda Guerra Mundial, afirmando que «la Europa de hoy es en su mayor parte producto de la política exterior americana». En cualquier caso, los voceros del todopoderoso gobierno de Estados Unidos estiman que ya no tienen ninguna necesidad de sus antiguos aliados europeos: «¿Debe Estados Unidos controlar el resto del mundo sin la ayuda de Europa? La respuesta a esta pregunta es que ya lo está haciendo».

A pesar de no ser precisamente el tipo de cosas que se escuchan en los noticiarios de televisión, estos planteamientos no han pasado inadvertidos en Europa. El British Council, un *think tank* ligado al Foreign Policy Centre del gobierno británico, ya demostró públicamente su malestar por estos posicionamientos. Lo cierto es que cada paso en el cumplimiento de la agenda del gobierno estadounidense lleva aparejado un aumento de las fricciones entre Estados Unidos y «la vieja Europa». Para los teóricos del Proyecto para el Nuevo Siglo Americano, la razón por la que los europeos desaprueban la agresión americana contra otras naciones es porque:

> [...] la debilidad militar de Europa ha producido una aversión perfectamente comprensible al ejercicio de la fuerza militar [...].

LA RESISTENCIA

El término Nuevo Orden Mundial ha arraigado con especial fuerza entre los teóricos de la conspiración, especialmente en Estados Unidos, donde importantes sectores de la población creen en la existencia de un plan secreto de los Illuminati para gobernar el mundo a través de un gobierno planetario.

Desde los púlpitos de algunos grupos religiosos se da a esta peculiar teoría un tinte de fanatismo religioso al afirmar que los agentes de Satán están implicados en el presunto plan. Muchos de estos sectores llevan la paranoia conspirativa hasta sus últimas consecuencias, recolectando información y pruebas que apoyen sus teorías mediante la interpretación distorsionada de acontecimientos y noticias.

Uno de los aspectos más dramáticos de este fenómeno es el de las milicias de extrema derecha estadounidenses, grupos armados y entrenados que creen firmemente que la fase final de la implantación de este Nuevo Orden Mundial pasará por un golpe militar, utilizando a la ONU y el ejército estadounidense contra todas las naciones del mundo para imponer un gobierno mundial. Estas milicias, que acaparan armas y víveres en espera de que ese día llegue, se han convertido en algunos casos en pequeños ejércitos privados, muy peligrosos, que ya se han visto implicados en no pocos altercados violentos con las autoridades y actos terroristas como el atentado contra el edificio federal de Oklahoma City.

Dado que resulta poco probable que Estados Unidos reduzca su fuerza y es igualmente poco probable que Europa aumente la suya o la voluntad de utilizarla a un nivel más allá de lo marginal, parece seguro que en el futuro habrá una creciente tensión transatlántica.

No obstante, no todo son menosprecios en la postura del PNAC hacia Europa. A su pesar, el grupo admite que Europa está destinada a tener un papel esencial en los acontecimientos que se desarrollarán durante este siglo. Por ello hacen votos para que no se desaproveche todo ese potencial y se integre en el esfuerzo unificador estadounidense.

Como tampoco parece muy probable que en Europa florezcan más lealtades inquebrantables a las barras y estrellas que la tradicional de los británicos y alguna otra, puntual y anecdótica, producto de la necedad, el interés personal o el servilismo, el futuro de las relaciones transatlánticas, una vez que las posturas de Bush han quedado ratificadas por las urnas, parece más bien incierto.

Los socialistas y el gobierno mundial

También existen vientos favorables al gobierno mundial que soplan desde territorios muy alejados de la derecha. Al finalizar el XXII Congreso de la Internacional Socialista, que se celebró en São Paulo el pasado mes de octubre de 2003, se exigió la implantación de una «gobernanza» mundial y justa. La Internacional Socialista aboga por la ampliación del Consejo de Seguridad de Naciones Unidas y por que se establezcan nuevos organismos en el marco de esta organización: un Consejo de Seguridad Económica, una Organización Ambiental Mundial y diversos mecanismos para conseguir la meta de un desarrollo sostenible a nivel mundial. Este documento viene a demostrar que la Internacional Socialista cree que cualquier posible vertebración de un gobierno mundial pasa necesariamente a través de Naciones Unidas.

Se trata de un modelo de mundialización opuesto al Nuevo Orden Mundial de la administración Bush que, si bien no es mencionada expresamente en el documento, sí es aludida de forma indirecta. El artículo 3 de la Declaración de São Paulo dice:

> Los neoconservadores están intentando explotar la situación para desmantelar todas las formas de gobernanza global, minimizar el papel de Naciones Unidas, menoscabar las instituciones multilaterales, fomentar el unilateralismo y la consagración del mercado, e imponer la voluntad de los poderosos para decidir el futuro de la humanidad.

El ex primer ministro socialista de Portugal, Antonio Guterres, que resultó reelegido como presidente de la Internacional Socialista, declaró que «la administración Bush está bloqueando los esfuerzos para establecer un nuevo orden mundial». Los socialistas creen que este Nuevo Orden Mundial tiene que tener entre sus prioridades los temas y buscan la creación de un Consejo que coordine el desarrollo sostenible a escala mundial y la implementación del Protocolo de Kyoto. La declaración hace especial énfasis en este tema y exige:

> [...] el establecimiento de un Consejo de Economía, Sociedad y Medio Ambiente de Naciones Unidas –de hecho, un Consejo para el Desarrollo Sostenible– que coordinaría el desarrollo sostenible a escala global, adelantaría respuestas efectivas a la desigualdad y a la volatilidad financiera y promovería el crecimiento económico y la expansión del empleo. Este Consejo, con una composición mucho más representativa que el actual Consejo de Seguridad, debería estar capacitado para tomar las principales decisiones con respecto a la coordinación de las organizaciones multilaterales en las áreas financiera, económica, social y medioambiental. Este Consejo sostendría reuniones en diferentes niveles, incluyendo cumbres anuales de los jefes de Estado y de go-

bierno junto con los gerentes de más alto nivel de las agencias y organizaciones internacionales.

La Internacional Socialista piensa que las tensiones internacionales, la amenaza del terrorismo y las tentaciones unilateralistas hacen urgente una reforma de Naciones Unidas para asegurar una paz duradera. El principal obstáculo para esta paz residiría en la actual conformación del Consejo de Seguridad, válido durante la guerra fría, pero obsoleto en nuestros días. El nuevo Consejo de Seguridad debería ser un organismo más representativo y democrático, eliminando la designación de miembros permanentes y su poder de veto. El documento de la Internacional Socialista llega incluso a proponer la existencia de una hacienda global con la que financiar este gobierno mundial:

> El principio del servicio público no puede sacrificarse a la consagración del mercado. También deben adaptarse los sistemas tributarios para fomentar mejores servicios públicos y debe crearse un nuevo impuesto global para financiar los bienes públicos globales.

Citas para la reflexión

Strobe Talbott, miembro del Consejo de Relaciones Exteriores, afirmó en la revista *Time* el 20 de julio de 1992, en un artículo titulado «América exterior: el nacimiento de la nación global»: «En los próximos cien años, la nación, tal como la conocemos, estará obsoleta; todos los Estados reconocerán una sola autoridad global... No importa cuán permanente e incluso sagradas puedan parecer las naciones, en cualquier momento, son todas artificiales y temporales».

El doctor Carroll Quigley, profesor de la Universidad de Georgetown y autor del libro ya citado en varias ocasiones *Tragedia y esperanza*, afirmaba: «Los poderes del capitalismo financiero tienen otro objetivo a largo plazo, nada menos que crear un sistema mundial de control financiero en manos privadas capaz de dominar el sistema político de cada país y la economía del mundo en su conjunto».

Zbigniew Brzezinski, consejero de Seguridad Nacional en la administración de Jimmy Carter y padre de la Comisión Trilateral, dijo que «la Era Tecnotrónica involucra la aparición gradual de una sociedad más controlada. Tal sociedad será dominada por una élite, no restringida por los valores tradicionales. Pronto será posible sostener vigilancia casi continua sobre cada ciudadano y mantener archivos completamente actualizados que contengan incluso la información más personal sobre el ciudadano. Estos archivos estarán sujetos a la disposición instantánea de las autoridades». Y el papa Juan Pablo II dijo el 5 de noviembre de 1995: «La organización de Naciones Unidas necesita subir cada vez más, desde el frío nivel de una institución administrativa, para llegar a ser un centro moral donde todas las naciones se sientan como en casa».

Edmund Muskie, secretario de Estado estadounidense, afirmó en julio de 1980, haciendo un comentario sobre la política de administración de Carter: «Para el año 2000 sería necesaria la eliminación de dos mil millones de seres humanos».

Y Henry Kissinger dijo: «Hoy, los norteamericanos se sentirían ultrajados si las tropas de Naciones Unidas entraran en Los Ángeles para restaurar el orden, pero mañana lo agradecerían. Esto sería especialmente cierto si se les dijera que había una amenaza externa –real o inventada– que inquietara su existencia. Entonces, todos los ciudadanos del mundo suplicarán a sus líderes que los salven del mal. Lo único a lo que todo hombre teme es a lo desconocido. Cuando se presente un escenario como éste, consentirán en abandonar los derechos individuales por la garantía de su bienestar, que les sería concedida por un gobierno mundial».

David Rockefeller afirmó, en declaraciones a la revista *Lectures Francaises*: «Estamos agradecidos al *Washington Post, The New York Times, Time Magazine* y otras grandes publicaciones, cuyos directores han asistido a nuestras reuniones y han respetado sus promesas de discreción durante casi cuarenta años. Habría sido imposible para nosotros desarrollar nuestro plan para el mundo si hubiésemos estado expuestos al foco público durante estos años. Pero el mundo es ahora más desarrollado y está preparado para marchar hacia un gobierno mundial que nunca conocerá de nuevo la guerra, sólo paz y prosperidad para toda la humanidad. La soberanía supranacional de una élite intelectual y financiera del mundo es ciertamente preferible a la autodeterminación nacional practicada en los pasados siglos».

Y de nuevo Henry Kissinger, sobre el ejército mundial: «Un ejército de Naciones Unidas debe poder actuar inmediatamente, en cualquier parte en el mundo, sin tardanzas que involucren a los países tomando sus propias decisiones».

Poder espiritual

No obstante, y a pesar de la innegable y aplastante secularización de la sociedad, ningún plan de gobierno global es posible sin tener en cuenta los factores religiosos, de tremenda importancia aún en la mayoría de los gobiernos del mundo. En este sentido, llama poderosamente la atención la curiosa interacción que se ha detectado entre determinadas sectas y algunos gobiernos, en especial el norteamericano. Ello bien puede tener su origen en un informe que Nelson A. Rockefeller presentó ante el presidente Nixon, en agosto de 1969, en el que sostenía que, tras el Concilio Vaticano II, «la Iglesia católica ha dejado de ser un aliado de confianza para Estados Unidos y la garantía de estabilidad social en el continente [sudamericano]», por lo que insistía en «la necesidad de sustituir a los católicos por otros cristianos en América Latina», «apoyando a los grupos fundamentalistas cristianos [protestantes] y a iglesias tipo Moon y Hare Krishna»[1].

1. Revista *Affaires & Money*, núm. 129, Nueva York, abril de 1972.

En 1982, el general evangelista José Efraín Ríos Montt se hizo con la presidencia en Guatemala merced a un golpe de Estado; a partir de su toma de poder, concedió numerosas prerrogativas a su confesión. En México, el hasta hace poco oficialista PRI, tradicionalmente influido por la masonería (aunque en general con un ideario que le aleja bastante del iluminismo), ha favorecido más o menos encubiertamente a sectas como la Iglesia de la Cienciología. También en Estados Unidos, sectas fundamentalistas cristianas dotadas de gran capacidad económica y potentes medios de propaganda audiovisual han demostrado enorme capacidad de influencia sobre los grandes partidos (en especial el Republicano) y sobre el diseño de vastas estrategias políticas[1].

Entre éstos destaca especialmente la secta Moon. Sun Myung Moon, que significa algo así como «sol brillante y luna», es el nombre norteamericanizado que adoptara en su día un ex electricista llamado Young Myung Mun, nacido en enero de 1920 en Pyongyang (Corea), en el seno de una familia campesina que abandonó el confucianismo y se hizo presbiteriana. Los padres del pequeño Mun le hicieron aprender desde los siete años los caracteres chinos para que accediera a las enseñanzas de Confucio. El niño no oyó hablar de Jesús hasta los catorce años, cuando sus padres se convirtieron al cristianismo. En la Pascua de 1936, a los dieciséis años, tuvo una «revelación divina» a través de la cual entró en contacto directo con Dios, de quien comenzó a recibir instrucciones. El Señor lo había escogido como vehículo para dar a conocer su voluntad a los seres humanos. Moon estudió ingeniería eléctrica en la Universidad de Waseda (Japón) y regresó a Corea del Norte en 1945 convertido al pentecostalismo. A los veinticinco años se convirtió en pastor y fundó su propia iglesia, en la que impartía una doctrina por lo demás bastante heterodoxa.

1. Manuel Guerra, *Diccionario enciclopédico de las sectas*, Madrid, Biblioteca de Autores Cristianos, 1998.

El primero de mayo (una fecha que ya empieza a aparecer con demasiada frecuencia en este libro) de 1945, Moon creó la Asociación del Espíritu Santo para la Unificación del Cristianismo Mundial en un pequeño cuarto de una miserable casa de la calle Bukhal, en Seúl. El motivo que le empujó a crear lo que a partir de entonces sería conocido como la Iglesia de la Unificación o Secta Moon era político y religioso, concretamente «combatir al comunismo, que es Satanás, en defensa del bien, que es Dios».

Entretanto, Moon no había dejado de tener línea directa con los poderes celestiales y otra «revelación» le indujo a casarse con una de sus jóvenes y atractivas devotas. Claro que a Dios o a Moon se les pasó por alto un pequeño detalle: antes debería haberse divorciado de su anterior esposa, que se tomó bastante mal la bigamia de su esposo legal. La mujer lo denunció ante los tribunales y el visionario terminó encarcelado. Moon debía de tener ideas sumamente particulares del significado de «amaos los unos a los otros», ya que en 1948 fue excomulgado de la Iglesia presbiteriana por practicar ritos sexuales con sus discípulas, dando nuevamente con sus huesos en prisión por escándalo público, «alterar la sociedad e incitar al desorden». El auto de encarcelamiento que le llevó nuevamente a prisión en enero de 1949 es bastante explícito en cuanto a la doctrina que el iluminado impartía entre sus feligresas: «Adulterio y libertinaje».

En los ratos que le dejaba libre su ajetreada vida sexual, Moon era un militante anticomunista sumamente activo y organizó un grupo contrarrevolucionario. En 1949 se descubrieron sus vinculaciones y fue detenido, acusado de conspiración. Desde Corea del Sur comenzó una campaña en la que se reivindicaba como «prisionero político» y reclamaba su libertad al gobierno del norte. En 1950 la ONU consiguió que finalmente fuera puesto en libertad. Se trasladó a territorio surcoreano, donde fijó su residencia. Allí comenzó de nuevo a dedicarse a lo único que sabía hacer realmente bien: fundó una nueva iglesia y las jóvenes devotas de Corea del Sur comenzaron a familiarizarse con el desmedido apetito sexual del autoproclamado santo. El ingreso en prisión del otrora reivindicado como mártir político era sólo cuestión de tiempo y el 4 de julio de 1955 terminó otra vez tras las rejas a causa de una doble acusación: bigamia y estupro.

En 1960, a los cuarenta años y después de cuatro divorcios y un número de aventuras que haría palidecer de envidia al mismísimo Casanova, Moon decidió sentar la cabeza al encontrar a Han Hak, a la que bautizó como su «nueva Eva». Cinco años después, adquirió notoriedad internacional cuando realizó una gira por cuarenta países denunciando al régimen comunista de Corea del Norte. A nadie sorprenderá que los fondos para esta gira los aportaran los servicios de inteligencia de Corea del Sur. En el marco de estos viajes, el reverendo llega a Estados Unidos el 18 de diciembre de 1971. La buena acogida que recibe y las magníficas oportunidades que descubre en este país le deciden a fijar allí su nueva residencia.

Otras pasiones terrenales

La instalación en Estados Unidos marca el comienzo de la época dorada de la secta Moon. En 1977, Moon fue demandado ante el Tribunal Superior de Justicia de San Francisco por un grupo de padres que pedían recuperar la custodia de sus hijas. La captación de los miembros de la secta es cuidadosa y obedece a sofisticadas técnicas de manipulación mental. Según un antiguo reclutador de la secta, la presa ideal es un norteamericano medio de dieciocho años, serio, optimista, idealista, religioso, con buena salud, a la búsqueda de la verdad y de una vida que tenga sentido, soltero, con preferencia de estilo mochilero, es decir, sin vínculos fuertes con una familia, una residencia o una profesión.

El proceso de adoctrinamiento de los nuevos miembros precisa del aislamiento, es decir, de la eliminación de cualquier contacto con el mundo exterior. Esto socava los mecanismos de defensa y disminuye el libre albedrío. La secta posee casas grandes y cómodas, en barrios apartados. Los adeptos donan a la secta todas sus pertenencias.

En 1990, la secta Moon poseía centros en ciento treinta países. Según sus acólitos, en Estados Unidos los miembros de la secta superaban holgadamente los cincuenta mil. El falso sacerdote tenía diez hijos, producto de cinco matrimonios. Vivía en una lujosa mansión de veinticinco habitaciones, valorada en setenta y cinco millones de dólares, en Irvington (Nueva York), a orillas del río Hudson[1]. Poseía un avión, dos yates de quince metros y varios automóviles, entre ellos un Lincoln blindado muy similar a aquel en el que perdiera la vida el presidente Kennedy, aunque en este caso no era descapotable. La vejez hizo que la aparentemente insaciable lujuria de Moon finalmente se calmara, sustituida por un apetito aún más voraz de poder político y económico. Desgraciadamente, los apetitos del falso sacerdote tarde o temprano acaban por llevarle a visitar los tribunales. El 16 de julio de 1982, un juez federal del distrito de Manhattan lo condenó a dieciocho meses de prisión y veinticinco mil dólares de multa por evadir impuestos. En 1985, cumplió sesenta y cinco años de edad en una cárcel de Danbury (Connecticut), donde estuvo internado un año, también por asuntos fiscales.

La secta Moon constituye uno de los imperios económicos privados más poderosos del planeta. Posee cientos de empresas de todo tipo repartidas por todo el planeta: centros vacacionales, hoteles, restaurantes, agencias de viajes, granjas, empresas pesqueras, industrias alimenticias, fábricas de armamento, empresas de artes gráficas y publicaciones[2]. En Estados Unidos controla cientos de academias de artes marciales que han sido

1. Robert B. Boettcher, *Gifts of Deceit: Sun Myung Moon, Tongsun Park, and the Korean Scandal*, Texas, Holt, Rinehart and Winston, Austin, 1980.

2. Friedrich-Wilhelm Haack, *Das Mun-Imperium: Beobachtungen, Informationen, Meinungen: Findungshilfe Mun-Bewegung*, Múnich, Material-Edition, 1991.

acusadas de constituir uno de sus principales centros de reclutamiento. Los jerarcas de la secta Moon se muestran especialmente hipócritas cuando hacen su discurso de pacifismo a ultranza,
pues, en realidad, obtienen una parte sustancial de sus ingresos
gracias a la guerra. La Iglesia de la Unificación es accionista de
algunas de las más destacadas industrias armamentistas de Estados Unidos, como MacDonnell-Douglas. En Corea del Sur era
propietaria de cuatro compañías de este sector. La principal,
Tongil Industrial Company, producía fusiles M-16, ametrallado-
ras M-60, lanzacohetes M-79 y la devastadora ametralladora
antiaérea Vulcan, todo ello con licencia estadounidense.

Otro de los sectores de los que se beneficia la secta Moon
es el de la exportación de gingseng, especialmente a través de la
empresa Illwha Pharmaceutical. En Japón la secta posee sesenta
compañías, una empresa cinematográfica y el diario *Seikai Nip-
po*. Entre 1975 y 1984, la sucursal de Moon transfirió desde To-
kio a la sede central en Nueva York ganancias por ochocientos
millones de dólares.

Rey de reyes

A pesar de este grueso expediente de irregularidades, el gobierno estadounidense y, más concretamente, el Partido Republicano
han brindado apoyo casi incondicional al bueno del reverendo
Moon y a su Iglesia de la Unificación («unificación» es la palabra clave para quienes ven en este apoyo un complot mundialis-
ta). Para ilustrar hasta qué punto llega este apoyo, baste con re-
producir una historia sumamente sorprendente que apenas ha
tenido repercusión en los medios de comunicación. El 23 de marzo de 2004 se desarrolló en el Senado estadounidense una extraña ceremonia. Pese a la prohibición constitucional de otorgar
títulos nobiliarios, un grupo de senadores y congresistas repu-
blicanos y demócratas asistió a la coronación del reverendo
Moon –autoproclamado emperador de Estados Unidos y suce-

sor del Mesías– como «Rey de la Paz». Suponemos que nadie habrá pedido opinión sobre este nombramiento a los que han caído bajo el fuego de alguno de los productos que fabrica Moon en sus industrias de armamento.

El *blogger* y periodista *on line* John Gorenfeld[1] parece ser el responsable de que esta historia no haya quedado oculta por el desinterés de los grandes medios. Tras el artículo de Gorenfeld en su *weblog*, publicó la historia en *Salon*[2], una de las revistas de información general más prestigiosas de la red. De ahí, la coronación de Moon saltó ni más ni menos que a la portada del *Washington Post*. El 23 de marzo, un grupo de congresistas y senadores fueron citados en una sala del Senado para asistir a la celebración de los premios «Embajadores de la paz», unos galardones otorgados por una organización que dirige el Mesías coreano como elemento promocional de su proyecto de crear Naciones Unidas de la Religión, que, según Moon, traerán la paz al mundo mediante la eliminación de las naciones y la unión de las religiones del mundo, una pretensión sospechosamente familiar para quienes hayan llegado a estas alturas del presente libro.

En un vídeo promocional, que podía descargarse de Internet hasta que se destapó el escándalo, se repasaba toda la ceremonia. En él se muestran imágenes de una sala del Senado, donde varias decenas de legisladores estadounidenses esperan sentados a que empiece la ceremonia. Tras una dilatada ceremonia de entrega de premios, un maestro de ceremonias presenta al reverendo Sun Myun Moon. El reverendo Moon se sitúa en el centro del estrado junto a su esposa, mientras dos congresistas sostienen unas almohadas con las coronas que en breve se sitúan en las cabezas de los homenajeados. Sorprende, en primer lugar, que congresistas y senadores acepten participar en una charlotada de estas características, de la que el único beneficia-

---

1. *www.gorenfeld.net/blog/index.html.*
2. *www.salon.com/news/feature/2004/06/21/moon/index_np.html.*

rio es Moon, su ego y sus ansias de propaganda. Sin embargo, no es algo tan extraño si consideramos los vientos que últimamente soplan por Washington. Tras figurar entre los implicados en el escándalo del *koreangate* entre 1976 y 1977 (un caso de tráfico de influencias), Moon se convirtió en un apestado para la clase política estadounidense, al menos hasta que en 1996 el padre del actual presidente de Estados Unidos apareció del brazo del reverendo con motivo de la presentación del diario conservador *Washington Times*, propiedad de Moon y que Bush alabó porque traía «salud a Washington». Ahora las cosas han cambiado y muchos políticos y personajes públicos destacados no rehúsan fotografiarse junto a Moon.

CAPÍTULO 12

Ángeles y demonios

Haciendo un pequeño ejercicio de humildad y honradez, es de justicia reconocer que, posiblemente, ni este libro habría visto la luz ni usted lo hubiese comprado de no ser por el espectacular impacto mediático que ha tenido la novela de Dan Brown *Ángeles y demonios*. En las páginas anteriores el lector de esta obra habrá podido comprobar hasta qué punto Dan Brown distorsiona la historia de los Illuminati para hacerla encajar en su novela. Hemos repasado la historia de la orden, sus antecedentes (como los *hashishins*, que también cumplen un importante papel en el libro) y sus escabrosas relaciones con el Vaticano. No obstante, existen multitud de aspectos y curiosidades que, sin estar relacionados directamente con los Illuminati, seguramente serán de interés para los lectores del best seller de Brown. Por eso hemos recogido algunos de ellos por orden alfabético para componer un pequeño diccionario complementario a *Ángeles y demonios*.

Ambigramas

Un ambigrama, también conocido como «inversión», es una figura gráfica que deletrea una palabra o frase de forma que puede ser leída[1] igualmente si se mira al derecho como al revés, bien

---

1. Scott Kim, *Inversions*, Nueva York, Byte Books, 1981.

dándole la vuelta o colocándola frente a un espejo. En la mayor parte de los casos, la palabra sobre la que se hace el ambigrama no es un palíndromo, esto es, una palabra capicúa, aunque también puede ocurrir. Se trata de ejercicios de diseño gráfico en los que se juega con la simetría y la percepción visual del ser humano para crear una sofisticada ilusión óptica que, en los casos más artísticos, llega incluso a establecer una relación entre la forma y el contenido. Tampoco se trata de elementos tan exóticos como nos hace creer Dan Brown en su novela, pues han sido utilizados con frecuencia, en especial en el campo de los logotipos de empresas, organizaciones y marcas comerciales.

La importancia de los ambigramas en la obra de Brown queda reflejada en que el artista encargado de la realización de los que aparecen en la novela, John Langdon, termina cediendo su apellido al protagonista de la misma, Robert Langdon, que, además, acabará años después convirtiéndose en el protagonista de *El código da Vinci*.

Antimateria

Ángeles y demonios comienza con una reseña del autor sobre la producción de antimateria. Éste es un hecho completamente cierto. En septiembre de 2002, cien años después del nacimiento de Paul Dirac, que en los años veinte anticipó la existencia de la antimateria, un grupo de treinta y nueve científicos de la Organización Europea para la Investigación Nuclear (CERN), con sede en Ginebra, consiguió fabricar cincuenta mil átomos de antihidrógeno en un día[1]. Este hecho supuso un impresionante avance en la física de partículas y abría el camino a un no menos sorprendente mundo de aplicaciones prácticas, tanto positivas como negativas. Sin embargo, no hay que echar las campa-

---

1. Dennis Overbye, «More Sci-than Fi, physicists create antimatter», *New York Times*, 19 de septiembre de 2002.

ARMAS DE ANTIMATERIA

A pesar de que pudiera parecerlo, el posible empleo bélico de la antimateria no es uno de los delirios de Dan Brown. En una conferencia pronunciada en marzo de 2004, Kenneth Edwards, director del equipo de investigación de «nuevas municiones» del ejército estadounidense, reveló el interés de su equipo en las armas de antimateria, a las que denominó «armas de desaparición masiva», haciendo referencia a que, al contrario que las nucleares, éstas no dejarían escombros ni rastros de radiactividad.

Al parecer, lo que se estaría desarrollando sería una bomba de positrones, un artefacto que por cada millonésima de gramo de positrones que tuviera de carga alcanzaría una capacidad explosiva equivalente a 37 kilos de TNT.

De llegar a buen puerto estas investigaciones, los militares estadounidenses estarían tocando con los dedos uno de sus sueños, el de una superbomba limpia, capaz de eliminar grandes contingentes de enemigos sin dejar secuelas que pudieran afectar posteriormente a las propias tropas. George Dyson, del Instituto de Estudios Avanzados de la Universidad de Princeton, señala el peligro que supone este tipo de armas, ya que, al no dejar secuelas, existe una tentación mucho mayor a la hora de emplearlas.

nas al vuelo, ya que aún quedan por solventar grandes problemas derivados de la producción y almacenaje de la antimateria, cuya utilización práctica es, actualmente, técnica y económicamente inviable.

No obstante, existen rumores de que los científicos militares estadounidenses investigan desde hace tiempo en esta área con resultados que permanecen en el más absoluto secreto.

Castel Sant'Angelo y el Passetto

A pesar de tratarse de una de las construcciones más emblemáticas de Roma, el castillo nunca fue, ni por asomo, sede de los

Illuminati. Esta imponente fortaleza fue el mausoleo del emperador Adriano en la Roma imperial, prisión en la Edad Media y residencia de los Papas en el Renacimiento. La tumba de Adriano era una espectacular construcción de mármol con forma de tarta de seis pisos. En la cima se alzaba una colina artificial con cipreses y esculturas; la más imponente representaba al emperador Adriano en un carro sujetando a tres caballos encabritados. Poco queda de esta estructura original y no es extraño que Dan Brown eligiera este edificio para ambientar su historia, ya que en la actualidad las sucesivas reformas han convertido su estructura en una suerte de laberinto en el que resulta complicada la orientación. No es la primera vez que una obra de ficción se localiza en estos muros. El acto final de *Tosca*, la ópera de Puccini, culmina con la protagonista arrojándose desde las almenas del castillo.

Si queremos hacernos una idea del aspecto anterior de la fortaleza, nada más entrar, a la izquierda, encontramos un modelo a escala del mausoleo del emperador Adriano y más allá otro que muestra el edificio convertido en fortaleza medieval. Para entrar en el castillo propiamente dicho tenemos que bajar hasta el nivel inferior y, una vez allí, subir por una rampa de ladrillo en espiral que data de la Roma antigua y que conduce a una gran sala abovedada (la cámara de las urnas), donde se guardaban las cenizas de los emperadores. También podremos ver uno de los grandes tablones que se bajaban para impedir que el enemigo llegara a la parte superior de la fortaleza. En el Cortile delle Palle, un antiguo almacén de municiones, todavía están colgadas las placas con el número y medida de las bolas de cañón, que servían para que los artilleros pudieran elegirlas con rapidez.

El bastión posterior del Castel Sant'Angelo se comunicaba con el Vaticano a través del Passetto di Borgo (Corredor Vaticano), también conocido como Murallas Leoninas, que data del 850 d.C. y que tan buen partido le ha sabido sacar Dan Brown en su novela. Se trata de un pasadizo cubierto, no subterráneo, una especie de «papaducto» que comunicaba el Vaticano con el Castel Sant'Angelo. El Papa lo utilizaba para escapar del Vaticano al refugio fortificado cuando su vida corría peligro. También se cuenta que cuando el general de los jesuitas Lorenzo Ricci estuvo confinado en el castillo, utilizaba el *passetto* para visitar el Vaticano y mantener intacta su influencia junto al Papa.

CERN

El CERN[1] es el laboratorio de la Organización Europea para la Investigación Nuclear (Centre Européenne pour la Recherche Nucléaire). Se trata del centro de investigación especializado en física de partículas más importante del mundo. Fue fundado en 1954 por doce países europeos y durante estos últimos cincuenta años se ha convertido en un modelo de colaboración científica internacional. Las cifras que se dan en *Ángeles y demonios* no son, sin embargo, del todo exactas. Actualmente en el CERN trabajan seis mil quinientos científicos de quinientas universidades distintas que representan a ochenta naciones.

Las instalaciones del CERN se encuentran cerca de Ginebra, en la frontera entre Suiza y Francia. La estrella indiscutible del complejo son los aceleradores de partículas, como el ya desmantelado LEP (Large Electron-Positron Collider, «Gran Colisionador Electrón-Positrón») de veintisiete kilómetros de circunferencia y que es la máquina más grande jamás construida por el hombre. Su lugar lo ha tomado el LHC (Large Hadron Collider, «Gran Colisionador de Hadrones»), que es el acelerador de partículas que aparece en la novela.

El primer gran éxito científico del CERN se produjo en 1984, cuando Carlos Rubbia y Simon van der Meer obtuvieron el Premio Nobel de Física por el descubrimiento de los bo-

1. *//.public.web.cern.ch/public/.*

sones W y Z. En 1992 el Nobel fue para Georges Charpak, el simpático francés que intercambia un disco volador con nuestro protagonista, «por la invención y el desarrollo de detectores de partículas, en particular la cámara proporcional multihilo».

Efectivamente, la invención del WWW tuvo lugar en 1990 en el seno del CERN. Y es que, a pesar de ser un laboratorio especializado en física de partículas, el CERN ha desarrollado importantes avances de los que se ha beneficiado toda la comunidad científica, así como la industria.

Cónclave

Éste es el nombre genérico que recibe todo el complicado proceso que conduce a la elección de un nuevo Papa. La palabra procede de la expresión latina *cum clavi* (con llave), que hace referencia a la tradición de encerrar con llave a los cardenales que participan en la elección. Desde 1059 el Sacro Colegio Cardenalicio ha sido el órgano encargado de la elección del nuevo pontífice. Anteriormente a esa fecha se permitía la participación en el proceso de clérigos comunes y representantes del pueblo de Roma. Esto era así debido a que en los primeros días de la Iglesia los obispos eran elegidos por sus propias comunidades. En Roma, debido a la especial importancia de la diócesis, se cambió pronto ese sistema, restringiendo la capacidad de elegir a los clérigos de la diócesis y los obispos de los alrededores. En aquellos días no se votaba, sino que la elección era por aclamación, lo que resultaba confuso y provocaba que en no pocas ocasiones surgiesen Papas rivales o antipapas.

Los cónclaves propiamente dichos existen desde 1274, cuando el Segundo Concilio de Lyon decretó que los electores deberían ser encerrados durante el proceso, que actualmente se celebra en la Capilla Sixtina. Se trataba de evitar los prolongadísimos interregnos que solían darse hasta entonces debidos al intenso tira y afloja de intereses contrapuestos que traía consigo la elección papal. Sin embargo, la medida no fue en principio demasiado eficaz. Tras la muerte de Clemente IV en 1268, la ciudad de Viterbo fue la primera en albergar el encierro de los cardenales en el palacio episcopal. El encierro duró tres largos años y sólo terminó cuando el pueblo, harto de la espera, se negó a proporcionar a los cardenales otros suministros que no fueran pan y agua.

Para que esto no volviera a suceder, el recién elegido Gregorio X dictó una serie de estrictas normas relativas al proceso electoral. Los cardenales deberían estar encerrados en un área completamente delimitada. Ni siquiera se les permitía disfrutar de habitaciones individuales. Cada cardenal tenía un solo sirviente a su disposición, a menos que cayese enfermo. La comida era suministrada a través de una ventana y a los tres días de reunión la ración individual era limitada a un plato al día. Si a los cinco días no habían obtenido ningún resultado, sólo se les proporcionaba pan y agua. Durante el cónclave los ingresos de los cardenales eran suspendidos.

Estas estrictas regulaciones fueron derogadas en 1276 por Adrián V, pero Celestino V tuvo que volverlas a poner en vigor tras ser elegido en 1294, como resultado de un cónclave de dos años. Tras una serie de reformas en el método de elección (la última de ellas llevada a cabo por Juan Pablo II en 1996), hoy día no es necesario tomar tan drásticas medidas para apresurar a los cardenales para que efectúen su elección. En la actualidad, la elección del nuevo Papa debe realizarse por una mayoría de dos tercios, aunque, si el cónclave se extiende durante más de treinta días, el candidato que obtenga la mayoría simple será nombrado pontífice.

Desde el siglo XIV el cónclave se ha venido celebrando en Roma, con la única excepción del de 1800, que tuvo lugar en Venecia, a causa de la invasión de Roma por las tropas de Nápoles. Desde 1846 la Capilla Sixtina ha sido el lugar elegido para tan magno evento.

El cónclave comienza, por lo general, quince días después

de la muerte del pontífice, aunque se establece un plazo de gracia de cinco días más para que todos los cardenales participantes puedan llegar al Vaticano. Una vez reunidos los electores, comienza la liturgia de la elección. En la mañana del primer día del cónclave, los cardenales electores se dirigen a la basílica de San Pedro a celebrar la Eucaristía. Después se reúnen en la Capilla Paulina desde donde parten hacia la Capilla Sixtina cantando el *Veni Creator*. Una vez allí, los electores juran solemnemente observar de manera estricta los procedimientos establecidos para la elección y mantener el secreto de las deliberaciones, así como defender la libertad de la Santa Sede en caso de resultar elegidos.

Tras el juramento, llega el momento en que todo el mundo debe abandonar la capilla con la única excepción de los participantes en el cónclave y un eclesiástico que les dirigirá unas palabras sobre los problemas a los que hace frente la Iglesia y las cualidades que deberá tener el nuevo Papa. Tras finalizar su charla, el conferenciante también abandona la capilla y deja solos a los electores. Ése es el momento en el que se recitan unas plegarias y se pregunta a los participantes si tienen alguna duda sobre el mecanismo del proceso. En caso de que así sea, se aclaran todas las dudas que surjan y comienza el cónclave propiamente dicho. Si un cardenal llega una vez ha comenzado el mismo se le admite sin problemas, pero si uno de los cardenales abandona la reunión por otra causa que no sea la enfermedad ya no podrá ser readmitido.

Cada cardenal elector puede contar con dos asistentes o conclavistas. Aparte de ellos hay más personal asistente (sacerdotes, sacristanes, médicos, personal de servicio, etc.) que permanecen en el cónclave, si bien ausentes de las deliberaciones. Los electores no tienen permitido leer periódicos, escuchar la radio, ver la televisión ni hablar o mantener correspondencia con nadie fuera del cónclave[1].

1. F. Baumgartner, *Behind locked doors: a history of the papal elections*, Nueva York, Palgrave MacMillan, 2003.

Cristianismo (elementos tomados de otras religiones)

Resulta cuando menos curioso que Robert Langdon elija el tenso momento en el Panteón de Roma para darle a su acompañante una pequeña disertación sobre los elementos que el cristianismo ha tomado prestados de otras religiones. Independientemente de la oportunidad de la ocasión, nuestro novelesco historiador está en lo cierto y su erudición resulta especialmente encomiable, ya que en la actualidad disponemos de un volumen mayor de documentación fiable sobre la vida de cualquier emperador romano o de muchos faraones egipcios que sobre los primeros cien años de la Iglesia. Por si esta precariedad informativa fuera poco, hay que unirle a ello el hecho de que muchos de los relatos generalmente aceptados como verdades históricas incuestionables son meras leyendas, cuando no falsedades intencionadamente propagadas y mantenidas por historiadores y escribas cristianos[1].

No quisiera dejar pasar la oportunidad de aclarar que no pensamos que la ausencia de rigor histórico le quite al Evangelio ni un ápice de valor alegórico, ni a la figura de Jesús su cualidad de abstracción de la razón y la piedad personificadas.

Tras el establecimiento de los cuatro Evangelios oficiales, comenzó una persecución sistemática no sólo de los llamados Evangelios apócrifos, sino también de un gran número de textos paganos, cuyo contenido o bien se oponía a la recién nacida religión, o bien guardaba una sospechosa semejanza con sus dogmas, revelándose como posible fuente de inspiración de éstos.

La historia de Jesús sería una recombinación de varios relatos míticos y religiosos, la mayoría orientales, aunque también se aprecian influencias clásicas y egipcias. Una de las más claras influencias es la del dios Atis. En tiempos del Imperio, Roma contaba, al menos, con dos santuarios dedicados al culto del dios frigio Atis. El primero estaba ubicado desde dos siglos antes de

1. G. A. Wells, *Did Jesus exist?*, Buffalo, Prometheus Books, 1975.

Cristo en el monte Palatino y constituía el centro de las celebraciones públicas dedicadas a esta figura sagrada, importada de Anatolia en la época republicana. El segundo, levantado ya con los primeros emperadores, se alzaba en la colina Vaticana, en los mismos lugares donde habrían de instalarse la basílica de San Pedro y los palacios pontificios de la cristiandad. El mito de este dios dice que nació el 25 de diciembre del vientre de la virgen Nana. Fue crucificado un viernes de marzo y resucitó al tercer día.

El caso de Atis no es, ni mucho menos, único. Si repasamos las historias de Buda, Krisna, Mitra, Zoroastro, Dionisos, Hércules, Prometeo, Horus y Serapis nos daremos cuenta de que básicamente se nos está contando la misma leyenda con pequeñas variaciones de una a otra y con asombrosas coincidencias con los Evangelios cristianos.

Por otro lado, existe una curiosa e innegable relación entre los mitos astrológicos más antiguos y las historias de la Biblia, tanto del Antiguo como del Nuevo Testamento. Esa relación tiene su traducción en la doble moral con que la Iglesia católica ha tratado desde antiguo a la astrología, condenándola oficialmente a pesar de que muchos clérigos practicaron a escondidas este arte. La astrología ha sobrevivido en nuestra cultura gracias a que el cristianismo la abrazó con una mano, mientras que la condenaba como una práctica demoníaca con la otra. Padres de la Iglesia como Agustín, Jerónimo, Eusebio, Crisóstomo, Lactancio y Ambrosio anatematizaron la astrología, y el gran concilio de Toledo la declaró prohibida para siempre. Sin embargo, seis siglos más tarde los concilios y las fechas de las coronaciones de los Papas eran determinados por el zodíaco; los aristocráticos prelados tenían empleados a sus propios astrólogos personales y los signos del zodíaco aparecían en la decoración de las iglesias, mobiliario, puertas, manuscritos o pilas bautismales.

Este interés procede, seguramente, de una circunstancia que tiene una profunda relación con los orígenes del relato evangélico. Cuando decíamos que la personalidad de Jesús era en realidad un mosaico formado por las andanzas de diversos personajes anteriores procedentes de las más variadas culturas no mencionamos que, además, todos esos personajes no son sino diversas advocaciones de la divinidad solar, la forma más antigua y universal de manifestación religiosa. A lo largo de las épocas y las culturas, este mito solar mantiene, entre otros, una serie de elementos comunes que, a buen seguro, resultarán familiares a los cristianos:

- El Sol muere durante tres días en el solsticio de invierno para resucitar el 25 de diciembre, cuando la constelación de Virgo (la virgen) asoma por el horizonte.
- El nacimiento del Sol todos los días es precedido por la aparición de una brillante «estrella», como la que precedió el nacimiento de Jesús, que en realidad es el planeta Venus, el Lucero del Alba.
- Con su luz y su calor obra el milagro de transformar el agua de la lluvia en el vino que sale de la uva.
- Su reflejo «camina» sobre las aguas.
- Es llamado por sus adeptos «luz del mundo».
- El Sol tiene doce «seguidores», los signos del zodíaco.

Respecto a este último asunto, el de los apóstoles, se pueden hacer algunas matizaciones adicionales:

Los doce discípulos son a menudo presentados como garantes de la historicidad de Jesús, aunque no sepamos nada de muchos de ellos con excepción de sus nombres, a cuyo respecto ni siquiera las fuentes documentales terminan por ponerse de acuerdo. En Marcos y Mateo, de hecho, las enumeraciones de nombres están introducidas en el texto con bastante torpeza. Todo ello nos indica que el número procede de una tradición más antigua que las personas; que la idea de «doce» obedece no a los doce discípulos actuales, sino a otras fuentes[1].

1. Gerald Massey, *Historical Jesus and the mythical Christ or natural genesis and tipology of equinoctial christolatry*, Montana, Kessinger Publishing Company, 1998.

El número doce es un elemento fundamental en todas las leyendas basadas en mitos solares, incluso en aquellas muy posteriores a la cristianización, como la del rey Arturo, que se sienta junto a sus doce caballeros alrededor de una mesa redonda que no es sino la alegoría de un zodíaco. A esta misma categoría pertenecerían los doce trabajos de Hércules, los doce ayudantes del dios egipcio Horus o los doce generales que según la tradición acompañaban al dios Ahura Mazda.

Lo mismo sucede con el Antiguo Testamento, muchas de cuyas historias, en especial las del Génesis, han sido importadas de otras tradiciones, como la hindú, con una literalidad tal que ni siquiera han variado los nombres. Curiosamente, lo que sí varió fue el papel estelar que tenía la mujer en estas historias, dado el carácter profundamente patriarcal de la cultura hebrea arcaica:

> La mujer nunca más fue respetada como sagaz asesora o sabia consejera, intérprete humana de la divina voluntad de la diosa, sino odiada, temida o, cuanto menos, segregada o ignorada. Las mujeres pasaron a ser representadas como criaturas carnales carentes de raciocinio, actitud que se justificaba y «probaba» con el mito del paraíso. Argumentos cuidadosamente diseñados en aras de la supresión de antiguas estructuras sociales continúan presentes en el mito de Adán y Eva, como la divina prueba de que es el hombre quien en último extremo debe detentar la autoridad[1].

Otros elementos menores de carácter iconográfico o litúrgico también fueron tomados de otras culturas y religiones, incluido el que actualmente es el símbolo indiscutible de la cristiandad, la propia cruz, que en un principio repelía a los mismos cristianos y que no fue adoptada oficialmente hasta entrado el siglo VII. Ninguna de las imágenes más antiguas de Je-

---

1. Merlin Stone, *When God was a woman*, Nueva York, Harcourt, Brace & Company, 1978.

sús lo representa en una cruz, sino como un «dios pastor», a la usanza de Osiris o Hermes, portando un cordero. Por otro lado, las imágenes de épocas precristianas que se pueden encontrar en diversos templos de la India representando a Krisna con los brazos en cruz resultan tan similares a los crucifijos cristianos que, sacados de su contexto, resultan indistinguibles para un profano.

Elementos tan hondamente enraizados dentro de la tradición cristiana como el Santo Grial, el Apocalipsis, la Santísima Trinidad o el mismísimo Lucifer tienen un origen precristiano que se puede rastrear fácilmente a través del estudio de la mitología de diversas culturas de la Antigüedad, en especial de la egipcia. Otro tanto ocurre con elementos litúrgicos como el bautismo o la transustanciación y la eucaristía, que ya formaban parte de ceremonias religiosas que se celebraban muchos siglos antes de Cristo.

De hecho, podemos decir que el Antiguo Testamento es un mero plagio de las hazañas de los dioses cananeos, tal como puso de manifiesto el descubrimiento en 1975 de veinte mil tablitas de arcilla de más de cuatro mil quinientos años de antigüedad en las ruinas de Ebla, una gran urbe prehistórica que se alzaba en el noroeste de la actual Siria. El punto de máximo apogeo de esta ciudad fue mil años antes de la época atribuida a Salomón y David, siendo destruida por los acadios alrededor de 1600 a.C. Las tablitas están escritas en cananeo antiguo, un lenguaje muy similar al hebreo bíblico, empleando la escritura cuneiforme sumeria, y en ellas aparecen uno tras otro todos y cada uno de los personajes principales del Antiguo Testamento. Así, las aventuras de Abraham, Esaú, Ismael, David y Saúl son narradas con leves variaciones respecto de su versión bíblica siglos antes de su presunto nacimiento. Para los antiguos cananeos estos personajes no eran «patriarcas», como lo serían para los hebreos, sino que estaban investidos de cualidades divinas o semidivinas e integraban el panteón particular de este pueblo. Las tablitas también contienen versiones virtualmente idénticas a las actuales de los mitos de la creación y el diluvio universal.

Asimismo, a través de la etimología podemos obtener una pista sobre el origen de los mitos cristianos. Los nombres de Jesús, Jeosuah, Josías, Josué, etc., proceden de las palabras sánscritas Zeus y Jezeus, la primera de las cuales significa «el ser supremo» y la otra, «la esencia divina». Estos nombres no sólo eran comunes entre los judíos, sino que podían ser encontrados por todo Oriente. De hecho, los seguidores de Krisna aclaman a su dios durante sus liturgias gritándole «Jeye» o «Ieue», nombres que pertenecen a la misma raíz sánscrita que «Jesús» y «Yahvé». Tan extendida estaba en la remota antigüedad esta denominación de «el Salvador» a través de las letras «IE», que se encuentra incluso en el santuario de Delfos aplicada al dios Apolo. Algo similar ocurre con el título de «Cristo», cuyo origen lingüístico lo podemos encontrar de nuevo en «Krisna». Ambas palabras fueron unidas en una sola en el primer concilio de Nicea, en el año 325, antes de lo cual era completamente desconocida la denominación «Jesucristo».

Aún más antiguo es el nombre de Satán, que se remonta ni más ni menos que al antiguo Egipto, concretamente de Set, el gemelo de Horus y su principal enemigo, que en ocasiones recibía también el nombre de Sata.

En la actualidad tenemos una imagen represiva respecto de la actitud del cristianismo hacia la manifestación de la sexualidad humana. Sin embargo, no siempre fue así. En los primeros tiempos del cristianismo se mantenía una postura considerablemente más abierta hacia el sexo, algo mucho más acorde con los orígenes paganos de las creencias cristianas.

En aquellos tiempos era relativamente común entre los cristianos la celebración de ágapes o «fiestas del amor», rito adaptado de las celebraciones sexuales paganas. Algunos de los menos tolerantes entre los padres de la Iglesia escribieron documentos censurando estas prácticas, aunque hasta el siglo VI no se declararon heréticas y, como tales, prohibidas. Ello no fue óbice para que el sexo continuara, durante algún tiempo más, formando parte de la liturgia de determinadas sectas gnósticas, una circunstancia que fue profusamente utilizada por el sector ortodoxo de la Iglesia para desacreditar a estos grupos.

Todos los elementos y tendencias que hemos repasado en las páginas anteriores se combinaron y fueron tomando forma en la ciudad de Alejandría de la mano de una secta mistérica denominada «los Terapeutas», un grupo de visionarios egipcios en cierta forma muy similar a los esenios, a los que autores como Eusebio no dudan en calificar de cristianos a pesar de surgir y desarrollarse mucho antes de la época de Cristo. Fueron ellos quienes compilaron el Logia Iesou («Palabras del Salvador»), una antología de fuentes sirias, hindúes, persas, egipcias, judías y griegas, en las que se encuentra buena parte de lo que más tarde serían los Evangelios.

El concilio de Nicea fue una verdadera cumbre que reunió a los líderes cristianos de Alejandría, Antioquía, Atenas, Jerusalén y Roma junto a los máximos representantes del resto de las sectas y religiones más representativas en el ámbito del Imperio romano, como los cultos de Apolo, Deméter/Ceres, Dionisos/Baco, Jano, Júpiter/Zeus, Oannes/Dagón, Osiris e Isis y el Sol Invicto, objeto particular de la devoción del emperador. El fin específico de esta reunión era crear una religión de Estado para Roma basada en el cristianismo, que a los efectos tenía todas las características necesarias para asegurar una rápida expansión por el Imperio, así como un satisfactorio control de la población a través de su férreo código moral. Acto seguido, comenzó una desmedida campaña de censura a gran escala destinada a silenciar a millones de disidentes a través del asesinato, la quema de libros, la destrucción de obras de arte, la desacralización de templos y la eliminación de documentos, inscripciones o cualquier otro posible indicio que pudiera llevar a la verdad, un proceso que condujo a Occidente a unos niveles de ignorancia desconocidos desde el nacimiento de la civilización grecorromana:

A fin de ocultar el hecho de que no existía base histórica alguna que justificase sus ficciones teológicas, el sacerdocio cristiano tuvo que incurrir en el deleznable crimen de destruir casi cualquier huella de lo ocurrido durante los dos primeros siglos de la era cristiana. Lo poco que fue permitido que llegase hasta nosotros lo habían alterado y distorsionado hasta dejarlo por completo carente de cualquier valor histórico[1].

Las autoridades eclesiásticas no pararon hasta obtener el derecho legal de destruir cualquier obra escrita que se opusiera a sus enseñanzas. Entre los siglos III y VI, bibliotecas enteras fueron arrasadas hasta los cimientos, escuelas dispersadas y confiscados los libros de ciudadanos particulares a lo largo y ancho del Imperio romano, so pretexto de proteger a la Iglesia contra el paganismo. Uno de los mayores crímenes de toda la historia humana fue la destrucción de la biblioteca de Alejandría en el año 391. Durante siglos se enseñó en los colegios, especialmente en los religiosos, una leyenda tendenciosa según la cual los árabes habrían destruido la célebre biblioteca cuando conquistaron la ciudad en el siglo VII. Se trata de un cuento infamante y sin rigor histórico, destinado a enmascarar la verdad. Los árabes nunca pudieron incendiar la biblioteca de Alejandría, sencillamente porque cuando las tropas de Amru llegaron a la ciudad en 641 ya hacía cientos de años que no existía ni rastro de esta institución ni de los edificios que la albergaban. Lo único que encontraron los árabes fue una ciudad dividida, arruinada y exhausta por siglos de luchas intestinas. El máximo exponente de la belleza y cultura clásicas no fue destruido por los guerreros árabes, que tomaron lo que quedaba de la ciudad, sino por los cristianos monofisitas un cuarto de siglo antes. Tras el mandato del emperador Teodosio I ordenando la clausura de todos los templos paganos, los cristianos destruyeron e incendiaron el Se-

1. Jonathan M. Roberts, *Antiquity unveiled: ancient voices from the spirit realms*, California, Health Research Books, 1970.

rapeum alejandrino. Las llamas arrasaron así la última biblioteca de la antigüedad. Según las *Crónicas alejandrinas*, un manuscrito del siglo V, el instigador de aquella hecatombe fue el patriarca monofisita de Alejandría, Teófilo (385-412), caracterizado por su fanático fervor en la demolición de templos paganos. Los cristianos enardecidos rodearon el templo de Serapis. Fue el propio Teófilo, tras leer el decreto de Teodosio, quien dio el primer hachazo a la estatua de Serapis, cuya cabeza fue arrastrada por las calles de la ciudad y luego enterrada. La ruina de la ciudad fue tan atroz que uno de los padres de la Iglesia griega, san Juan Crisóstomo (347-407), escribió: «La desolación y la destrucción son tales que ya no se podría decir dónde se encontraba el Soma». Se refería a la tumba de Alejandro, el mausoleo del fundador de la urbe y el monumento más emblemático de la ciudad. Con este acto de barbarie, Teófilo creía cumplido para siempre su propósito de enterrar las verdades ocultas sobre su religión, que seguramente no le eran desconocidas merced a sus contactos con los sacerdotes paganos. Aquella villanía nos ha afectado a todos, pues se calcula que la pérdida de información científica, histórica, geográfica, filosófica y literaria que provocó supuso un retraso de casi mil años en el desarrollo de la civilización humana.

En el año 415 comenzó una persecución contra los paganos de Alejandría, a quienes se les dio la opción de convertirse a la nueva fe o morir. Esto era especialmente doloroso para filósofos y académicos, ya que suponía rechazar todo el conocimiento que tanto trabajo les había costado alcanzar. Hipatia, la filósofa y matemática más importante de la ciudad, se negó y se mantuvo firme en sus convicciones, por lo que fue acusada de conspirar contra Cirilo, líder cristiano de Alejandría. Unos días después, un enardecido grupo de fanáticos religiosos interceptó el transporte en el que se dirigía a trabajar, la arrancaron de éste y con filos de conchas marinas le fueron arrancando la piel hasta que murió a consecuencia del dolor y la pérdida de sangre. Cirilo, instigador de este sádico asesinato, fue canonizado. El asesinato de Hipatia se considera el momento histórico en que se produce definitivamente la muerte del mundo clásico.

En el siglo V, la destrucción era tan completa que el arzobispo Crisóstomo pudo declarar con satisfacción: «Cada rastro de la vieja filosofía y literatura del mundo antiguo ha sido extirpado de la faz de la Tierra». En un momento del proceso se estableció la pena de muerte para quien escribiera cualquier libro que contradijera las doctrinas de la Iglesia. Papa tras Papa se continuó con este proceso sistemático de asesinato de la historia. Gregorio, obispo de Constantinopla y el último de los doctores de la Iglesia, fue un activo incinerador de libros. Donde el brazo de la cristiandad no pudo llegar para destruir el trabajo de los antiguos autores, se ocupó de corromper y mutilar sus obras. Tras quemar libros y clausurar las escuelas paganas, la Iglesia se embarcó en otra clase de encubrimiento: la falsificación por omisión. La totalidad de la historia europea fue corregida por una Iglesia que pretendía convertirse en la única y exclusiva depositaria de los archivos históricos y literarios. Con todos los documentos importantes custodiados en los monasterios y un pueblo llano condenado al más absoluto analfabetismo, la historia cristiana pudo ser falsificada con total impunidad.

La construcción de iglesias sobre las ruinas de los templos y lugares sagrados de los paganos no sólo era una práctica común, sino una tarea obligada para borrar por completo el recuerdo de cualquier culto anterior. A veces, sin embargo, un hado de justicia poética hacía que estos esfuerzos terminaran por tener el efecto contrario al pretendido. Tal es el caso de lo ocurrido con muchos monumentos egipcios. Dada la imposibilidad material de demoler las grandes obras de la época faraónica, o de borrar los jeroglíficos grabados en la piedra, se optó por tapar los textos egipcios con argamasa, lo cual, lejos de destruirlos, sirvió para conservarlos a la perfección hasta nuestros días, lo que ha posibilitado que podamos tener un conocimiento del antiguo Egipto más detallado que el de los primeros siglos de nuestra era y, lo que es más importante a efectos de lo que aquí estamos tratando, aquellos jeroglíficos preservaron la verdad, ya que contenían la esencia y el ritual del mito celeste, que tiene enormes similitudes con la historia evangélica.

Dios y el Big Bang

Aunque parezca algo creado por la imaginación del mismísimo Dan Brown, los científicos actuales se afanan en experimentos similares al descrito en *Ángeles y demonios*, buscando lo que denominan «la partícula divina», un misterioso fragmento subatómico que se infiltra en todo el universo y permite explicar por qué todas las cosas son como son. Por supuesto, nadie ha visto aún esa partícula (de hecho, los más escépticos dudan de su existencia), pero actualmente físicos de todo el mundo se preparan para llevar a cabo uno de los experimentos científicos más ambiciosos y caros que jamás hayan sido vistos, con el único fin de dar con ella. Durante una cumbre celebrada en Beijing, China, a finales de agosto de 2004, especialistas de Gran Bretaña, Japón, Estados Unidos y Alemania anunciaron el experimento: la construcción de una gigantesca máquina destructora de átomos, también llamada «de choque lineal». Ahora sólo les resta convencer a sus respectivos gobiernos para que aporten su parte de los 5.387 millones de dólares en que está estimado el coste del proyecto.

Llama poderosamente la atención cómo el experimento guarda una importante similitud con el descrito en la novela. Instalada bajo tierra, lejos de las vibraciones de la superficie, esta máquina aceleraría las partículas de extremos opuestos en el interior de un túnel de 32 kilómetros de largo, a velocidades cercanas a la de la luz, para hacer que se estrellen unas con otras. Una corriente de partículas estaría integrada por electrones. La otra por positrones. Los científicos esperan que esto dé lugar a una explosión cataclísmica de calor, luz y radiación que logre recrear a escala infinitesimal las condiciones encontradas en las primeras millonésimas de segundo posteriores al Big Bang. Y cuando eso suceda, esperan que la partícula divina se haga visible.

Lo único que se puede calificar de completamente ficticio en el planteamiento de la novela de Dan Brown es que el acelerador del CERN carece de la potencia necesaria para llevar a cabo este proyecto. De ahí la necesidad de construir una máquina nueva. En caso de ser finalmente construida, la nueva máquina abrirá el camino a un nuevo campo de la física. Como dijo Brian Foster, de la Universidad de Oxford:

> La máquina internacional de choque lineal llevará a nuestra ciencia hacia áreas completamente nuevas [...]. Pondrá al descubierto una física nueva y emocionante, que abordará la agenda del siglo XXI, vinculada con importantes cuestiones sobre la materia y la energía negra, la existencia de dimensiones adicionales y la naturaleza fundamental de la materia, la energía, el espacio y el tiempo[1].

Sin embargo, de ahí a conciliar el creacionismo con el Big Bang hay un importante trecho que no toda la comunidad científica está dispuesta a traspasar. De hecho, son muchos los que siguen viendo el sincretismo entre ciencia y religión como un absurdo. Ejemplo de ello es el biólogo británico Richard Dawkins, especialista en biología evolutiva, quien afirmó en un libro publicado recientemente en Alemania dentro de una serie de obras titulada «Al principio no había ningún Dios. Perspectivas de las ciencias naturales y de la teología» (editorial Patmos), que «el argumento de que el universo se apoya en un plan de creación ya no se puede sostener sólo con la fe en Dios».

---

1. *The Guardian*, 31 de agosto de 2004.

Los guardias suizos fueron mercenarios que lucharon bajo diversas banderas europeas entre los siglos XV y XIX. Eran reclutados en los cantones suizos y puestos a disposición del país que quisiera contratarlos, previo pago de una cantidad acordada. Estas operaciones se formalizaban mediante tratados que recibían el nombre de capitulaciones. En la actualidad sólo trabajan en el Vaticano. Sin embargo, es en Francia donde desempeñaron sus más importantes servicios. Francisco I de Francia llegó a tener a su servicio a no menos de ciento veinte mil suizos, y su guardia personal –Los Cien Suizos– tenía una merecida fama de ferocidad, e incluso dio la vida por su señor en la batalla de Pavía, en 1525.

En la época de Luis XIV los regimientos suizos sólo daban cuentas al rey. El episodio bélico más célebre en que se vio involucrada la Guardia Suiza fue la defensa del palacio de las Tullerías el 10 de agosto de 1792, durante la Revolución francesa, en la que varios cientos de guardias fueron masacrados por la multitud después de una defensa heroica del edificio. Su gesta permitió a la familia real contar con el tiempo suficiente como para escapar a través de los jardines; en la ciudad de Lucerna se conserva un monumento a los caídos erigido para conmemorar aquella hazaña. Tras un breve lapso de tiempo, Napoleón volvió a hacer uso en sus ejércitos de las tropas suizas. El 29 de julio de 1830, restaurada la monarquía y con una nueva multitud enfurecida a las puertas de las Tullerías, los guardias suizos decidieron abandonar sus puestos y confundirse con la muchedumbre. Aquélla fue la última vez que Francia hizo uso de la Guardia Suiza.

La Constitución suiza fue reformada en 1874 para prohibir el reclutamiento de suizos por parte de potencias extranjeras; sin embargo, voluntarios de ese país continuaron sirviendo en diversos ejércitos del mundo hasta que esta práctica fue prohibida en 1927. La Guardia Suiza del Vaticano es la única excepción que existe actualmente.

El papa Julio II fundó la guardia en 1505 para que la Santa Sede contara con su propio cuerpo de ejército. En aquella época los mercenarios suizos eran la elección obvia para este cometido. Su fecha oficial de fundación fue el 21 de enero de 1506. Desde aquel momento, la Guardia Suiza ha variado enormemente de tamaño e importancia en los diferentes períodos históricos, e incluso ha habido épocas en las que ha estado disuelta. El hecho de armas más glorioso en los anales del cuerpo ocurrió el 6 de mayo de 1527, cuando ciento cuarenta y siete guardias, incluyendo a su comandante, murieron luchando contra las tropas de Carlos I.

En la actualidad se trata de una pequeña fuerza cuya misión es mantener la seguridad del Palacio Apostólico, custodiar las entradas de la ciudad del Vaticano y velar por la seguridad personal del Papa. A pesar de lo reducido de sus efectivos, el estatus oficial de la Guardia Suiza es el de ejército del Estado soberano del Vaticano. Los guardias deben ser necesariamente católicos y de nacionalidad suiza. Además deben haber servido en el ejército suizo y haber sido distinguidos con un certificado de buena conducta. La edad de los reclutas debe estar comprendida entre los diecinueve y los treinta años y su talla no debe ser inferior a 1,74 m. La duración del servicio oscila entre los dos y los veinticinco años.

Cada 6 de mayo (aniversario del saqueo de Roma de 1527), en la Cortile di San Damaso se nombra a los nuevos guardias, en el transcurso de una ceremonia solemne. En ella, el capellán del cuerpo lee el siguiente juramento en alemán, el idioma oficial de la Guardia Suiza:

Juro con fe, honestidad y honorabilidad servir al soberano pontífice, su alteza el papa [nombre del Papa reinante] y a sus legítimos sucesores, así como dedicarme a ellos con toda mi fuerza, preparado en caso de que fuera necesario para el sacrificio de mi propia vida en su defensa. Igualmente extiendo esta promesa hacia los miembros del Sacro Colegio durante el período de Sede

Vacante. Además, guardaré al comandante y a mis otros superiores respeto, fidelidad y obediencia. Juro ser siempre respetuoso con todos los requerimientos y atender la dignidad de mi rango[1].

Cuando se pronuncia su nombre, el nuevo guardia se aproxima a la bandera del cuerpo, tomándola con su mano izquierda y levantando su mano derecha con los dedos pulgar, índice y medio extendidos, como gesto simbólico de la Santísima Trinidad: «Yo, [nombre del nuevo guardia], juro respetar diligentemente y con fe todo aquello que me acaba de ser leído; que el Todopoderoso y Sus Santos sean mis testigos»[2].

El número de efectivos está limitado a apenas un centenar de hombres, que se distribuyen de la siguiente forma:

- 4 oficiales
- 23 suboficiales
- 70 alabarderos
- 2 tamborileros
- 1 capellán

A pesar de lo pintoresco del uniforme ceremonial con el que montan guardia, la Guardia Suiza se entrena en el manejo del más moderno armamento y conoce a la perfección las tácticas antiterroristas. Se hizo especial hincapié en esto a raíz del intento de asesinato de Juan Pablo II, el 13 de mayo de 1981, por parte de Mehmet

1. «*Ich schwöre, treu, redlich und ehrenhaft zu dienen dem regierenden Papst* [Name des Papstes] *und seinen rechtmäßigen Nachfolgern, und mich mit ganzer Kraft für sie einzusetzen, bereit, wenn es erheischt sein sollte, selbst mein Leben für sie hinzugeben. Ich übernehme dieselbe Verpflichtung gegenüber dem Heiligen Kollegium der Kardinäle während der Sedis-Vakanz des Apostolischen Stuhls. Ich verspreche überdies dem Herrn Kommandanten und meinen übrigen Vorgesetzten Achtung, Treue und Gehorsam. Ich schwöre, alles das zu beobachten, was die Ehre meines Standes von mir verlangt.*»
2. «*Ich, schwöre, alles das, was mir soeben vorgelesen wurde, gewissenhaft und treu zu halten, so wahr mir Gott und seine Heiligen helfen.*»

Ali Agca. Desde aquel incidente se mejoró sensiblemente el entrenamiento de los guardias en combate sin armas y se les equipó con pistolas SIG y subfusiles Heckler & Koch. No obstante, la tradición también es importante en sus cuarteles y los guardias también son adiestrados en el manejo de la espada y la alabarda. Existe una leyenda, recogida por Dan Brown en la novela, que afirma que el uniforme de los guardias fue diseñado por el pintor Miguel Ángel. Nada más incierto. El diseño actual ni siquiera es renacentista, sino que se trata de una alteración del diseño original llevada a cabo en 1915. En cuanto al uniforme de faena, es mucho menos vistoso y está compuesto de guerrera, pantalones azules y una boina negra.

«Illuminati», el juego

En *Ángeles y demonios* se comete un pequeño error de documentación respecto a este juego, ya que en realidad no se trata de un juego de ordenador, sino uno de mesa. «Illuminati» es un complicado juego de cartas desarrollado por la empresa Steve Jackson Games[1] que, resumiendo mucho, puede ser descrito como un póquer para conspiranoicos. En cada partida pueden intervenir de dos a siete jugadores y, dependiendo de esto, un juego puede durar entre una y tres horas. Se juega con una baraja de cartas especiales, fichas de dinero (que representan millones de dólares) y dos dados de seis caras. Hay tres tipos de naipes:

- Illuminati
- Grupos
- Cartas especiales

Los jugadores toman el papel de sociedades de Illuminati que luchan por asumir el control del mundo. El mundo es representado por las tarjetas de los grupos tales como la Mafia, los

---

1. *www.sjgames.com/illuminati/index.html.*

activistas antinucleares o los fans de Star Trek. Cada elemento del juego tiene valores propios como su poder o capacidad económica. Las cartas especiales representan fenómenos inesperados. El juego se desarrolla a lo largo de turnos sucesivos. El objetivo principal de cada jugador es tomar el control de los diferentes grupos del juego. Para ello, el atacante debe superar la resistencia de los grupos atacados mediante el poder combinado de sus grupos, sus recursos económicos y de la influencia de las cartas especiales. El grupo atacado puede ser defendido mediante el dinero y las tarjetas especiales de otros jugadores (en especial si uno de ellos ya controla el grupo).

También se puede intentar neutralizar o destruir a los diferentes grupos. Además, los jugadores pueden negociar, formar alianzas, engañar, robar el dinero de la mesa y cualquier cosa que les lleve al triunfo. El objetivo del juego se puede alcanzar de diferentes formas, con victorias económicas, estratégicas o totales.

El juego ha alcanzado tal popularidad que ya hay en el mercado dos suplementos:

– Lavado de cerebro
– Y2K

Steve Jackson Games ha lanzado otros dos juegos con reglas similares:

– Illuminati: señores del crimen
– Hackers

Internet

Cuando el anónimo comunicante le dice al protagonista que su laboratorio inventó la red, no está en absoluto alardeando en balde. En 1989, mientras trabajaba en el CERN, el británico Tim Bemers-Lee inventó la web (red), el servicio de Internet más popular, utilizado a diario por cientos de millones de personas de todo el mundo. En un raro ejemplo de altruismo, Bemers-Lee tomó la decisión de no patentar su invento para mantener la red abierta al mayor número de gente posible. Eso sí, no hay que confundir la web con Internet. Internet estaba inventada con anterioridad. Como ya hemos dicho, la web es uno de los muchos servicios que proporciona Internet, si bien lo cierto es que en la actualidad es con diferencia el más usado, seguido del correo electrónico y los programas de intercambio P2P (siglas en inglés de Peer to Peer, comunicación entre dos usuarios de Internet). El éxito de la web ha sido tal, que muchos de los otros servicios se han «disfrazado de web», adoptando formas compatibles con los navegadores y popularizando de esta manera su uso.

Jano

El misterioso personaje que se hace llamar Jano no ha elegido este apodo por azar. En la mitología romana, Jano era el dios de las puertas, los comienzos y los finales[1]. Por eso el mes de enero, el primero del año, recibe este nombre en su honor. Su representación habitual es bifronte, esto es, con dos caras mirando en direcciones opuestas. Es el dios de los cambios y las transiciones, de los momentos en los que se traspasa el umbral que separa el pasado y el futuro. Su protección, por tanto, se extiende hacia aquellos que desean variar el orden de las cosas. Se le honraba cada vez que se iniciaba un proyecto nuevo, nacía un bebé o se contraía matrimonio.

Como Prometeo, es una suerte de héroe cultural, ya que se le atribuye, entre otras cosas, la invención del dinero, las leyes y la agricultura.

1. David Fontana, *El lenguaje secreto de los símbolos: una clave visual para los símbolos y sus significados*, Barcelona, Debate, 1994; Barcelona, Círculo de Lectores, 1994.

A modo de curiosidad, citaremos que existe una Sociedad de Jano, que es el grupo de practicantes del sadomasoquismo más importante de Estados Unidos.

Langdon, Robert

Este personaje es tanto el protagonista de *Ángeles y demonios* como de *El código da Vinci*. En la ficción, Robert Langdon es un experto en simbolismo, esoterismo y religión con varios libros a sus espaldas y un flamante puesto de catedrático de Simbología Religiosa en la Universidad de Harvard. Ésta es una de las muchas licencias que el autor se toma en su obra, ya que dicha cátedra jamás ha existido en la Universidad de Harvard. No obstante, existen múltiples académicos de todo el planeta que estudian estas materias y podrían encajar en el perfil de Langdon.

Sobre este personaje existe un par de anécdotas curiosas. La primera es, como ya hemos contado, que toma su nombre de John Langdon, el artista gráfico que diseñó los ambigramas para *Ángeles y demonios*. La segunda es que, pese a tratarse de un personaje de ficción, Robert Langdon tiene su propia página web[1].

X-33

El famoso avión experimental que aparece en las páginas de *Ángeles y demonios* jamás llegó a existir más allá de los papeles. En marzo de 2001 la NASA liquidó su proyecto del avión espacial experimental X-33, concebido como un sucesor de los transbordadores espaciales. Jamás llegó al punto de un vuelo de prueba. La NASA destinó 912 millones de dólares al proyecto, mientras

1. *www.robertlangdon.com.*

que el diseñador de la nave, Lockheed Martin Corp., invirtió 357 millones. Una millonaria inversión que jamás despegó. La NASA también eliminó el proyecto X-34, otro vehículo similar: «Ésta ha sido una decisión muy dura, pero confiamos en que es la determinación empresarial correcta... Hemos logrado una cantidad enorme de conocimientos mediante estos programas X, pero una de las cosas que hemos aprendido es que nuestra tecnología no ha avanzado hasta el punto en que podamos desarrollar exitosamente un nuevo vehículo reutilizable que mejore de manera señalada la seguridad, confiabilidad y coste», dijo Art Stephenson, director del Centro Marshall de Vuelos Espaciales de la NASA.

Los múltiples fallos en el desarrollo de estos proyectos influyeron crucialmente en esta decisión. El más grave de ellos ocurrió en noviembre de 1999, cuando el tanque de combustible de hidrógeno líquido del X-33 se estropeó durante una prueba[1].

1. World Spaceflight News, *America's X-33 reusable launch vehicle: NASA single-stage rocket prototype*, Nueva York, Progressive Management, 2000.

Entrevista con el gran maestre
de la Orden Illuminati,
Gabriel López de Rojas

Después de todo lo explicado en las páginas anteriores, es momento de dar voz a los protagonistas de este libro, los Illuminati. Entre las múltiples organizaciones que reclaman para sí la legitimidad del legado de esta orden, una de las más serias y solventes es la Orden Illuminati, fundada en 1995 por el español Gabriel López de Rojas, quien actualmente es su gran maestre. Nadie mejor que él para poner el colofón a este libro.

Ésta es la entrevista que ha tenido la amabilidad de contestar a este autor:

–*¿Qué significa ser Illuminati?*
–Hoy, la Orden Illuminati que fundé en 1995, en Barcelona, tras contactar con los Illuminati de Estados Unidos en 1994, entiende que ser Illuminati es no sólo pertenecer a esta orden, sino también realizar un trabajo masónico y operativo y una transformación interior, mediante el Rito Operativo de los iluminados de Baviera, de trece grados de iniciación. El Rito de trece grados de la Orden Illuminati recoge los principales grados del histórico Rito de los iluminados de Baviera de Adam Weishaupt y del Rito Escocés Antiguo y Aceptado de la masonería. La Orden Illuminati entiende que la mencionada evolución interior consiste en que los Illuminati se transformen por medio del trabajo masónico y operativo en la propia divinidad, un estado del Ser que ayuda a transformar la propia realidad y la realidad que nos envuelve. En este punto, se debe trabajar a

favor de la libertad y la igualdad, para emancipar a la humanidad. Cabe recordar que los Illuminati de Baviera de Weishaupt seguían el mismo proceso iniciático, ya que sólo los altos grados, aquellos que habían completado la iniciación, estaban capacitados para transformar su realidad y la realidad que los envolvía, con libertad e igualdad, emancipando a la humanidad.

—¿Hay algo de cierto en la imagen mítica que sobre la orden han proyectado conspiracionistas y escritores de ficción?
—Poco, por no decir nada. Los mitos sobre los Illuminati son una reproducción moderna de los mitos que en otro tiempo afectaron a los gnósticos, los templarios, los judíos, las brujas, los masones y diversos colectivos ultrajados por la mentira y el fanatismo. Entre las mentiras, podemos encontrar conspiraciones, crímenes...

—Parece que últimamente se escriben libros y se habla mucho en los medios de comunicación acerca de los Illuminati. ¿Es una moda? ¿Qué opina acerca de todo lo que se dice?
—Es una moda activada por un libro de Dan Brown, *Ángeles y demonios*, dedicado a los Illuminati. Tras la estela de las fantasías de este escritor de éxito, aunque de escaso rigor, han aparecido artículos, libros, etc., dedicados a los Illuminati. La mayoría de los trabajos que han sido publicados sobre el tema son un cúmulo de inexactitudes y de paranoias dignas de una consulta psiquiátrica. ¿Acaso alguien medianamente serio puede creer que los Illuminati están tras el atentado de las Torres Gemelas de Nueva York, tal y como se ha llegado a afirmar? ¿Qué persona en su sano juicio puede imputar a los Illuminati prácticamente todos los acontecimientos históricos de los últimos siglos, como también se ha afirmado? Decir la verdad no vende, se necesita mentir y crear «fuegos artificiales» para llamar la atención, manipular y tener éxito.

**Massoneria Egiziana
dell'Antico e Primitivo
Rito di Memphis e Misraim**

Supremo e Sovrano
Santuario dell'O.C.I.

Trieste, 1 agosto 2003 e.v.

Yo, Frank G. Ripel, Gran Maestre de la Ordine dei Cavalieri Illuminati (O.C.I.) y Gran Hierophante (99°) de la Massoneria Egiziana dell'Antico e Primitivo Rito di Memphis e Misraim reconozco a Gabriel López de Rojas el grado 97° - Sustituto de la Cabeza Internacional - con autoridad para los grados 1°- 96° para la lengua española y portuguesa.

Documento válido hasta
el 1 de agosto del 2006 e.v.

Il Gran Maestro
Frank G. Ripel

–¿*Qué factores cree usted que fueron determinantes en la persecución que sufrió en su día la orden?*

–Existieron varios factores. El primero fueron las malas relaciones de los Illuminati con los masones de la Gran Logia Inglesa, fundada por pastores protestantes que nunca habían sido iniciados en una logia masónica y que eran profundamente cristianos, y los martinistas, unos integristas cristianos seguidores de Martínez de Pascually (1710-1774). Ambos presionaron al poder para que actuase contra los Illuminati, y fueron los martinistas quienes enviaron panfletos calumniosos a las autoridades para que éstas los atacasen y destruyesen. El segundo factor que provocó la cruel persecución contra los Illuminati fueron las presiones al poder por parte del cristianismo más conservador y de la aristocracia, ya que tampoco estaban de acuerdo con los Illuminati bávaros.

–*¿Cree usted que el ideario Illuminati ha sido uno de los grandes motores de la modernidad?*
–Cuando los iniciados de la Orden de los Illuminati de Baviera completaban la iniciación en los altos grados, entraban en la última fase, la que supone un intento del iniciado por transformar la realidad que lo envuelve. En esa fase, los Illuminati defendían unos principios revolucionarios, como el golpe de Estado por parte de una élite bien adiestrada, la anulación de la propiedad privada, la erradicación de la monarquía, el final del esclavismo religioso, etc., que podrían catalogarse de socialismo revolucionario o socialismo premarxista. Eso los condujo a participar en la Revolución francesa y a ser los inspiradores del socialismo, el comunismo y el anarquismo posteriores. Filósofos tan importantes y decisivos para el progreso de la humanidad como Karl Marx (1818-1883), Friedrich Engels (1820-1895) o Mijaíl Bakunin (1814-1876) defendieron planteamientos que tenían su origen en los Illuminati bávaros de Adam Weishaupt del siglo XVIII, extremo reconocido por historiadores como Max Nettlau, principal historiador del anarquismo, al cual el experto Rudolf Rocker llamaba «el Herodoto de la anarquía».

–*¿Necesita el mundo a los Illuminati?*
–Sí, por dos razones: la iniciación que imparten y la necesidad de un cambio social a nivel planetario, basado este último prioritariamente en principios revolucionarios de los Illuminati bávaros y de aquellos filósofos que se nutrieron de ellos: Marx, Engels, Bakunin... Aquí cabe hacer una aclaración muy importante. Una vez que los Illuminati de Baviera fueron perseguidos y huyeron de Baviera en 1785-1786, los restos de la orden fueron a parar a Francia y Estados Unidos. Los primeros se unieron en algunos casos al

Gran Oriente de Francia y participaron en la Revolución francesa. Los segundos fundaron la Logia Colombia en 1785, de la que descienden hoy varias órdenes y logias norteamericanas (Skull & Bones, Grand Lodge Rockefeller...), desviadas casi por completo de la tradición de los Illuminati. Estas organizaciones mantienen un cierto nexo iniciático con los Illuminati de Weishaupt, pero reniegan de la acción de los mismos. Este fenómeno es muy parecido al sufrido por el Partido Republicano de Estados Unidos, que ha pasado en un siglo de ser el defensor del abolicionismo y de posturas de izquierdas a convertirse en una formación política de extrema derecha, precisamente con miembros de Skull & Bones al frente del mismo. La Orden Illuminati se mantiene fiel a los Illuminati de Adam Weishaupt del siglo XVIII, tanto en la iniciación como en la acción, y mantiene una relación de respeto desde la diferencia con otras organizaciones de su tradición.

–*Desde los tres años, en que sucede su visión de Bafomet, hasta los veintitrés, ¿le ocurrió algo especial que le hiciera replantearse su vida?*

–En ese período de veinte años pasaron muchas cosas. A los tres años tuve la visión que comentas. Y la verdad es que me alteró bastante, a pesar de que suele ser común en los niños pequeños. Luego fui un atleta mediofondista de élite en mi juventud, concretamente en la categoría *junior*. Tras eso tuve un grupo de rock, con el cual edité un par de discos y estuve sonando, incluso, en la Cadena SER. Y, finalmente, me incliné por la iniciación. Es posible que la visión de Bafomet a los tres años fuese el motivo por el cual terminé en la senda de los Illuminati y la Tradición Occidental.

–*¿Cuál fue la situación que provocó su iniciación en los Illuminati?*

–En los primeros años noventa, me interesé por la Tradición Occidental y algunos de sus maestros, la masonería, etc. En noviembre de 1992, de hecho, fui iniciado como masón. Al no tener una experiencia del todo satisfactoria, me incliné por aquella orden que parecía ajustarse más a lo que yo buscaba: los Illuminati. En 1995, gracias a la relación con ellos, ya fundé la Orden Illuminati en Barcelona.

–¿Cómo se consigue fundar una orden con tan sólo veintiocho años y llegar a más de veinticinco países tan sólo nueve años después?

–Al principio, debido a mi falta de experiencia, fue un poco complicado. Incluso, en 1999, un montaje del poder conservador del Partido Popular intentó destruirnos con un sinfín de mentiras, sin éxito. Pero tras esos avatares y un trabajo voluntarioso, la Orden Illuminati empezó a crecer y a extenderse a nivel internacional en los años posteriores. Gracias a mi experiencia iniciática en otras órdenes como la Society OTO de Estados Unidos o la Masonería Egipcia del Antiguo y Primitivo Rito de Memphis-Misraïm de Italia y al poder de Internet, la Orden Illuminati hoy ya está en más de veinticinco países. Ahora, en realidad, la Orden Illuminati y la Societas OTO (Ordo Templi Orientalis), otra orden fundada por mí a principios de 2001, caminan solas.

–¿Cuántas logias puede haber actualmente en el mundo? ¿Y cuántos miembros tiene la Orden Illuminati?

–El nombre logia no es utilizado en la Orden Illuminati, salvo para denominar a la central. Hablamos de capítulos. En este momento, es decir a finales de 2004, tenemos ocho capítulos activos en varios continentes, a saber: Gran Logia de Bafomet (Barcelona), Caballeros Iluminados (Carvaru, Pernambuco, Brasil), Portadores de la Luz (Recife, Pernambuco, Brasil), Becerro de Oro (Valparaíso, Chile), Zión (Oruro, Bolivia), Arcano XV (Bucaramanga, Santander, Colombia), Spartacus (Abidjan, Costa de Marfil) y Liberty (Katowice, Polonia). El número de miembros ya sobrepasa los trescientos, porque estamos afiliando en los últimos meses casi quince por mes. No son demasiados en comparación con otras órdenes, pero tampoco podemos quejarnos.

–*¿Qué características o requisitos debe reunir una persona para ser aceptado en la Orden Illuminati?*

–Deber ser una persona con un deseo verdadero de progresar a nivel interno y de culminar la iniciación. También debe tener un compromiso de fidelidad hacia la orden.

–*¿Cuál es el proceso que debería seguir una persona que se haya interesado por la orden para llegar a formar parte de ella? ¿Qué se va a encontrar una vez allí?*

–Lo que debe hacer cualquier interesado es ponerse en contacto con la Orden Illuminati a través de la web *www.ordenilluminati.com*, para que allí se le informe sobre los pasos a seguir. Dentro de la orden, por otra parte, encontrará unos grados de trabajo que le serán de gran utilidad en su evolución y unos «fratres» y «sorores», hermanos y hermanas, que le acogerán con los brazos abiertos en los países donde la orden está presente.

–*Antes ha citado a la Society OTO de Estados Unidos y a la Masonería Egipcia del Antiguo y Primitivo Rito de Memphis-Misraïm de Italia. ¿Qué puede decirnos sobre esa experiencia y su relación con la Orden Illuminati?*

–En 1999 y 2000, recibí un texto revelado por Bafomet, el *Liber Zion*. El texto hablaba de Thelema, el sistema de iniciación de Aleister Crowley, y por eso busqué a la OTO actual (descendiente directa de la OTO de Crowley). Encontré la Society OTO de Estados Unidos, dirigida por David Bersson, la cual descendía de la OTO de Crowley por vía de Karl Germer, Marcelo Ramos Motta y del propio OHO (Outer Head of the Order) David Bersson. Tras ser el responsable de la misma en España y observar una situación algo caótica, en uno de mis contactos periódicos con los Superiores Desconocidos de la Orden Illuminati recibí la orden de reestructurar la única OTO sucesora directa de la OTO de Crowley. Y así, en febrero de 2001, quedó fundada la Societas OTO en Barcelona, orden que hoy está extendida casi en los mismos países que la Orden Illuminati. En el invierno del año 2002 consideré que debía profundizar en la Masonería Egipcia y en el Antiguo y Primitivo Rito de Memphis-Misraïm para progresar y enriquecer los ritos masónicos de la Orden Illuminati y la Societas OTO. Y, de nuevo, fueron los Superiores Desconocidos quienes me orientaron en la búsqueda. En el año siguiente me concedieron los máximos grados en los Ritos Egipcios de la Order of Memphis de Rumania y de la Arcana Orden do Sino y do Corvo Negro de Brasil, pero ello no resultó suficiente para progresar y enriquecer los ritos masónicos de la Orden Illuminati y la Societas OTO. La búsqueda sólo resultó satisfactoria cuando el Gran Hierophante de la Masonería Egipcia del Antiguo y Primitivo Rito de Memphis-Misraïm de Italia, Frank G. Ripel, me concedió el 1 de mayo y el 1 de agosto de 2003 los grados 96.º y 97.º, con autoridad sobre los cabezas nacionales de los países de lengua portuguesa y castellana. Entonces realicé las seis operaciones alquímicas del Rito de Ripel en el verano de 2003, pasando por las diferentes fases alquímicas hasta alcanzar la última, la Obra al Rojo, y él concedió su aprobación a las operaciones realizadas y a la respuesta encontrada: *homo est deus* («El hombre es dios»). El alquimista que pasa por las diferentes fases y operaciones alquímicas se transforma en última instancia en el andrógino divino y alquímico, en dios... De ahí lo de *homo est deus*. Evidentemente, esta evolución iniciática no sólo me ayudó a completar mi propia iniciación y a enriquecer los ritos masónicos de la Orden Illuminati y la Societas OTO, sino a asentar incluso mi sistema de iniciación, el Rojismo, en la temporada 2003-2004.

–*¿Podría explicarnos más detenidamente qué es el Rojismo?*

–Utilizaré una definición interna de la Orden Illuminati para explicarlo. Es la definición que aparece en el grado Noviciado 1.º Dice así:

El sistema de iniciación del gran maestre Gabriel López de

Rojas (Frater Prometeo) se denomina Rojismo. El término «rojismo» procede del apellido de Rojas, de la última fase alquímica del citado sistema (Obra al Rojo) y del mensaje igualitario y libertario, es decir «rojo», del mismo.

El sistema de iniciación de López de Rojas está estructurado en dos Ritos masónicos: el de trece grados de la Orden Illuminati (Rito Operativo de los Iluminados de Baviera) y el de diez grados de la Societas OTO (Rito Operativo de Memphis-Misraïm), en los cuales se encuentran presentes importantes grados masónicos.

El sistema de iniciación da importancia a pilares fundamentales de la iniciación como el deseo verdadero, la voluntad, el despertar de la conciencia del hombre «dormido», el respeto hacia los ciclos y el orden, la coherencia; a vías tradicionales de iniciación (yoga, tantra, cábala, simbolismo, alquimia), y a la transformación del iniciado por el trabajo operativo en la propia divinidad, en el andrógino alquímico y divino, siempre buscando que éste proyecte en lo externo su evolución interna.

En dicho sistema, además, es importante la figura del dios de la Luz, Bafomet. Sólo con Bafomet la iniciación es completa. Con los dioses esclavistas, sus «grilletes», etc., el trabajo iniciático está «castrado» y la iniciación completa no es posible.

Es interesante añadir a lo expuesto que el *Liber Zion*, revelado por Bafomet a Gabriel López de Rojas en los años 1999-2000, y los Mandamientos de los Illuminati coronan el sistema iniciático descrito, con su mensaje igualitario y libertario.

–*Hace poco se publicó el libro* Por la senda de Lucifer. Confesiones del Gran Maestre de los Illuminati, *en el que se narra su biografía. ¿Qué destacaría de todo lo que se cuenta de usted en ese libro?*

–Primero, destacaría mi origen y evolución personal fuera del campo de la iniciación, ya que nací en el seno de una familia con orígenes judíos e ideología y militancia en el Partido Comunista de España y el anarquismo; después, destaqué como atleta mediofondista de categoría *junior* a nivel internacional y músico de rock. También destacaría mi evolución iniciática posterior en las diferentes órdenes de la Tradición Occidental (Illuminati, OTO, Memphis-Misraïm...), así como acontecimientos tan especiales como fue observar a Bafomet con apenas tres años y recibir un texto revelado, el *Liber Zion*, en 1999 y 2000, muchos años después, gracias a la aparición del mismo dios de la Luz... También podría destacar otras cuestiones relacionadas con los servicios de inteligencia y el CESID (ahora, CNI), que jamás ha dejado de intentar infiltrar agentes en la Orden Illuminati.

—Para finalizar, ¿cree usted posible que algún día la humanidad alcance el ideal Illuminati? ¿Cómo ve el futuro de la orden en el siglo XXI?
—Adam Weishaupt restableció la Iniciación Primordial de la Edad Primordial o Edad de Oro (desde el origen de los tiempos hasta aproximadamente el 2000 A.N.E.), fundamentada en el dios de la Luz, en la transformación de los iniciados en la divinidad y en la igualdad y la libertad, aplicadas con fines transformadores a ellos y al medio en última instancia. Pensaba que, entre otras cosas, el sistema que él había restablecido serviría para que la humanidad fuese emancipada. Una famosa frase de Weishaupt decía: «La igualdad y la libertad son los derechos esenciales que el hombre, en su perfección originaria y primitiva, recibió de la naturaleza». Pero es evidente, por mucho que se empeñen en demostrar lo contrario los conspiranoicos de todo tipo y condición, que los Illuminati bávaros de Adam Weishaupt no pudieron culminar sus objetivos. Después de ellos, igualmente, tanto órdenes, ritos o sistemas de la Tradición Occidental como filósofos y socialistas varios, intentaron conseguir casi idénticos objetivos, sin demasiado éxito. La Orden Illuminati y la Societas OTO, las dos órdenes del Rojismo, abrazando la Iniciación Primordial, tienen el solemne deber de culminar esa Gran Obra que Weishaupt no pudo culminar, ahora que la Nue-

va Era, la Era de Zión (2000 A.N.E.), la Era de la Luz, acaba de empezar a caminar.

Por tanto, creo firmemente que algún día la humanidad alcanzará el ideal Illuminati y que la Orden Illuminati será uno de los pilares para tal logro.

Su evolución iniciática y su extensión internacional me hacen ser optimista al respecto. Lo nuestro no se detendrá. Es una tarea continua y una revolución permanente.

CÓMO FORMAR PARTE DE LOS ILLUMINATI

A título informativo, reproducimos a continuación el epígrafe «La afiliación», correspondiente a la página de Internet de la Orden Illuminati de Gabriel López de Rojas:

El primer grado de trabajo iniciático de la Orden Illuminati es el Noviciado, como hemos visto al enumerar los grados del Rito Operativo de los Iluminados de Baviera. Tiene cuatro meses de duración y está centrado en el despertar de la conciencia y el dios interior, la meditación, el yoga, la simbología...

El objetivo principal del Noviciado es que el miembro adquiera conocimiento y empiece a descubrir su dios interior, su grandeza, sus capacidades y principios como la igualdad y la libertad dentro de la Orden Illuminati.

El primer grado de estudio de la Orden Illuminati, el Noviciado, es entendible y ameno. Y está compuesto por material de estudio y trabajo iniciático para cuatro meses, un ritual de autoiniciación, un rito individual, el Liber Zion y un diploma que acredita la pertenencia y el grado en la Orden Illuminati.

Cabe aclarar que los grados de trabajo de la Orden Illuminati, desde el Noviciado hasta el grado XIII.°, no obligan a acudir a la Gran Logia, ni a capítulos de la orden, ni a realizar un trabajo ritualístico junto a otros miembros de la organización. Tampoco obligan a una relación posterior de ningún tipo con la organización y sus miembros.

ÍNDICE

Diseño e ilustración de la sobrecubierta: Winfried Bährle

Círculo de Lectores, S. A. (Sociedad Unipersonal)
Travessera de Gràcia, 47-49, 08021 Barcelona
www.circulo.es
3 5 7 9 5 0 0 7 8 6 4 2

Licencia editorial para Círculo de Lectores
por cortesía de La Esfera de los Libros, S. L.
Está prohibida la venta de este libro a personas que no
pertenezcan a Círculo de Lectores.

Depósito legal: B. 24810-2005
Fotocomposición: Fotoletra, S. A., Barcelona
Impresión y encuadernación: Printer industria gráfica
N. II, Cuatro caminos s/n, 08620 Sant Vicenç dels Horts
Barcelona, 2005. Impreso en España
ISBN 84-672-1372-8
N.º 32193